PENSEZ COMME
Léonard de Vinci

Données de catalogage avant publication (Canada)

Gelb, Michael

Pensez comme Léonard de Vinci : Soyez créatif et imaginatif

Traduction de : How to think like Leonardo da Vinci.

1. Pensée créatrice. 2. Léonard, de Vinci, 1452-1519. 3. Créativité. 4. Imagination. 5. Pensée créatrice – Problèmes et exercices. I. Titre.

BF408.G3714 1999 153.3'5 C99-940377-X

DISTRIBUTEURS EXCLUSIFS:

- Pour le Canada et les États-Unis:
  MESSAGERIES ADP*
  955, rue Amherst
  Montréal, Québec
  H2L 3K4
  Tél.: (514) 523-1182
  Télécopieur: (514) 939-0406
  * Filiale de Sogides ltée

- Pour la France et les autres pays:
  VIVENDI UNIVERSAL PUBLISHING SERVICES
  Immeuble Paryseine, 3, Allée de la Seine
  94854 Ivry Cedex
  Tél.: 01 49 59 11 89/91
  Télécopieur: 01 49 59 11 96
  Commandes: Tél.: 02 38 32 71 00
  Télécopieur: 02 38 32 71 28

- Pour la Suisse:
  VIVENDI UNIVERSAL PUBLISHING SERVICES SUISSE
  Case postale 69 - 1701 Fribourg - Suisse
  Tél.: (41-26) 460-80-60
  Télécopieur: (41-26) 460-80-68
  Internet: www.havas.ch
  Email: office@havas.ch
  DISTRIBUTION: OLF SA
  Z.I. 3, Corminbœuf
  Case postale 1061
  CH-1701 FRIBOURG
  Commandes: Tél.: (41-26) 467-53-33
  Télécopieur: (41-26) 467-54-66

- Pour la Belgique et le Luxembourg:
  VIVENDI UNIVERSAL PUBLISHING SERVICES BENELUX
  Boulevard de l'Europe 117
  B-1301 Wavre
  Tél.: (010) 42-03-20
  Télécopieur: (010) 41-20-24
  http://www.vups.be
  Email: info@vups.be

Pour en savoir davantage sur nos publications,
visitez notre site: **www.edhomme.com**
Autres sites à visiter: www.edjour.com • www.edtypo.com
www.edvlb.com • www.edhexagone.com • www.edutilis.com

© 1998, Michael J. Gelb
© 1999, Les Éditions de l'Homme,
une division du groupe Sogides,
pour la traduction française

Tous droits réservés

L'ouvrage original américain a été publié par Delacorte Press,
une division de Bantam Doubleday Dell Publishing Group, Inc.,
sous le titre *How to Think like Leonardo da Vinci*

Dépôt légal : 2e trimestre 1999
Bibliothèque nationale du Québec

ISBN 2-7619-1475-9

Michael J. Gelb

PENSEZ COMME Léonard de Vinci

SOYEZ CRÉATIF ET IMAGINATIF

Traduit de l'américain
par Marie Perron

PRÉFACE : « NÉ DU SOLEIL »

Quels ont été vos héros, vos héroïnes, vos modèles les plus inspirants ? Avec beaucoup de chance, cette liste pourrait inclure vos père et mère, mais les grands personnages de l'histoire ont sans doute été vos meilleurs guides. L'immersion dans la vie et l'œuvre des grands artistes, des chefs d'État, des érudits et des maîtres spirituels nourrit l'esprit et le cœur. Vous vous êtes peut-être procuré le présent ouvrage parce que Léonard représente pour vous un archétype de réussite et parce que vous avez envie de le connaître plus intimement.

Lorsque j'étais petit garçon, Superman et Léonard de Vinci étaient mes héros. Mais si « l'homme d'acier » a sombré dans l'oubli, ma fascination pour Léonard n'a jamais cessé de croître. Un jour, au printemps de 1994, répondant à l'invitation d'une prestigieuse association de présidents d'entreprises reconnue pour ses exigences, je suis allé prononcer une conférence à Florence. Le président du groupe m'avait fait la demande suivante : «Êtes-vous en mesure, par votre exposé, d'apprendre à nos membres à développer leur créativité et leur personnalité tant dans leur vie personnelle que dans leur vie professionnelle ? Autrement dit, pouvez-vous leur indiquer la voie de l'humanisme ? » Je puisai dans mon plus grand rêve et répondis du tac au tac : « Pourquoi pas un exposé sur l'art de penser comme Léonard de Vinci ? »

Je ne pouvais prendre cette tâche à la légère. Les participants débourseraient beaucoup d'argent pour s'inscrire à ce séminaire de six jours, l'un des nombreux stages de formation que l'association en question offre chaque année à ses membres : ils se réunissent dans l'une des plus importantes villes du monde afin d'en explorer l'histoire, la culture et le secteur des affaires tout en s'enrichissant sur les plans personnel et professionnel. Ils peuvent choisir parmi tout un ensemble d'ateliers ayant lieu en même temps (le mien entrait en concurrence avec cinq autres, dont l'un était dirigé par l'ex-président de la société Fiat, Giovanni Agnelli) ; on les invite à évaluer chaque conférencier sur une échelle de un à dix et à quitter les lieux lorsque la présentation leur déplaît. En d'autres termes, s'ils ne vous aiment pas, ils vous envoient paître !

En dépit de ma fascination de toute une vie pour le sujet qui me tient à cœur, je savais qu'il me restait beaucoup de travail à faire. En plus de me plonger dans la lecture, j'ai planifié une tournée-pèlerinage des œuvres de Léonard. J'ai d'abord admiré le *Portrait de Ginevra de' Benci* à la National Gallery de Washington, D.C. À New York, j'ai visité l'exposition itinérante du « Codex Leicester », commanditée par Bill Gates et Microsoft. À Londres, je me suis penché sur les manuscrits du British Museum et je suis allé voir *La Vierge, l'Enfant Jésus et Sainte Anne* à la National Gallery. J'ai ensuite passé quelques jours au Louvre, à Paris, en compagnie de *La Joconde* et de *Saint Jean-Baptiste*. Le point culminant de mon pèlerinage a cependant été ma visite du château de Cloux, dans les environs d'Amboise, où Léonard de Vinci a vécu les dernières années de son existence. Dans ce château, qui est maintenant un musée, sont rassemblées d'étonnantes maquettes de quelques-unes des inventions de Léonard, réalisées par des ingénieurs de la société IBM. En posant mes pieds dans les empreintes du maître, en m'asseyant dans son studio, en entrant dans sa chambre, en admirant par la fenêtre le panorama sur lequel il laissait chaque jour errer son regard, j'ai éprouvé une émotion indescriptible où se mêlaient respect, émerveillement, tristesse et gratitude.

Naturellement, j'ai visité Florence et j'y ai donné ma conférence. Le clou de mon séjour a été le moment où ma présentatrice a confondu ma notice biographique avec le texte de mon exposé sur Léonard. Elle a dit – et, pour reprendre une expression de Dave Barry, je n'invente rien : « Mesdames et Messieurs, j'ai l'insigne privilège de vous présenter un homme dont l'expérience surpasse tout ce que j'ai connu dans ma vie : il est tout ensemble anatomiste, architecte, botaniste, urbaniste, costumier et décorateur, chef, humoriste, ingénieur, cavalier, inventeur, géographe, géologue, mathématicien, technologue militaire, musicien, peintre, philosophe, physicien et raconteur. [...] Mesdames et Messieurs, permettez-moi de vous présenter... Monsieur Michael Gelb ! »

Ah ! si seulement...

Quoi qu'il en soit, mon exposé fut un succès (personne n'a quitté les lieux) et donna naissance au livre que vous tenez entre vos mains.

Avant cette inoubliable introduction, une personne s'approcha de moi et dit : « Je ne crois pas qu'il soit possible de devenir comme Léonard de Vinci, mais je vais tout de même assister à votre conférence. » Vous êtes peut-être du même avis : cet ouvrage prétend-il que tout enfant vient au monde doté des mêmes aptitudes et des mêmes dons que Léonard ? L'auteur est-il vraiment persuadé que tous peuvent se transformer en génies de la stature de Léonard ? Eh bien, non. Malgré des décennies de travaux consacrés à découvrir tout l'éventail des possibilités humaines et la façon de les éveiller, je me range à l'opinion du disciple de Léonard, Francesco Melzi, qui écrivit ceci à la mort du maître : « Nous pleurons tous la mort de cet homme, car la Nature ne saurait recréer son pareil. » Plus j'en sais sur Léonard, plus je plonge dans l'émerveillement et le mystère. Tous les grands génies sont des êtres uniques, et Léonard fut sans doute le plus grand de tous.

Reste la question fondamentale : Est-il possible d'analyser la notion léonardienne du savoir et du développement de l'intelligence afin d'y trouver une inspiration et un guide dans la réalisation de notre potentiel créateur ?

Évidemment, ma réponse à *cette* interrogation est : Oui ! Les éléments fondamentaux de la notion léonardienne du savoir et du développement de l'intelligence sont limpides ; il est possible de les étudier, de les imiter et de les mettre en pratique.

Imaginer que l'on peut apprendre à imiter le plus grand des hommes de génie, est-ce faire preuve d'orgueil démesuré ? C'est possible. Mais on peut aussi se borner à trouver en lui l'inspiration qui nous permettra de nous réaliser pleinement.

Quoi de mieux que les beaux vers du poète Sir Stephen Spender pour inaugurer notre exploration du plus grand esprit de l'histoire de l'humanité ?

JE NE CESSE DE PENSER AUX VÉRITABLES GRANDS ESPRITS

Je ne cesse de penser aux véritables grands esprits
Dès le sein maternel, ils ont suivi l'histoire de l'âme
Au long de couloirs lumineux où chaque heure est un astre
Chantant et infini. Ils ont voulu
De leurs lèvres brûlantes de passion
Témoigner de l'esprit tout vêtu de chanson
Ils ont recueilli les désirs
Qui pleuvaient sur leur être
Des rameaux du printemps
Comme autant de bouquets
L'important est de ne jamais oublier
Les délices du sang tiré des sources éternelles
Qui se fraient un chemin parmi le roc
Depuis les premiers temps du monde
Ne jamais oublier ses plaisirs dans la lumière d'aube
Ni ses crépusculaires besoins d'amour
Et ne jamais laisser que la fureur
Noie de tumulte et de brouillard
L'éclosion de l'esprit

Tout près des neiges et du soleil, sur les hauteurs
Voyez comme leurs noms sont acclamés
Par les herbes tremblantes
Les serpentins de blancs nuages
Les murmures du vent dans le ciel attentif
Ce sont les noms de ceux qui ont lutté pour vivre
Et dont le cœur se consumait
Nés du soleil ils ont marché vers le soleil
Et laissé dans l'air vif l'empreinte de leur gloire

Plus que jamais, notre univers est celui du tumulte, du brouillard, de la fureur. Mais vous aussi êtes né du soleil et vous marchez vers lui. Que cet ouvrage, inspiré par l'un des plus grands génies de l'histoire, soit votre guide. Il vous invite à respirer l'air vivifiant, à sentir la flamme qui consume votre cœur, à savourer la pleine éclosion de votre esprit.

Michael J. Gelb

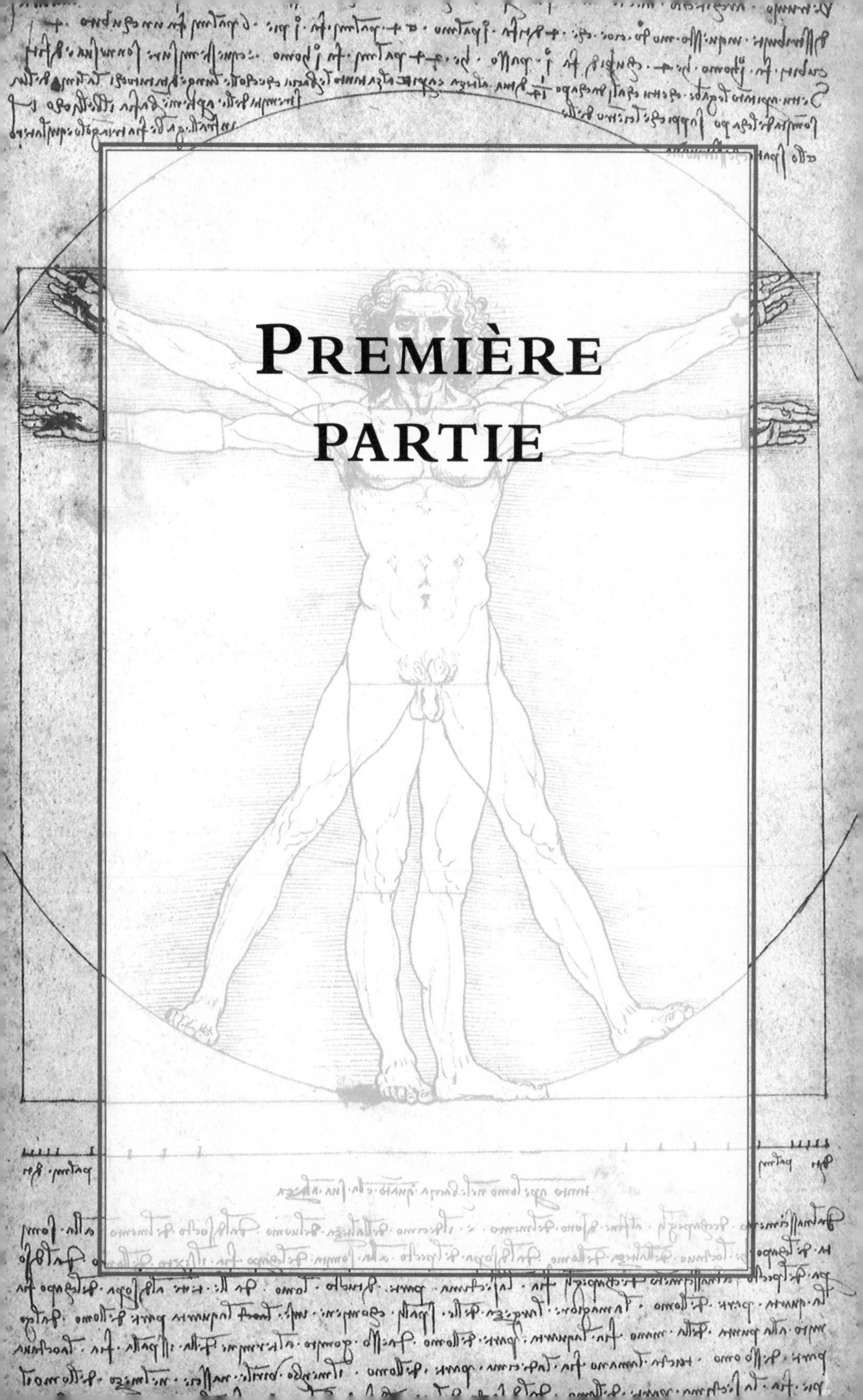

Première partie

Introduction

Votre cerveau est plus puissant que vous ne le pensez.

S'il est difficile de surestimer le génie de Léonard de Vinci, de récentes recherches scientifiques démontrent que vous sous-estimez sans doute vos propres aptitudes. L'être humain est doté d'une capacité d'apprentissage et de créativité pratiquement illimitée. Quatre-vingt-quinze pour cent de ce que nous savons sur le fonctionnement du cerveau a été acquis au cours des vingt dernières années. Nos écoles, nos universités, nos grandes entreprises ne font que commencer à mettre en pratique cette connaissance des aptitudes humaines. Avant d'apprendre à penser comme Léonard, effectuons un bref survol des connaissances contemporaines sur les facultés intellectuelles et sur la nature et l'ampleur de nos ressources cérébrales.

La première de ces lacunes concerne l'idée selon laquelle l'intelligence est innée et immuable. Tout en reconnaissant que chaque individu reçoit à la naissance un bagage génétique qui lui confère, dans des domaines spécifiques, des aptitudes plus ou moins importantes, des chercheurs tels que Buzan, Machado, Wenger et de nombreux autres ont démontré qu'une formation adéquate contribue à hausser les résultats du test QI. Dans une étude statistique de plus de deux cents travaux de recherche sur le QI publiée dans la revue *Nature,* Bernard Devlin a conclu que le facteur génétique ne compte que pour 48 p. 100 du QI, le solde, soit 52 p. 100, dépendant des soins prénatals, de l'environnement et de l'éducation reçue.

La seconde lacune qui affecte la définition traditionnelle de l'intelligence concerne la notion selon laquelle l'aptitude au raisonnement verbal et mathématique telle que mesurée par les tests QI et SAT est un indice infaillible du quotient mental. Cette vision étroite a été complètement démentie par les recherches contemporaines en psychologie. Dans son classique intitulé *Les formes de l'intelligence* (1997), le psychologue Howard Gardner met de l'avant sa théorie des intelligences multiples, selon laquelle chacun possède au moins sept types d'intelligences mesurables (dans des travaux subséquents, Gardner et ses collègues ont catalogué pas moins de vingt-cinq types d'intelligences secondaires). Ces sept catégories d'intelligence et les esprits exemplaires qui les ont possédées (outre Léonard de Vinci qui les possédait toutes) sont les suivantes:

- Logico-mathématique: Stephen Hawkins, Isaac Newton, Marie Curie
- Verbo-linguistique: William Shakespeare, Emily Dickinson, Jorge Luis Borges
- Spatio-mécanique: Michel-Ange, Georgia O'Keeffe, Buckminster Fuller
- Musicale: Mozart, George Gershwin, Ella Fitzgerald
- Physico-kinesthésique: Morihei Ueshiba, Mohammed Ali, F. M. Alexander
- Interpersonnelle-sociale: Nelson Mandela, Mahatma Gandhi, Élisabeth Ire
- Intrapersonnelle (connaissance de soi): Viktor Frankl, Thich Nhat Hanh, Mère Teresa

La validité de cette théorie des intelligences multiples est maintenant reconnue. Combinée à la certitude que l'intelligence peut continuer à se développer tout au long de la vie, elle ne saurait qu'inspirer les êtres qui aspirent à l'universalité.

En plus de contribuer à l'accroissement des connaissances sur la nature et l'ampleur de l'intelligence humaine, la recherche contemporaine en psychologie a mis au jour des vérités incontournables quant aux capacités mentales d'un individu. En résumé, votre cerveau est beaucoup plus puissant que vous ne le pensez. Pour une étude pratique de la pensée léonardienne, rien ne vaut la connaissance des ressources phénoménales de votre cortex. Imaginez un peu:

Votre cerveau

- est plus flexible et polyvalent que l'ordinateur le plus puissant;
- peut assimiler sept faits nouveaux à la seconde, chaque seconde, jusqu'à la fin de vos jours, sans en être le moins du monde incommodé;
- *s'améliorera* avec l'âge si vous savez vous en servir;
- n'est pas confiné à votre tête: selon l'éminente spécialiste du cerveau, le Dr Candace Pert, «[...] l'intelligence ne loge pas exclusivement dans

le cerveau, mais aussi dans des cellules réparties à travers le corps. [...] La dissociation traditionnelle entre processus mentaux (y compris les émotions) et processus physiques n'est plus valide»;

- est unique. Parmi les six milliards d'êtres vivants et les quatre-vingt-dix milliards d'êtres ayant vécu sur terre depuis les débuts de l'humanité, aucune autre personne au monde ne vous ressemble (sauf si vous faites partie d'un couple de jumeaux identiques). Vos dons créateurs, vos empreintes digitales, vos expressions, votre A.D.N., vos rêves, tout cela est unique et sans précédent;
- est capable de jonctions synaptiques, ou de schémas mentaux, pratiquement illimités.

Ce dernier point a d'abord été soulevé par Pyotr Anokhin, de l'Université de Moscou, disciple du légendaire Ivan Pavlov, un pionnier de la psychologie. Anokhin époustoufla toute la communauté scientifique lorsque, en 1968, il publia les résultats de ses travaux. Il démontra que le nombre minimal de schémas mentaux dont est capable le cerveau moyen peut s'exprimer par le chiffre 1 suivi de 10,5 millions de kilomètres de zéros.

Anokhin compara le cerveau humain à «un instrument musical polyvalent, capable de jouer simultanément un nombre infini de pièces différentes». Il souligna le fait que chaque individu est doté à la naissance d'un potentiel illimité. Il affirma qu'aucun homme ni aucune femme, passés ou présents, n'avaient pu explorer

Qu'arrive-t-il au cerveau lorsque nous vieillissons? Nombreux sont ceux qui croient que nos aptitudes mentales et physiques déclinent avec l'âge et que, passé vingt-cinq ans, nous perdons quotidiennement une proportion importante de nos facultés cérébrales. En réalité, le cerveau peut développer ses capacités tout au long de notre vie. Nos neurones sont capables de connexions sans cesse plus complexes, et ce, jusqu'à notre dernier jour. Notre réserve de neurones est si vaste que, même si nous perdions chaque jour mille cellules de notre cerveau, cette perte ne représenterait que 1 p. 100 de la totalité de nos cellules (bien entendu, assurez-vous de ne pas perdre le 1 p. 100 que vous utilisez!).

la totalité de leurs facultés cérébrales. Anokhin n'aurait cependant aucune peine à admettre que Léonard de Vinci est le plus grand des modèles pouvant inspirer quiconque désire approfondir ses aptitudes mentales.

LE PROFESSEUR LÉONARD

Les canetons apprennent à survivre en imitant leur mère. L'apprentissage par l'imitation est propre à de nombreuses espèces, y compris l'espèce humaine. En approchant de l'âge adulte, nous bénéficions d'un avantage unique : nous pouvons choisir nos modèles. Nous pouvons en outre remplacer par d'autres ceux qui ne nous conviennent plus. Il importe donc d'opter pour la crème des modèles afin de trouver en eux des guides capables de nous inspirer à aller jusqu'au bout de nos aptitudes.

Ainsi, si vous aspirez à exceller au golf, inspirez-vous de Ben Hogan, Jack Nicklaus et Tiger Woods. Si vous voulez devenir un chef d'État, étudiez Winston Churchill, Abraham Lincoln et Élisabeth Ire. Si l'universalité est ce qui vous intéresse, songez à Leon Battista Alberti, à Thomas Jefferson, à Hildegarde de Bingen et, par-dessus tout, à Léonard de Vinci.

Leon Battista Alberti (1404-1472) fut le premier être universel et l'un des modèles qui inspira Léonard. Architecte, ingénieur, mathématicien, peintre et philosophe, Alberti était aussi un athlète et un musicien averti.

Dans leur ouvrage intitulé *Buzan's Book of Genius,* Tony Buzan et Raymond Keene sont les premiers à tenter un classement objectif des plus grands cerveaux de l'histoire. Regroupant leurs sujets sous diverses catégories, dont les suivantes – « Originalité », « Polyvalence », « Supériorité dans un domaine », « Vision universelle » et « Force et énergie », ils proposent, en tête de palmarès, les dix personnages suivants, par ordre décroissant :

10. Albert Einstein
9. Phidias (surintendant des travaux d'embellissement d'Athènes)
8. Alexandre le Grand
7. Thomas Jefferson
6. Isaac Newton

5. Michel-Ange
4. Johann Wolfgang von Goethe
3. Les bâtisseurs de la Grande Pyramide
2. William Shakespeare

Et le plus grand génie de tous les temps, d'après Buzan et Keene ? Léonard de Vinci.

Ainsi que l'écrit Giorgio Vasari dans la première édition de ses *Vies des meilleurs peintres, sculpteurs et architectes,* « Le ciel nous envoie parfois des êtres qui ne représentent pas la seule humanité, mais la divinité elle-même, afin que, les prenant pour modèles et les imitant, notre esprit et le meilleur de notre intelligence puissent approcher les plus hautes sphères célestes. L'expérience montre que ceux que le hasard pousse à étudier et à suivre les traces de ces merveilleux esprits, même si la nature ne les aide pas ou les aide peu, s'approchent du moins des œuvres surnaturelles qui participent à cette divinité[1]. »

Notre compréhension croissante de la multiplicité de l'intelligence humaine et des aptitudes du cerveau nous permet de penser que la nature est plus disposée à nous aider que nous n'étions en mesure de l'imaginer. Dans *Pensez comme Léonard de Vinci,* nous « étudierons et nous suivrons les traces » du plus merveilleux des hommes de génie, afin que vous puissiez chaque jour imprégner votre vie de sa sagesse et de son inspiration.

LE GÉNIE PAR LES TRAVAUX PRATIQUES

Dans les pages qui suivent, nous vous proposerons des travaux pratiques passés au crible de l'expérimentation, qui vous permettront d'appliquer les principaux éléments du génie de Léonard à l'enrichissement de votre vie. Vous découvrirez une manière originale et enthousiasmante de voir et de goûter votre univers tout en appliquant des stratégies efficaces pour développer votre pensée créatrice et des formes inédites d'expression de soi. Vous apprendrez des

1. Toutes les citations de Vasari sont tirées de Giorgio Vasari, *Les vies des meilleurs peintres, sculpteurs et architectes,* édition commentée sous la direction d'André Chastel, 11 vol., Paris, Berger-Levrault, 1981-1987. Les citations tirées plus spécifiquement de sa biographie de Léonard de Vinci proviennent du vol. 5, 1983, pp. 31-53.

techniques éprouvées destinées à stimuler vos sens, à libérer votre intelligence, à harmoniser votre corps et votre esprit. En vous inspirant de Léonard, vous ferez de votre vie une véritable œuvre d'art.

Que vous soyez ou non déjà familier avec la vie et l'œuvre de Léonard, cet ouvrage vous permettra d'acquérir une vision nouvelle et une meilleure compréhension du personnage énigmatique qu'il était. En regardant le monde avec ses yeux, vous goûterez un peu de la solitude propre au génie. Mais je vous promets que l'esprit du maître vous élèvera, que sa quête vous inspirera, et que sa fréquentation vous exaltera.

Cet ouvrage débute par un survol de la Renaissance et de son influence sur notre époque actuelle ; il se poursuit par un croquis biographique de Léonard et un aperçu de ses plus grandes réalisations. Au cœur du livre, vous trouverez une analyse des Sept principes léonardiens. Ces principes ont été inspirés par l'étude approfondie de l'homme et de ses méthodes. J'ai donné à chacun son nom italien. Vous connaissez sans doute d'instinct ces sept principes, en sorte que vous n'aurez nul besoin de les introduire dans votre vie. Il vous suffira, comme en ce qui a trait au bon sens, de vous les remémorer, de les développer et de les mettre en pratique.

Les Sept principes léonardiens sont :

La Curiosità – Une curiosité insatiable et une soif inextinguible de connaissance.

La Dimostrazione – La volonté de mettre vos connaissances à l'épreuve par l'expérimentation, la persistance, et le désir de tirer des leçons de vos erreurs.

Giorgio Vasari (1511-1574), qui fut l'architecte de la galerie des Offices de Florence et un élève de Michel-Ange, publia la première édition de ses *Vies des meilleurs peintres, sculpteurs et architectes* en 1550. Les érudits s'entendent pour reconnaître en Vasari le premier historien de l'art. Ses *Vies* sont encore aujourd'hui la plus importante source de renseignements sur l'art de la Renaissance italienne. Avec une exceptionnelle aisance narrative, Vasari y documente la vie et l'œuvre de près de deux cents peintres, sculpteurs et architectes, dont Giotto, Masaccio, Brunelleschi, Donatello, Botticelli, Verrocchio, Raphaël, Michel-Ange, Titien et, bien entendu, Léonard.

La Sensazione – Le raffinement continu des sens, en particulier de la vue, dans le but de rehausser vos expériences.

Le Sfumato (littéralement «l'art du vaporeux») – La volonté d'embrasser l'ambiguïté, le paradoxe, l'incertitude.

L'Arte/la Scienza – La recherche de l'équilibre entre science et art, logique et imagination. Une façon de penser qui sollicite le cerveau tout entier.

La Corporalità – La recherche de la grâce, de l'ambidextérité, de la bonne forme physique, de l'élégance.

La Connessione – La reconnaissance et l'éloge de l'interdépendance de toutes choses et de tous phénomènes. La pensée systémique.

Si vous m'avez lu jusqu'ici, vous mettez déjà en pratique le premier des principes léonardiens. En effet, la Curiosità – ou soif inextinguible de connaissance – vient avant tout le reste, puisque le désir de savoir, d'apprendre et d'évoluer est le moteur même de la connaissance, de la sagesse et de la découverte.

Si vous aspirez à réfléchir par vous-même et à libérer votre esprit de ses habitudes et de ses préjugés contraignants, vous êtes ouvert au deuxième principe: la Dimostrazione. Dans sa quête de vérité, Léonard remettait sans cesse en question la sagesse populaire. Le mot *dimostrazione* lui permettait d'exprimer l'importance de l'apprentissage individuel par la voie de l'expérimentation.

Arrêtez-vous un moment, et remémorez-vous ces instants de l'an qui vient de s'écouler au cours desquels vous vous êtes senti le plus vivant. Il se pourrait que vos sens aient alors été plus sollicités que d'habitude. Le troisième principe, la Sensazione, se concentre sur la stimulation consciente des facultés sensorielles. Léonard croyait que le raffinement des sens était la clé de l'enrichissement de l'expérience.

En raffinant vos facultés sensorielles, en explorant à fond vos sensations et en stimulant votre curiosité d'enfant, vous vous heurterez de plus en plus souvent à des incertitudes et à des ambiguïtés. «L'aptitude à tolérer le doute» est incontestablement la principale caractéristique des personnes très créatrices. Léonard en était sûrement doté plus que tout autre être humain. Le principe numéro quatre, soit le Sfumato, vous familiarise avec l'inconnu et vous aide à apprivoiser le paradoxe.

Autoportrait du maître.

Nous le respectons en apprenant de lui.
— FREUD, À PROPOS DE LÉONARD DE VINCI

Le principe numéro cinq, l'Arte/la Scienza, est celui qui permet à l'équilibre et à la créativité d'émerger du doute. C'est aussi ce que nous appelons la pensée radiante. Mais Léonard était d'avis que l'équilibre n'était pas que mental. Il était lui-même une affirmation et une démonstration de l'importance du sixième principe, la Corporalità, soit le juste équilibre entre l'esprit et le corps. Si vous êtes fasciné par les motifs, les rapports, les interdépendances et les systèmes, si vous vous efforcez de comprendre comment il est possible d'intégrer vos rêves, vos objectifs, vos valeurs et vos plus hautes aspirations à votre existence quotidienne, vous mettez déjà en pratique le principe numéro sept, la Connessione. La Connessione est ce qui relie les parties en un tout cohérent.

Chacun de ces principes est illustré par des extraits des carnets du maître, par ses dessins et ses tableaux. Nous proposons ensuite un certain nombre de questions qui visent à encourager la réflexion et à faciliter l'évaluation personnelle. Ces questions ont pour but de stimuler votre cerveau et de vous inciter à mettre ces principes en œuvre. Suivent une série de travaux pratiques destinés à développer votre universalité personnelle et professionnelle. Pour tirer le meilleur parti possible de *Pensez comme Léonard de Vinci,* lisez le livre d'abord, sans faire les exercices. Arrêtez-vous aux questions orientées vers la réflexion et l'évaluation de soi. Ensuite, relisez attentivement l'analyse de chacun des principes et concentrez-vous sur les travaux pratiques. Certains sont amusants et faciles; d'autres exigeront plus de discipline intérieure. Tous sont conçus pour inviter l'esprit du maître à vous accompagner dans votre vie quotidienne. En plus des exercices, vous trouverez quelques suggestions annotées de lecture et une liste d'organismes ressources qui vous aideront à explorer chaque principe plus à fond et à le concrétiser. Cette bibliographie inclut des ouvrages sur la Renaissance, sur l'histoire des idées, sur la nature du génie et, bien entendu, sur la vie et l'œuvre de Léonard.

Dans la dernière partie du livre, vous trouverez un « Cours de dessin léonardien pour débutants » et vous découvrirez comment participer à un projet d'une très grande importance historique qui incarne l'essence même de l'esprit léonardien.

La Renaissance hier et aujourd'hui

Au-delà de l'Arno, un peu à l'écart des quartiers touristiques, se trouve l'église Santa Maria del Carmine. Si, en entrant, on se dirige deux fois vers la gauche, on pénètre dans la chapelle Brancacci, ornée de fresques par Masolino et Masaccio. Dans la première de ces fresques, sur la gauche, Masaccio évoque Adam et Ève chassés du paradis terrestre. Cette fresque est représentative des débuts de la Renaissance : s'éloignant des figures immatérielles des panneaux d'inspiration byzantine dépourvus de perspective, les personnages de Masaccio sont d'un relief étonnant, avec leur silhouette affaissée et l'intense émotion qui se lit sur leur visage. Tridimensionnels et d'un profond réalisme, les Adam et Ève de Masaccio sont annonciateurs d'une ère nouvelle d'humanisme et de réalisations.

Afin de mieux apprécier cette nouvelle naissance et de tirer le meilleur parti possible de notre étude de Léonard de Vinci, il convient de se pencher sur la période précédente. Dans *A World Lit Only by Fire : The Medieval Mind and the Renaissance,* William Manchester affirme que l'Europe d'avant la Renaissance se caractérisait par « un mélange de guerres incessantes, de corruption, d'anarchie, d'adhésion à la fable et d'une quasi insondable apathie ». Manchester décrit comme suit la période comprise entre la chute de l'Empire romain et l'aube de la Renaissance : « Tout ce temps, on ne note aucun progrès ou déclin majeur. Si l'on excepte l'introduction de la roue à aube dans les années 800 et des moulins à vent vers 1100, cette période ne compte aucune invention significative, la naissance d'aucune pensée inédite, la conquête d'aucun nouveau territoire. L'Europe était la même depuis des temps immémoriaux. L'Europe, la Terre Sainte étaient encore au centre de l'univers ptolémaïque, et l'Afrique du Nord en marquait les confins. Chaque jour, le soleil tournait autour de cet univers. Du haut de la voûte céleste, le paradis surplombait la Terre immobile, tandis que l'enfer se consumait sous nos pieds. Les rois étaient les représentants de Dieu ici-bas, et le peuple faisait ce qu'on lui disait de faire. [...] L'Église était une et indivisible, et la vie éternelle une certitude. Tout le savoir était déjà acquis et l'avenir ne promettait aucun changement.»

Le mot *Renaissance* vient de la juxtaposition du verbe *renaître* et du substantif *naissance*. Les Italiens disent *Rinascimento*. Après des siècles de féodalité et de superstition, un idéal humain de puissance et d'ambition reprenait forme. Cet idéal classique, présagé par Giotto, amorcé par Brunelleschi, Alberti et Masaccio, trouva sa pleine expression avec Léonard, Michel-Ange et Raphaël. Une aussi spectaculaire transformation de la vision du monde depuis le Moyen Âge donna lieu à d'importantes découvertes, innovations et inventions, notamment:

- *La presse typographique* – Grâce au développement de l'imprimerie, le peuple eut accès à des connaissances jusque-là réservées au clergé et aux élites. En 1456, moins de soixante exemplaires de la Bible de Gutenberg, premier livre à être imprimé en Europe, étaient en circulation. Une cinquantaine d'années plus tard, plus de quinze millions de livres étaient accessibles.
- *Le crayon à mine de plomb et le papier commun* – Il devenait possible d'écrire, de prendre des notes et, par conséquent, de rendre le savoir accessible aux masses.
- *L'astrolabe, le compas magnétique et les grands voiliers* – Il s'ensuivit une expansion considérable de la navigation océanique, du commerce international et des communications. En même temps que Colomb et Magellan démontraient que la terre n'était pas plate, ils renversaient les certitudes populaires.
- *Le canon à longue portée* – La catapulte, le mangonneau (lance-pierre) et le canon à faible portée, en usage depuis de nombreuses années, étaient néanmoins impuissants contre les forteresses. Le canon à longue portée fut mis au point par un Hongrois du nom de Urbain au milieu du XVe siècle. Le recours généralisé à cette nouvelle technologie facilita la destruction des châteaux forts et, en mettant fin à la féodalité, d'ouvrir la porte à l'État-nation.
- *L'horloge mécanique* – En permettant de mesurer le temps avec exactitude, l'horloge mécanique stimula le commerce. La notion médiévale du temps était très étrangère à la nôtre. La grande majorité des gens ignoraient en quelle année et même en quel siècle ils vivaient.

Un grand nombre d'innovations et la plupart des grands chefs-d'œuvre de cette période ont été alimentés par un formidable esprit d'entreprise, le désir toujours plus vaste de se procurer des biens de consommation, et une course au capital. Dans *Wordly Goods : A New History of the Renaissance,* Lisa Jardine démontre, en s'appuyant sur de magnifiques illustrations et un texte incisif et fourmillant de détails, comment les transformations culturelles et intellectuelles de la Renaissance ont été stimulées par l'expansion du capitalisme. Elle affirme que « ces élans que nous dénigrons aujourd'hui en les qualifiant de " consumérisme " » existaient déjà à la Renaissance dans le schéma mental qui a donné le jour aux progrès et aux œuvres que nous chérissons. Le mercantilisme y a aussi joué un rôle : « La réputation d'un peintre tenait davantage à son aptitude à susciter un intérêt commercial pour ses œuvres qu'à un quelconque critère de valeur intellectuelle. »

Cette extraordinaire éclosion de la conscience se reflète dans les modifications apportées aux règles du jeu d'échecs. Avant la Renaissance, la reine ne pouvait avancer que d'une case à la fois. Mais à mesure que l'individu élargissait son horizon et développait ses ressources, elle se vit arroger les pouvoirs étendus dont elle jouit encore de nos jours.

Mais une question demeure : pourquoi la Renaissance s'est-elle produite précisément à cette époque ? Au cours du millénaire qui avait précédé, les progrès européens dans les domaines de la science et de l'exploration avaient été négligeables. Tout au long du Moyen Âge, le dynamisme et l'effort intellectuel s'étaient concentrés sur des questions de doctrine et de guerre « sainte ». Au lieu d'explorer de nouveaux territoires, de nouvelles technologies et de nouvelles idées, les grands esprits débattaient du nombre d'anges que pouvait contenir une tête d'épingle, et l'Église hésitait rarement à torturer quiconque remettait ses dogmes en question. Une telle oppression, bien entendu, ne pouvait que freiner l'émergence de la liberté intellectuelle.

Selon mon collègue Raymond Keene et moi-même, l'élément déclencheur de la Renaissance a été, au XIVe siècle, l'épidémie de peste noire qui déferla sur l'Europe et emporta, dans une mort rapide et hideuse, près du tiers de la population du continent.

Prêtres, évêques, nobles et chevaliers moururent aussi sûrement que les paysans, les serfs, les prostituées et les marchands. La dévotion, la piété et la fréquentation de l'église ne leur furent d'aucun secours et ébranlèrent la foi religieuse de plus d'un. En outre, les familles fortunées ayant été décimées du jour au lendemain, la richesse fut bientôt l'affaire des rares survivants. Ces riches qui, auparavant, s'étaient montrés généreux avec l'Église, choisirent plutôt, après la peste, d'investir dans la connaissance. On assista au début à un glissement quasi imperceptible de la conscience intellectuelle, puis à une recherche croissante de réponses hors de la prière et du dogmatisme. Ce dynamisme florissant, mis au rancart pendant des millénaires par le pouvoir ecclésiastique, infiltra peu à peu le doute né de la pestilence.

Cinq cents ans après la Renaissance, à une époque où les nations et les grandes sociétés rivalisent avec l'Église pour la loyauté du peuple, nous assistons à des progrès encore plus spectaculaires dans les domaines de la connaissance, du capitalisme et de la communication. L'avion – cette concrétisation des rêves et des prophéties de Léonard –, le téléphone, la radio, la télévision, le cinéma, le télécopieur, l'ordinateur personnel et, maintenant, Internet, contribuent à former la toile extrêmement complexe des communications mondiales. Les progrès formidables de l'agriculture, de l'automatisation et de la médecine n'étonnent plus personne. Nous avons envoyé des hommes sur la Lune et des engins sur Mars, libéré la puissance de l'atome, déchiffré le code génétique, et percé bon nombre des mystères du cerveau humain. Ces progrès extraordinaires dans la communication et la technologie encouragent le capitalisme et les libertés individuelles tout en érodant les régimes totalitaires.

Ces transformations se produisent à un rythme accéléré. Nous ignorons cependant comment elles affecteront dans l'avenir notre vie personnelle et professionnelle. Mais, comme les grands esprits auxquels donnèrent naissance les changements cataclysmiques de la peste noire, nous avons l'obligation de nous demander si les puissances dominantes de notre époque – Église, gouvernement ou industries – ont le droit de penser pour nous.

Nous ne risquons cependant pas de nous tromper en disant que les métamorphoses rapides de notre société et leur complexité croissante haussent la valeur du capital intellectuel. On fait grand cas de l'aptitude que possède un individu à se cultiver, à s'adapter aux circonstances et à réfléchir par lui-même en faisant preuve de créativité. À la Renaissance, l'individu incapable de se démarquer de l'optique médiévale se laissait rapidement distancer. Aujourd'hui, en pleine ère de l'information, ce sont les façons de penser du Moyen Âge ou de l'ère industrielle qui sont menacées d'extinction.

La Renaissance s'inspirait des idéaux de l'Antiquité classique – conscience aiguë du pouvoir de l'être humain et de ses ressources, passion de la découverte – tout en les adaptant aux nécessités du temps. Notre tour est venu de nous inspirer des idéaux de la Renaissance en adaptant ceux-ci aux défis que nous relevons.

Comme bon nombre de mes amis, votre plus grand défi consiste sans doute à trouver un équilibre à votre vie et à enrichir votre existence malgré les attaques omniprésentes du stress. Ainsi que nous l'avons déjà dit, nos ancêtres du Moyen Âge n'avaient aucune notion du temps. Contrairement à eux, nous nous laissons souvent dominer par l'horloge. Au Moyen Âge, le commun des mortels n'avait pas accès à la connaissance ; les livres existants étaient rédigés en latin que seule l'élite maîtrisait. Nous sommes aujourd'hui littéralement noyés dans un océan de données. Cinq cents ans à peine ont suffi à nous faire émerger de la certitude et de l'ignorance pour entrer dans un univers de remises en question et de perpétuelles métamorphoses.

Les curieux désireux d'aller droit au but et de découvrir le sens, la beauté et la qualité de la vie n'ont qu'à répondre à l'appel de Léonard de Vinci, ce saint patron des esprits libres.

La rapidité du progrès a donné lieu à un besoin sans précédent de développement personnel, d'éveil de l'âme et de spiritualité. La masse d'information disponible sur les traditions ésotériques a provoqué un raz-de-marée de quêtes intérieures. (Il y a cent ans, il vous aurait fallu gravir une montagne en Inde pour apprendre l'art de la méditation ; aujourd'hui, il vous suffit de vous inscrire au cours que donne le YMCA à ce propos, de fouiller dans Internet, ou de choisir parmi la centaine de volumes sur le sujet que vous propose votre libraire.) En même temps, ce déluge d'information contribue à nous enfoncer dans le cynisme, l'isolement et l'impuissance. Un nombre incalculable de portes nous sont ouvertes, nous jouissons d'une liberté d'action et de choix sans précédent. Mais nous pataugeons aussi dans la plus vaste mer de niaiseries, de médiocrité et d'ordures de toute l'histoire de l'humanité.

L'ÊTRE UNIVERSEL

L'être universel idéal, c'est-à-dire l'*uomo universale* des Italiens et le *Renaissance man* des Anglo-Saxons, est cet être complet, harmonieux, à l'aise à la fois dans l'art et dans la science. L'enseignement mondialement répandu des humanités procède de cet idéal. À notre époque axée sur la spécialisation, la recherche d'une harmonie aussi complète exige de nager à contre-courant. Mais en plus de posséder une excellente connaissance des humanités classiques, l'*uomo universale* moderne jouit aussi d'une :

- Connaissance pratique de l'informatique : Léonard aurait certes eu autant de mal que quiconque à programmer son magnétoscope. Mais l'être universel moderne est au courant des progrès dans le domaine de l'informatique et navigue de plus en plus facilement sur le Web.
- Connaissance des processus mentaux : Nous avons dit précédemment que 95 p. 100 de nos connaissances sur le fonctionnement du cerveau ont été acquises au cours des vingt dernières années. La connaissance des processus mentaux, d'après l'expression *mental literacy* popularisée par Tony Buzan, est celle de l'individu au fait des nouveaux développements dans la compréhension des mécanismes cérébraux. Elle débute par la conscience de l'amplitude de nos ressources mentales et des intelligences multiples, et inclut le développement des facultés d'apprentissage et des aptitudes créatrices par des méthodes accélérées comme celles que nous détaillerons dans les pages qui suivent.
- Conscience universelle : En plus de son aptitude à apprécier la mondialisation de l'information, de l'économie et des écosystèmes, l'*uomo universale* moderne est ouvert aux autres cultures. Il considère que le racisme, le sexisme, la persécution religieuse, l'homophobie et le nationalisme sont des vestiges de nos sociétés primitives. Les êtres universels modernes de l'Occident éprouvent un intérêt particulier pour les cultures orientales, et vice versa.

La vie de Léonard de Vinci

Si vous avez déjà postulé un emploi ou préparé votre curriculum vitæ, vous saurez apprécier la lettre que Léonard écrivit en 1482 à Ludovic Sforza, duc de Milan, et qui est sans doute la demande d'emploi la plus célèbre de tous les temps.

> Et toi, peintre, désireux d'accomplir de grandes choses [...]
>
> — LÉONARD DE VINCI

> Illustrissime Seigneur, ayant jusqu'ici suffisamment considéré et étudié les expériences de tous ceux qui se disent maîtres et inventeurs de machines de guerre, et trouvant que leurs machines ne diffèrent en rien de celles qui sont ordinairement employées, je m'enhardirai, sans vouloir porter préjudice à personne, jusqu'à m'adresser à Votre Excellence pour lui apprendre mes secrets, et lui offre de démontrer, quand il lui plaira, toutes les choses brièvement énumérées ci-dessous.

1. J'ai le moyen de construire des ponts très légers, solides, robustes et d'un transport facile, pour poursuivre et, au besoin, mettre en déroute l'ennemi, et d'autres plus solides qui résistent au feu et à l'assaut, aisés et faciles à enlever et à poser. Et des moyens de brûler et de détruire ceux de l'ennemi.
2. Pour l'investissement d'une place forte, je sais comment chasser l'eau des fossés et construire un nombre infini de ponts, béliers, et échelles d'escalade et autres engins relatifs à ce genre d'entreprise.
3. Item, si une place ne peut être détruite par le bombardement à cause de la hauteur de son glacis, ou de sa forte position, j'ai les moyens de détruire toute citadelle ou autre place forte, dont les fondations ne posent pas sur la pierre.
4. J'ai aussi des méthodes pour faire des bombardes très commodes et faciles à transporter, qui lancent de la pierraille quasiment comme la tempête, causant grande terreur à l'ennemi par leur fumée, et grand dommage et confusion.

5. Item, j'ai aussi le moyen, par des souterrains et passages secrets et tortueux, creusés sans bruit, d'arriver à l'endroit déterminé, même s'il fallait passer sous des fossés ou sous un fleuve.
6. Item, je ferai des chars couverts, sûrs et inattaquables, qui entreront dans les rangs ennemis avec leur artillerie, et nulle compagnie d'hommes d'armes n'est si grande qu'ils ne puissent l'enfoncer; l'infanterie pourra les suivre impunément et sans rencontrer d'obstacles.
7. Item, au besoin, je ferai des bombardes, mortiers et passe-volants de formes très belles et utiles, tout à fait différentes de celles que l'on emploie communément.
8. Là où l'emploi du canon n'est pas possible, je fabriquerai des catapultes, mangonneaux, *trabocchi* et autres machines d'une admirable efficacité, peu usités en général. Bref, selon les cas, je fabriquerai un nombre infini d'engins variés, pour l'attaque ou la défense.
9. Et si d'aventure l'engagement avait lieu sur mer, j'ai des plans pour construire des engins très propres à l'attaque ou à la défense, des vaisseaux qui résistent au feu des plus grandes bombardes, à la poudre et à la fumée.
10. En temps de paix, je crois pouvoir vous donner aussi entière satisfaction que quiconque, soit en architecture, pour la construction des édifices publics et privés, soit pour conduire l'eau d'un endroit à l'autre.
11. Item, je puis exécuter de la sculpture, en marbre, bronze ou terre cuite; de même en peinture, mon œuvre peut égaler celle de n'importe qui.
12. En outre, j'entreprendrai l'exécution du cheval de bronze qui sera gloire immortelle, hommage éternel à la bienheureuse mémoire du Seigneur votre père et à l'illustre maison des Sforza.

Et si l'une des choses ci-dessus énumérées semblait impossible ou impraticable, je m'offre à en faire l'essai dans votre parc ou en tout autre lieu qu'il plaira à Votre Excellence, à qui je me recommande en toute humilité[1].

1. Toutes les citations de Léonard de Vinci sont tirées des *Carnets de Léonard de Vinci,* introduction, classement et notes par Edward MacCurdy, traduit de l'anglais et de l'italien par Louise Servicen, préface de Paul Valéry, 2 volumes, Paris, Gallimard, 1942; collection « Tel », Paris, Gallimard, 1987.

Il a été embauché. Il semblerait toutefois, d'après Giorgio Vasari, que ses charmes, ajoutés à ses talents de musicien et de concepteur de fêtes, aient été la raison première de son engagement. N'est-il pas fascinant qu'un génie de la trempe de Léonard puisse passer son temps à planifier des reconstitutions historiques et des bals, à créer des costumes et inventer toutes sortes d'autres bagatelles? Pourtant, comme nous le rappelle Kenneth Clark, « On s'attendait à cela des artistes de la Renaissance, quand ils n'étaient pas occupés à peindre des Madones. »

Dans la Florence du quattrocento, la coutume voulait que le maître laisse un ou plusieurs de ses apprentis les plus doués compléter certains des détails de ses tableaux. Domenico Ghirlandajo, Pietro Perugino et Lorenzo di Credi ont été quelques-uns des compagnons de Léonard à l'atelier de Verrocchio.

Selon un document préparé par son grand-père, Léonard est né à 22 heures 30, le samedi 15 avril 1452, soit trente ans plus tôt. Sa mère, Caterina, était une paysanne d'Anchiano, un petit village des environs de Vinci, à une soixantaine de kilomètres de Florence. Son père, Ser Piero da Vinci, qui n'était pas marié à Caterina, était un comptable prospère et un important notaire exerçant son métier à Florence. Alors que Léonard était âgé de cinq ans, il fut enlevé à sa mère et élevé dans la maison de son grand-père paternel, notaire également. Les enfants illégitimes ne pouvant faire partie de la Guilde des notaires, Léonard ne put suivre les traces de son père et de son grand-père. C'est donc par un coup du sort qu'il ne put devenir le plus grand comptable de tous les temps!

Heureusement, il entra comme apprenti à l'atelier de l'orfèvre, peintre et sculpteur Andrea del Verrocchio (1435-1488). Le nom de Verrocchio signifie littéralement «œil vrai»; il lui fut donné en hommage à la vigueur de son expression artistique et constitue un titre tout à fait approprié pour le maître de Léonard (le chef-d'œuvre de Verrocchio est le monument équestre de Bartolomeo Colleoni, à Venise, bien qu'il soit mieux connu pour son *Enfant au dauphin* que l'on peut voir dans la cour du Palazzo Vecchio à Florence, et pour son *David,* au Bargello). La première œuvre à laquelle Léonard ait personnellement participé est *Le baptême du Christ,* où un fragment de paysage et l'ange, à l'angle inférieur gauche du tableau, sont de sa main.

Le biographe de Léonard, Serge Bramly, auteur d'un livre exceptionnel intitulé Discovering the Life of Leonard da Vinci, *se penche sur les différences entre le travail du jeune Léonard et celui de son maître : « Lorsqu'on examine le* Baptême du Christ *à l'ultraviolet, la différence entre sa technique [de Léonard] et celle de Verrocchio saute aux yeux. Tandis que le maître souligne les reliefs par des contours au blanc de plomb (qui, parce qu'il bloque les rayons ultraviolets, est parfaitement visible), Léonard superpose de minces couches de peinture, sans mélange de blanc ; son application est si fluide et si souple* qu'on ne décèle aucun coup de pinceau. *Les rayons traversent entièrement la partie du tableau qu'il a peinte, si bien que le visage de l'ange disparaît totalement. »* Comme si Léonard avait vraiment créé un ange.

Dans ses *Vies,* Giorgio Vasari note que Verrocchio, devant la délicatesse et la qualité du travail de son élève, ne voulut « plus jamais toucher un pinceau. » Exprimait-il là une humble révérence pour des dons aussi prodigieux ou un profond désespoir face à ses propres limites ? Plus vraisemblablement, Verrocchio prit la sage décision de confier à son apprenti les commandes qui lui parvenaient et de consacrer son propre talent à la pratique lucrative de la sculpture.

L'annonciation, *par Léonard de Vinci. L'arrière-fond brumeux, les détails botaniques et la chevelure bouclée et lumineuse sont typiques du style de Léonard.*

Le talent précoce de Léonard attira l'attention du plus important mécène de Verrocchio, Laurent de Médicis, dit Le Magnifique. Ainsi, Léonard put fréquenter l'entourage extraordinaire de Laurent, composé de philosophes, de mathématiciens et d'artistes. Il semble même que, pendant son apprentissage, Léonard ait vécu au palais des Médicis.

Six ans après son entrée chez Verrocchio, soit en 1472, Léonard s'inscrivit dans la Compagnie de Saint-Luc, une guilde d'apothicaires, de médecins et d'artistes florentins qui avait son quartier général à l'Ospedale di Santa Maria Nuova. Tout porte à croire qu'il profita de l'emplacement de la guilde pour approfondir son étude de l'anatomie. Les historiens de l'art les plus érudits relient en effet l'extraordinaire Saint Jérôme du Musée du Vatican et l'*Annonciation* des Offices à cette période.

Imaginons un Léonard jeune adulte, au début de la vingtaine, tandis qu'il se promène par les rues de Florence vêtu de collants de soie et d'une tunique de velours rose, ses longs cheveux blonds et bouclés cascadant sur ses épaules. Vasari a loué sa beauté : « La splendeur qui rayonnait de ses traits merveilleux rassérénait toute âme triste. » Réputé pour sa grâce, la perfection de ses traits et ses talents de conteur, d'humoriste, d'illusionniste et de musicien, Léonard savoura sûrement dans sa jeunesse les plaisirs de la vie. Mais cette insouciance prit fin brutalement quand, peu avant son vingt-quatrième anniversaire, il fut arrêté et soumis au jugement de la

Saint-Jérôme, *par Léonard de Vinci. Ce tableau fut découvert au* XIXe *siècle. Il avait été fendu en deux morceaux dont l'un servait de plateau de table.*

Seigneurie de Florence afin de répondre à une accusation de sodomie. On peut aisément imaginer le traumatisme que dut infliger à un homme de cet âge l'accusation d'avoir commis un crime jugé capital à l'époque et la menace d'incarcération. Ainsi qu'il le dira lui-même, « Plus grande est la sensibilité, plus grand le martyre. »

Bien qu'il ait été relâché faute de preuves suffisantes, cette occurrence fut à l'origine de son désir de quitter Florence. Il reçut néanmoins plusieurs commandes au cours des années qui suivirent, dont quelques-unes de la Seigneurie. Son œuvre la plus marquante de cette période est sans conteste *L'adoration des Mages,* exécutée pour les moines de San Donato a Scopeto, mais laissée inachevée.

En 1482, Léonard se rendit à Milan où, sous la protection de Ludovic Sforza, dit « le Maure », il peignit son chef-d'œuvre, *La Cène*. Léonard employa trois ans à cette fresque, de 1495 à 1498.

*Le critique d'art Bernard Berenson, qui introduisit le mot « connoisseur » dans la langue anglaise, déclara que l'*Adoration des Mages, *de Léonard, était « un véritable chef-d'œuvre ». Il ajouta : « Le quattrocento n'a sans doute rien produit de plus beau. »*

*Carton pour l'*Adoration des Mages.

La Cène traduit, avec une force émotive exceptionnelle, le moment précis où le Christ affirme : « L'un de vous me trahira. » Le Christ, résigné et serein, occupe seul le centre de la fresque, tandis que ses disciples bouleversés s'agitent à ses côtés. Dans une composition à la géométrie parfaite où les apôtres sont réunis, à droite et à gauche, en quatre groupes de trois, Léonard capte admirablement les mouvements de l'âme. Le calme du Christ, dans cette œuvre où ressort la perfection de l'équilibre et de la perspective, s'impose et crée un effet de contraste spectaculaire avec le tumulte d'émotion qui traverse les autres personnages. La transcendance qui s'en dégage est unique dans toute l'histoire de l'art. Très détériorée en dépit – et parfois même à cause – des tentatives de restauration, cette fresque demeure, dans les mots de l'historien d'art E. H. Gombrich, « l'un des plus grands miracles du génie humain. »

Lorsqu'il ne séduisait pas la cour de Ludovic et ne créait pas des œuvres magistrales, Léonard s'adonnait à l'anatomie, à l'astronomie, à la botanique, à la géologie, à l'étude du vol, à la géographie et à la balistique. Le Maure consentit en outre à ce que Léonard réalise un colossal monument équestre à la gloire de son père, Francesco Sforza, qui avait avant lui été duc de Milan. Après avoir étudié de façon exhaustive l'anatomie et les mouvements du cheval, Léonard conçut ce qui devait être la plus magnifique statue équestre jamais réalisée. Au bout de plus de dix ans de travaux préparatoires, il en fabriqua un modèle de dimensions réelles, soit 7,20 mètres de hauteur, dont Vasari dit: « Ceux qui ont connu le grand modèle que Léonard exécuta en terre affirment n'avoir jamais rien vu de plus beau, de plus superbe. » Selon les calculs de Léonard, la réalisation du cheval exigerait plus de quatre-vingts tonnes de bronze fondu. Malheureusement, le bronze préparé pour la fonte dut servir à la construction de canons pour repousser l'envahisseur français. En 1499, les Français envahirent Milan, et Ludovic fut contraint de s'exiler. Avec un mauvais goût et un barbarisme dignes de l'armée ottomane qui avait détruit le nez du Sphinx, ou de la flotte vénitienne qui avait projeté des tirs de mortier sur le Parthénon, les archers français mirent en pièces le modèle du cheval de Léonard en l'utilisant comme cible.

Du cheval, je ne dirai rien, car je connais le temps.

— Extrait d'une lettre de Léonard à Ludovic, à la nouvelle que le bronze nécessaire au monument ne lui sera pas attribué.

Léonard de Vinci : étude pour le monument Sforza.

Carton de Léonard pour La Sainte Vierge, l'Enfant Jésus et sainte Anne.

La défaite de Ludovic fit de Léonard un artiste sans résidence ni mécène. Il revint à Florence en 1500, et l'année suivante il dévoila la seconde version d'un carton (perdu) pour un retable, *La Vierge, l'Enfant Jésus, sainte Anne et saint Jean-Baptiste,* que lui avaient commandé les servites pour le maître-autel de la Santissima Annunziata. Décrivant la réaction des Florentins, Vasari note que Léonard «[...] ne fit pas seulement l'admiration des artistes. Dans la salle où il l'avait achevé, il y eut deux jours durant un défilé d'hommes et de femmes, jeunes et vieux, pour le voir. Ils y venaient comme aux grandes fêtes, pour admirer les prodiges de Léonard, objets de l'émerveillement populaire.» Léonard n'acheva pas ce retable, dont les cartons et les études lui servirent plus tard à réaliser une œuvre de tendresse exquise, *La Vierge, l'Enfant Jésus et sainte Anne,* aujourd'hui au Louvre.

En 1502, Léonard interrompit ses sublimes évocations de la féminité divine et entra, en qualité d'ingénieur militaire, au service de l'infâme commandant des armées papales, César Borgia. Il occupa l'année suivante à voyager dans toute l'Italie afin de réaliser des dessins topographiques remarquablement exacts du centre de l'Italie. Mais en dépit des cartes de Léonard et de ses innovations technologiques, la campagne de César Borgia se heurta à maintes difficultés. Malgré les conseils prodigués par Nicolas Machiavel que lui avait dépêché la Seigneurie de Florence, le grand stratège ne put empêcher la chute de la maison Borgia. Toutefois, au cours de cette période, Machiavel se lia d'amitié avec Léonard, et cette amitié permit au maître de recevoir une importante commande de la Seigneurie après son retour à Florence en avril 1503.

Tandis qu'il s'activait à la réalisation de la murale de la Seigneurie, la *Bataille d'Anghiari,* il peignit aussi un portrait qui, selon Vasari, serait celui de la troisième épouse d'un noble Florentin, Francesco del Giocondo. Le portrait de Madonna Elisabetta, surnommée Mona Lisa et connue en français sous le nom de *La Joconde,* deviendra le tableau le plus célèbre et le plus mystérieux de l'histoire. Léonard emporta le portrait avec lui quand il retourna à Milan pour entrer au service du vice-roi de Louis XII, Charles d'Amboise. Pendant ce second séjour milanais,

Interprétation, par Pierre Paul Rubens, de la Bataille d'Anghiari, *de Léonard de Vinci.*

il se consacra à des expériences en anatomie, en géométrie, en hydraulique, et il étudia le vol des oiseaux, tout en concevant et en décorant des palais, en dessinant des monuments et en construisant des canaux pour son protecteur. C'est également à cette époque qu'il peignit *Saint Jean-Baptiste* et *Léda et le cygne*.

En 1512, le fils de Ludovic, Maximilien, chasse les Français de Milan où il se rétablit quelque temps avant d'être déchu. Léonard trouve refuge à Rome et entre au service de Julien de Médicis, frère du pape nouvellement élu, Léon X, qui lui permet de loger au Belvédère du Vatican et lui verse une pension. Quoique grand amateur d'art, le pape est trop préoccupé par les commandes qu'il a confiées à Michel-Ange et à Raphaël pour s'intéresser à Léonard, déjà âgé de soixante ans. Du reste, Léonard peint assez peu au cours de cette période, préférant poursuivre ses recherches scientifiques, notamment en anatomie, en optique et en géométrie. Il fait cependant la connaissance du jeune Raphaël sur qui il exerce une profonde influence.

La maigre pension que lui verse le Vatican s'interrompt tout à fait en 1516, au décès de son protecteur, Julien de Médicis. Avant de quitter Rome, Léonard note, déçu : « Les Médicis m'ont créé et m'ont détruit. »

Accompagné d'un petit entourage d'apprentis et d'assistants, Léonard retourna à Milan, puis en France, plus précisément à Amboise, dans la vallée de la Loire, en sachant qu'il ne reverrait sans doute jamais sa mère patrie, et vécut les dernières années de sa vie sous la protection du roi de France, François Ier. Bien que le maître ait eu de nombreux protecteurs et admirateurs, le roi de France fut sans doute de tous celui qui, le plus, reconnut et admira le génie singulier de Léonard. François mit à sa disposition le château de Cloux, lui versa une pension généreuse, et le laissa libre de réfléchir et de créer à sa guise. En dépit de son titre officiel de « premier peintre, architecte et mécanicien du roi », Léonard avait pour première responsabilité de converser et d'amuser le roi, et de discuter avec lui de philosophie. Selon Benvenuto Cellini, François Ier « pensait qu'il n'y avait jamais eu au monde homme si savant, et non seulement en sculpture, en peinture ou en architecture, mais surtout comme grand philosophe[2]. »

À propos du manque de soutien du pape à l'endroit de Léonard, William Manchester écrit : « [...] parmi tous les grands artistes de la Renaissance, seul Léonard de Vinci pouvait tomber en disgrâce aux yeux du pape. [...] Il était, dans l'ensemble, plus dangereux pour la société médiévale que n'importe lequel des Borgia. César se contentait de tuer. Léonard, tout comme Copernic, était une menace pour les certitudes, pour un savoir dont les limites avaient été fixées à tout jamais par Dieu, et pour le conformisme qui étouffait la curiosité et l'innovation. La cosmologie de Léonard [...] était en réalité un instrument contondant, capable de venir à bout de la fatuité qui, entre autres choses, avait permis à une mafia de papes profanes de désacraliser le Christianisme. »

---

2. Benvenuto Cellini, *Della Architettura,* Milan, B. Maier, 1968, p. 859 ; cité dans « Léonard ingénieur », texte de Paolo Galluzzi, traduction française de Marie-Claude Trémouille, dans *Léonard de Vinci, ingénieur et architecte,* catalogue de l'exposition, Montréal, Musée des Beaux-Arts de Montréal, 1987, p. 91.

Mesdames et Messieurs, préparez-vous à encourager votre favori ! Bienvenue dans la Sala del Gran Consiglio del Palazzo Vecchio pour le Championnat du Monde de la Peinture, catégorie poids lourds ! Sur le mur à droite, avec son nez cassé et son sarrau tout taché, le challenger, Michelangelo Buonarotti s'apprête à peindre la Bataille de Cascina. Sur le mur opposé, portant son éternelle tunique rose, avec sa barbe blonde toujours aussi soignée, le champion, Leonardo da Vinci, peindra la Bataille d'Anghiari.

Cela s'est presque passé ainsi, surtout grâce à Machiavel. La Bataille des Batailles représente la quintessence de l'esprit compétitif et acéré des pères de Florence, dont les yeux se fixaient férocement sur l'héritage qu'ils entendaient léguer à la postérité. Malheureusement, ces deux œuvres n'existent que par les croquis que les peintres en ont fait, par des copies et par des descriptions écrites. Léonard expérimenta avec la préparation du stuc et avec les pigments afin de mieux fixer la peinture, mais il échoua, et il abandonna l'œuvre quand elle commença à se détériorer. Il partit pour Milan en 1506. Quant à Michel-Ange, il fut appelé à Rome par le pape Jules II, ne laissant derrière lui que quelques études. Quoi qu'il en soit, ces deux œuvres inachevées ont eu une profonde influence sur le développement de la peinture. Selon Kenneth Clark, « Les cartons de Léonard et de Michel-Ange pour les batailles marquent un point tournant de la Renaissance. [...] ils sont à l'origine de deux styles que le XVIe siècle allait développer – le baroque et le classicisme. »

Qui a remporté la Bataille des Batailles ? Clark s'émerveille du dessin baroque de Léonard et vante la perfection de ses chevaux et de ses figures de personnages, tout en signalant que ses contemporains ont sans doute préféré Michel-Ange en raison de la beauté incomparable de ses nus. Nous savons que Michel-Ange a copié certains des dessins de Léonard dans ses carnets et que Léonard a subi l'influence de son jeune rival quand il s'est agi de donner à ses propres nus des poses plus héroïques. Conclusion ? Match nul.

Croquis de la vallée de l'Arno, par Léonard. Daté du 5 août 1473, ce dessin regorge de toute la force de la nature.

Léonard poursuivit ses recherches sous la protection du roi de France, mais il lui restait peu de temps à vivre. Ses années d'exil avaient sapé sa vitalité. Quand un accident cérébral lui valut en outre de perdre l'usage de sa main droite, Léonard comprit qu'il mourrait sans avoir pu réaliser son rêve d'unification de toutes les connaissances.

Le mystère plane sur ses derniers jours comme sur l'ensemble de sa vie personnelle. Un jour, il écrivit: « Comme un jour bien vécu procure un sommeil paisible, ainsi une vie bien vécue procure-t-elle une mort douce. » Pourtant, ailleurs, il notait: « L'âme ne quitte le corps qu'à regret; sa peine et ses lamentations ne sont pas dénuées de cause. » Vasari ajoute que, sentant la mort approcher, Léonard, qui avait une profonde vie spirituelle sans pour autant être dévot, « voulut s'informer scrupuleusement des pratiques catholiques et de la bonne et sainte religion chrétienne ».

Léonard s'éteignit à l'âge de soixante-sept ans, le 2 mai 1519. Selon Vasari, ses derniers jours furent marqués par un profond repentir. Il déclara « combien il avait offensé Dieu et les hommes en ne travaillant pas dans son art comme il l'aurait dû». Pourtant, avant sa fin, il avait écrit: «Je poursuivrai mon œuvre sans jamais me lasser d'être utile.» Vasari signale que Léonard, avant de mourir dans les bras du roi de France, lui expliqua en détail sa maladie et ses manifestations. Bien que certains érudits attestent l'existence de documents prouvant que François Ier ne se trouvait pas au chevet de Léonard quand il mourut, rien ne vient entériner ces affirmations, et il se pourrait bien que Vasari ait raison. Il est aisé de penser que, même devant sa mort imminente, le maître soit resté fidèle à sa passion d'apprendre.

La vie de Léonard de Vinci est une œuvre mystérieuse, tissée de paradoxes et teintée d'ironie. Nul autre que lui n'a exploré un aussi vaste champ d'expérimentation; pourtant, beaucoup de ses œuvres demeurent inachevées. Il n'a jamais complété *La Cène*, la *Bataille d'Anghiari* ou le cheval des Sforza. Seulement dix-sept de ses toiles ont survécu, dont certaines sont inachevées. Si ses carnets renferment une somme prodigieuse d'information, il ne les a jamais mis en ordre et ne les a jamais publiés comme il avait souhaité le faire.

Les érudits ont avancé des tas d'hypothèses d'ordre social, politique, économique et psychosexuel pour expliquer la tendance de Léonard à abandonner ce qu'il entreprenait et, pour certains d'entre eux, cette tendance est une preuve d'échec. Le professeur Morris Philipson, pour sa part, affirme qu'un tel jugement équivaut à reprocher à Colomb de ne pas avoir découvert la route des Indes.

Philipson se range néanmoins à l'opinion d'autres spécialistes pour dire que la plus grande réussite de Léonard est son universalité. Le maître incarne l'inspiration suprême, celle qui permet à l'atteinte d'excéder la portée.

LES RÉALISATIONS MAJEURES

Seule une encyclopédie pourrait rendre justice à l'étendue des réalisations de Léonard. Nous devrons cependant nous contenter d'un bref survol de ses œuvres importantes dans les domaines de l'art, de l'invention, de l'ingénierie militaire et de la science.

Repris plus tard par Freud, le romancier Dimitry Merezhkovski, auteur du roman biographique *The Romance of Leonardo da Vinci,* compare Léonard à « un homme qui s'éveille trop tôt, quand il fait encore nuit et que tous dorment encore autour de lui ».

Léonard, l'*artiste,* a révolutionné les arts de son époque. Il a été le premier occidental à faire du paysage le thème central d'un tableau. Il a introduit les pigments à l'huile et fut le premier à appliquer les lois de la perspective, du chiaroscuro, du contrapposto, du sfumato, ainsi que d'autres techniques innovatrices qui eurent une profonde influence sur le travail des artistes subséquents.

La *Joconde* et *La Cène* sont reconnues comme étant deux des plus grandes œuvres jamais créées. Elles sont certes les plus célèbres. Parmi les autres chefs-d'œuvre du maître, notons *La Vierge au rocher; La Sainte Vierge, l'Enfant Jésus et sainte Anne; L'Adoration des Mages; Saint Jean-Baptise*, et le portrait de Ginevra de' Benci que l'on peut admirer à la National Gallery de Washington, D.C.

Si le nombre des tableaux de Léonard est relativement modeste, ses dessins, tout aussi magnifiques, abondent. Sa représentation des *Proportions du corps humain, d'après Vitruve,* est aussi universellement connue que peut l'être la *Joconde.* Ses études pour *La Sainte Vierge, l'Enfant Jésus et sainte Anne,* de même que les croquis de têtes pour les apôtres de *La Cène,* ou ses dessins de fleurs, ses études anatomiques, ses observations du mouvement des chevaux et des oiseaux en vol, et ses études sur les eaux, demeurent uniques.

Léonard était aussi un architecte et un sculpteur réputé. La plupart de ses études d'architecture se limitent aux principes généraux du tracé architectural, mais il a aussi agi comme conseiller sur des projets spécifiques, notamment les cathédrales de Milan et de Pavie, et le château du roi de France à Blois. Bien qu'il soit généralement admis que le maître a collaboré à la réalisation

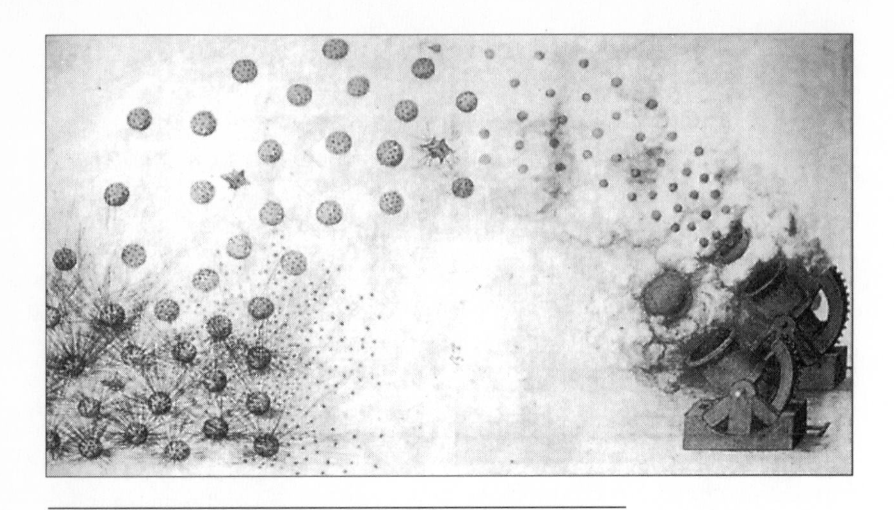

Une explosion de créativité pour ces tirs de mortiers léonardiens.

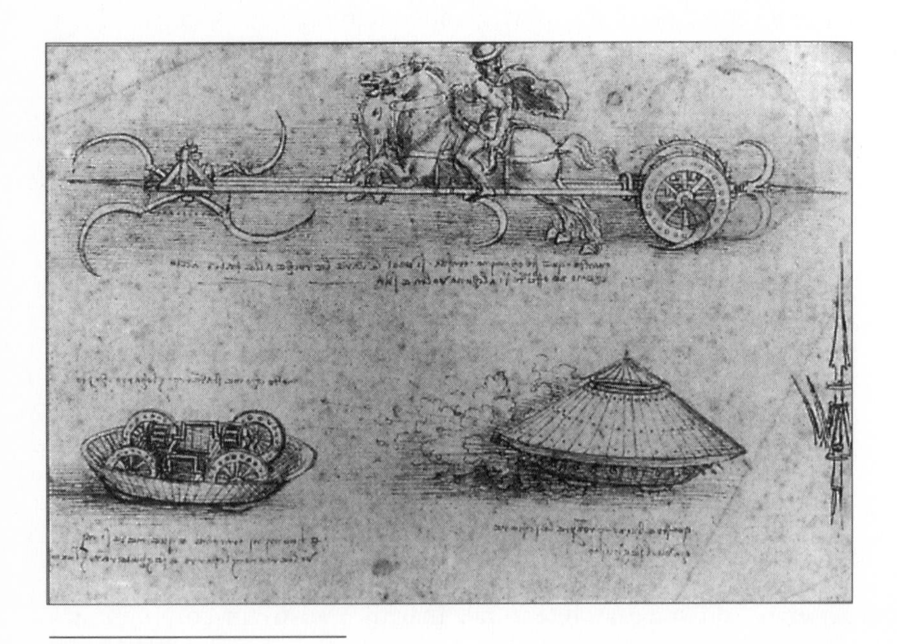

Char à faux et «char d'assaut».

d'un grand nombre de sculptures, les seules qui lui soient attribuées avec certitude sont les trois bronzes situés au-dessus de la porte nord du Baptistère de Florence. En ce qui concerne le groupe sculpté du *Sermon de saint Jean-Baptiste,* il a été exécuté en collaboration avec le sculpteur Giovan Francesco Rustici.

Léonard, l'*inventeur,* a réalisé des plans pour une machine volante, un hélicoptère, un parachute et pour tant d'autres merveilles, notamment une échelle extensible (toujours en usage de nos jours), un levier de changement de vitesses, une machine pour fileter les vis, une bicyclette, une clé à molette ajustable, un scaphandrier, un cric hydraulique, des écluses pour système de canalisation, une roue à aube horizontale, du mobilier pliant, un pressoir à olives, des instruments de musique automatisés, une clepsydre réveille-matin, un fauteuil thérapeutique, et une grue pour l'assainissement des fossés.

Mais, plus que pour ses inventions spécifiques, Léonard mérite notre admiration pour avoir le premier développé le concept même d'automation. Il a dessiné un nombre incalculable d'engins destinés à faciliter le travail et à accroître la productivité. Si certains sont peu pratiques et incongrus, d'autres, tels que le métier à tisser mécanique, présageaient déjà la révolution industrielle.

En tant qu'*ingénieur militaire,* Léonard a conçu des machines et des engins de guerre qui verront effectivement le jour quatre cents ans plus tard, y compris le char d'assaut, la mitraillette, le mortier, le missile guidé et le sous-marin. Aucun de ces engins ne semble avoir servi de son vivant. Pour ce pacifiste, la guerre était une «*pazzia bestialissima*» – une folie bestiale, et le fait de répandre le sang une «atrocité infinie». Il concevait ses engins militaires «pour conserver le don principal de la nature, c'est-à-dire la liberté», écrivit-il. Parfois, il répugnait à les faire connaître; l'un de ses dessins comporte la note suivante où se lit son ambivalence: «[...] je ne la publie ni ne la divulgue, en raison de la malignité des hommes [...].»

Léonard, l'*homme de science,* est l'objet d'un grand nombre de débats. Selon certains érudits, si Léonard avait pu mettre de l'ordre dans ses notes scientifiques et s'il les avait publiées, il aurait pu avoir sur le développement de la science une influence considérable. D'autres estiment qu'il était nettement trop en avance sur son temps pour qu'on puisse apprécier l'importance de ses travaux, même s'il était parvenu à tirer de ceux-ci des théories générales. Bien que la science de Léonard soit admirable surtout pour sa valeur intrinsèque et pour ce qu'elle représente de recherche de vérité, la plupart des spécialistes s'entendent pour reconnaître sa contribution importante dans plusieurs disciplines:

Anatomie

- Il a défriché le champ de l'anatomie comparative moderne.
- Il a été le premier à dessiner des coupes transversales de différentes parties du corps.
- Ses dessins d'êtres humains et de chevaux sont les plus détaillés et les plus complexes qui soient.
- Il a effectué des recherches sans précédent sur le fœtus.
- Il a été le premier à réaliser des moulages du cerveau et des ventricules du cœur.

Botanique

- Il est un pionnier de la botanique.
- Il a décrit le géotropisme (l'orientation d'un organe vers la Terre, sous l'action de la pesanteur) et l'héliotropisme (la propriété de certains végétaux de se tourner vers la lumière du soleil).
- Il a constaté que l'âge d'un arbre correspond au nombre des cernes de l'aubier.
- Il a été le premier à décrire l'agencement particulier des feuilles pour différentes espèces de plantes.

Géologie et physique

- Il a fait d'importantes découvertes sur la nature des fossiles, et il a été le premier à documenter le phénomène d'érosion du sol. Il a écrit: «L'eau gruge les montagnes et comble la vallée.»
- Ses recherches en physique ont ouvert la voie à l'hydrostatique, à l'optique et à la mécanique.

Les recherches de Léonard lui ont permis de devancer certains des grands découvreurs de l'histoire, y compris Copernic, Galilée, Newton et Darwin.

La Cène, *de Léonard de Vinci. Imaginez-vous regardant cette fresque avec les yeux des moines qui l'ont commandée. «Jamais auparavant, dit l'historien d'art E. H. Gombrich, ce moment sacré ne leur avait semblé si immédiat et si véridique.»*

Quarante ans avant Copernic, Léonard a noté, en lettres capitales «IL SOLE NON SI MUOVE» : «Le soleil est immobile. Il ne tourne pas autour de la Terre et la Terre n'est pas le centre de l'univers.»

Soixante ans avant Galilée, il a affirmé qu'il était possible d'observer la surface de la lune et des autres corps célestes au moyen de «verres grossissants».

Deux cents avant Newton, il a écrit sa propre théorie de la gravitation: «Tout poids tend à tomber vers le centre par le chemin le plus court.» Ailleurs, il a aussi noté: «Toute substance lourde incline vers le bas et ainsi ne peut être maintenue haute perpétuellement; voilà pourquoi la terre a été faite sphérique.»

Quatre cents avant Darwin, il a placé l'homme dans la grande famille des singes et des primates et a écrit: «L'homme ne diffère des animaux qu'en ce qui est fortuit.»

Mais, plus importante encore que ses réalisations spécifiques, la façon dont Léonard abordait le savoir est le fondement même de la pensée scientifique moderne.

Deuxième partie

Les sept principes léonardiens

Curiosità

Une curiosité insatiable
et une soif inextinguible
de connaissance.

Nous naissons tous curieux. La Curiosità procède de ce même élan inné, du même désir qui vous a incité à tourner la page précédente – le désir d'en savoir plus. Nous sommes tous mus par ce désir ; le défi consiste à nous en servir et à le développer à notre avantage. Au cours des premières années de notre vie, nous sommes engagés dans une insatiable quête de connaissance. Dès la naissance – selon certains, dès avant la naissance – tous les sens du bébé sont centrés sur l'exploration et l'apprentissage. Tels de mini-scientifiques, les bébés expérimentent avec la totalité de leur environnement. Dès qu'ils peuvent parler, ils multiplient les questions : « Maman, ça fonctionne comment ? » « Pourquoi suis-je né ? » « Papa, d'où viennent les bébés ? »

Le désir de savoir est naturel aux bons.

— Léonard de Vinci

Enfant, Léonard était lui aussi intensément curieux de tout ce qui l'entourait. La nature le fascinait, il faisait déjà preuve d'un talent remarquable pour le dessin, il adorait les mathématiques. Vasari note que « s'étant mis quelques mois aux mathématiques, [Léonard] y fit tant de progrès qu'il embarrassait souvent son maître en soulevant sans cesse des questions difficiles. »

Les grands esprits n'ont de cesse toute leur vie de soulever des questions difficiles. L'émerveillement enfantin de Léonard et sa curiosité insatiable, l'étendue et la profondeur de ses intérêts et son aptitude à remettre en question les idées reçues ne se sont jamais apaisés. La Curiosità a nourri son génie tout au long de sa vie adulte.

Quelles étaient ses motivations ? Dans son ouvrage intitulé *Les créateurs,* l'auteur Daniel Boorstin, gagnant du prix Pulitzer, nous décrit celles-ci par la négative : « Contrairement à Dante, il n'était amoureux d'aucune femme. Contrairement à Giotto, Dante ou Brunelleschi, il ne semblait animé d'aucun civisme, d'aucune dévotion à l'Église ou au Christ. Il acceptait indifféremment des commandes des Médicis, des Sforza, des Borgia ou des rois de France, de même que des papes ou des ennemis de la papauté. Il n'était ni mondain ni sensuel comme pouvaient l'être Boccace ou Chaucer; il n'avait ni l'audace d'un Rabelais ni la piété d'un Dante ni la passion religieuse d'un Michel-Ange. «La loyauté, la dévotion et la passion de Léonard n'avaient pour but que la quête de la vérité et de la beauté. Selon Freud, «Il a transmué sa passion en curiosité.»

La curiosité de Léonard ne se déployait pas seulement dans ses études; elle éclairait et enrichissait toutes ses expériences quotidiennes. Dans un passage typique de ses carnets, Léonard pose les questions suivantes: «Ne voyez-vous pas combien nombreuses et variées sont les actions des hommes? Ne voyez-vous pas la multiplicité des espèces animales, la diversité des arbres, des plantes et des fleurs? La variété des collines et des plaines, des sources, des rivières, des villes, des édifices publics et privés; des instruments destinés à l'usage des hommes; des habits, des ornements et des arts?»

Ailleurs, il ajoute: «J'ai parcouru la campagne pour trouver des explications à ce que je ne comprenais pas. Pourquoi l'on trouve des coquillages sur la crête des montagnes, et aussi des empreintes de coraux, de plantes et d'algues qui vivent habituellement sous les eaux. Pourquoi le tonnerre dure plus longtemps que ce qui l'a provoqué, et pourquoi l'éclair est visible à l'œil nu dès sa création alors qu'il faut un certain temps au tonnerre pour devenir perceptible. Comment se forment les ronds dans l'eau tout autour du point de contact d'un caillou, et pourquoi l'oiseau peut rester suspendu dans les airs. Tous ces mystères et bien d'autres phénomènes occupent mon esprit tout au long de ma vie.»

Cet intense désir de comprendre l'essence des choses a poussé Léonard à développer un esprit analytique dont la profondeur n'avait d'égale que la variété de ses champs d'intérêt. Kenneth Clark, qui a vu en lui «l'homme le plus curieux de l'histoire de l'humanité», le résume ainsi: «Il ne se contentait pas d'une réponse affirmative.» Par exemple, lorsqu'il s'adonnait à des recherches anatomiques, Léonard disséquait chaque partie du corps sous trois angles différents. Il écrit:

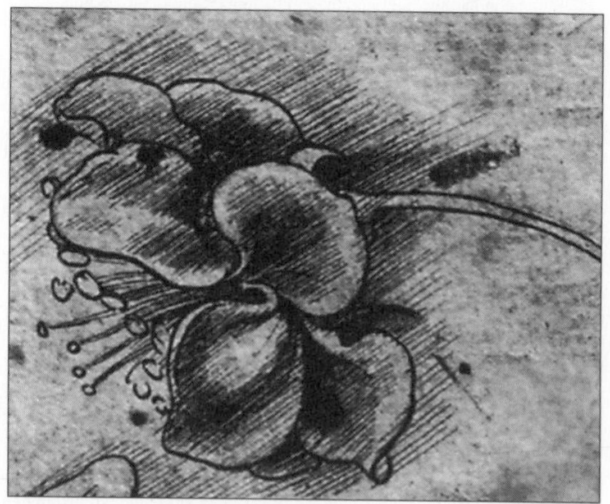

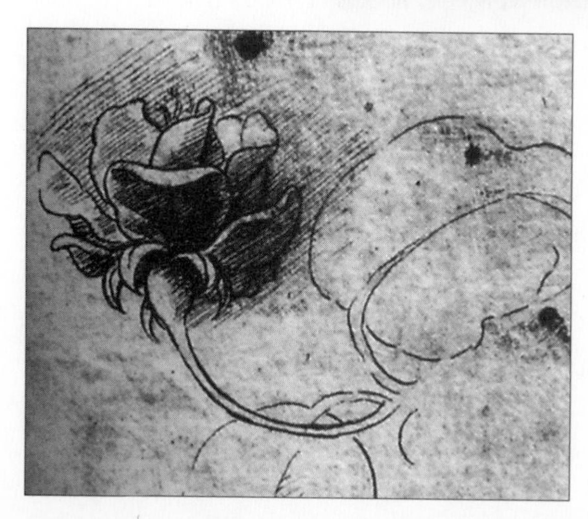

Fleur, vue sous trois angles différents, par Léonard de Vinci.

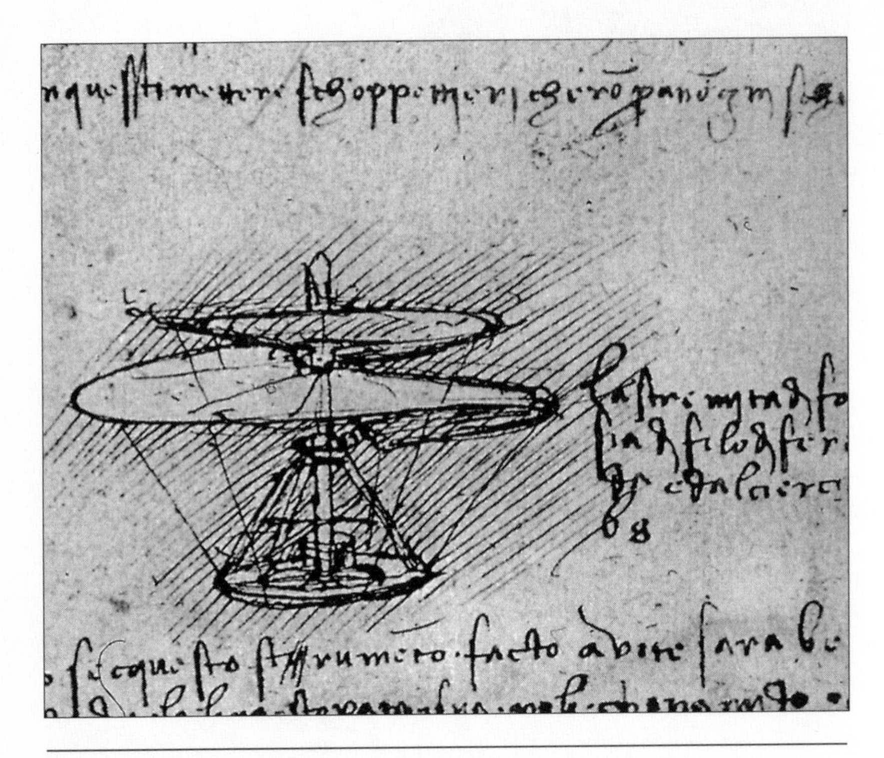

En plus de l'hélicoptère (ci-dessus) et d'autres machines volantes, Léonard a conçu un parachute : « Si un homme a une tente de toile dont toutes les ouvertures ont été bouchées, et qui mesure douze brasses de largeur sur douze de profondeur, il pourra se jeter sans dommage de n'importe quelle altitude. » Les travaux de Léonard sur le parachute sont absolument merveilleux. L'homme ne savait pas encore voler que Léonard avait inventé un moyen sécuritaire de sauter hors d'une machine volante. Le plus incroyable est que les dimensions du parachute de Léonard sont les seules qui permettent au parachute d'être fonctionnel.

Ce plan que j'ai dressé du corps humain te sera exposé exactement comme si tu avais devant toi l'homme véritable. La raison en est que si tu désires connaître à fond les parties d'un sujet disséqué, tu dois déplacer soit son corps soit ton œil, de façon à l'examiner sous différents aspects, d'en bas, d'en haut, de côté, en le retournant et en étudiant l'origine de chaque membre. [...] Ainsi, grâce à mon plan, tu feras connaissance avec chaque partie et chaque tout, au moyen d'une démonstration de chacune vue sous trois aspects différents.

Mais la curiosité de Léonard ne s'arrêtait pas là : il mettait la même rigueur dans toutes ses recherches. Tout comme ces différentes perspectives permettaient à Léonard de mieux comprendre le corps humain, elles l'aidaient à mesurer son habileté à transmettre les résultats de ses découvertes. Couche après couche, ses examens minutieux raffinaient non seulement sa perception des choses mais aussi l'expression de cette perception, ainsi qu'il l'explique dans le *Livre sur la Peinture* :

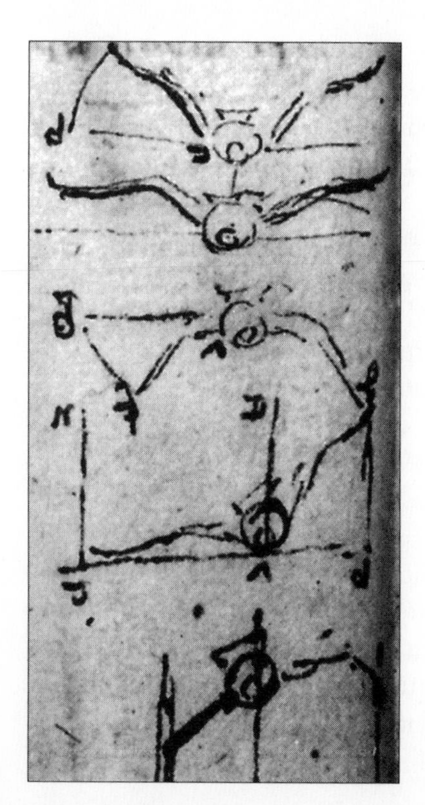

Étude d'oiseaux en vol, par Léonard de Vinci.

Nous savons qu'il nous est plus facile de découvrir des erreurs dans les œuvres d'autrui que dans les nôtres. [...] en peignant, tu dois tenir un miroir plat et souvent y regarder ton œuvre ; tu la verras alors inversée et elle te semblera de la main d'un autre maître ; ainsi, tu pourras mieux juger ses fautes que de toute autre façon.

Cette seule stratégie lui paraissant insuffisante pour mesurer son travail en toute objectivité, Léonard ajoute : « Il est bon également de se lever de temps en temps pour prendre quelque divertissement ; revenu à ton œuvre, ton jugement sera plus sûr, car de rester toujours au travail t'induit en grande erreur. »

L'amour de quoi que ce soit est issu de la connaissance.

— LÉONARD DE VINCI

Il suggère enfin : « Il est également bon de s'éloigner, car alors, l'œuvre apparaissant plus réduite, d'un coup d'œil tu en embrasses davantage – et un manque d'harmonie ou de proportion entre les diverses parties et dans les couleurs se voit plus vite. »

Sa quête inépuisable de vérité le poussait aussi à observer la réalité sous des angles inhabituels ou extrêmes. Il a réalisé des expériences sous-marines (il a conçu un scaphandre, un équipement de plongée, et un sous-marin) et aériennes (il a dessiné un hélicoptère, un parachute, et sa célèbre machine volante). Il a exploré les profondeurs et les hauteurs, et, dans sa passion de connaître, il a atteint des sommets jusque-là inégalés.

La fascination de Léonard pour la mécanique du vol – exprimée dans ses recherches sur l'atmosphère, le vent et, surtout le mouvement des oiseaux – est très représentative de sa vie et de son œuvre. Dans l'un de ses carnets, on aperçoit le dessin d'un oiseau en cage accompagné de la mention suivante : « Les pensées se tournent vers l'espoir. » Il note qu'une maman chardonneret, voyant ses petits enfermés dans une cage, leur donne à manger quelques morceaux d'une plante vénéneuse : « Plutôt mourir que perdre la liberté. »

Giorgio Vasari nous apprend qu'au cours de ses nombreuses promenades par les rues de Florence, Léonard, « passant au marché aux oiseaux, il les sortait de leur cage, payait le prix demandé et les laissait s'envoler, leur rendant la liberté perdue. » La soif de connaissance de Léonard était sa liberté.

LA CURIOSITÀ ET VOUS

Les grands esprits posent de grandes questions. Les questions qui « occupent notre pensée » quotidiennement reflètent le but de notre existence et influent sur la qualité de notre vie. En cultivant une largeur de vue léonardienne, nous repoussons les limites de notre univers et nous développons notre aptitude à nous y mouvoir à l'aise.

Les notes de Léonard sont écrites à l'envers et ne peuvent être lues qu'à l'aide d'un miroir. Les érudits ne s'entendent pas sur le sens de cette écriture inversée. Selon certains, elle devait préserver la confidentialité ; selon d'autres, Léonard, qui était gaucher, la jugeait plus pratique.

Avez-vous recouvré votre liberté ? Les exercices qui suivent sont conçus dans ce but. Mais avant de vous y adonner, réfléchissez un moment sur la fréquence et l'efficacité de votre Curiosità, et voyez comment vous gagneriez à la mettre plus souvent en pratique.

Arrêtez-vous au rôle de la Curiosità dans votre quotidien. Demandez-vous jusqu'à quel point vous êtes curieux. Avez-vous récemment acquis de nouvelles connaissances par simple souci de vérité ? Qu'en avez-vous retiré ? Songez aux personnes de votre entourage. Certaines vous semblent-elles personnifier un idéal de Curiosità ? Comment cette Curiosità enrichit-elle leur existence ?

Il est plus facile que vous ne le pensez de développer et de mettre votre Curiosità en pratique. Répondez d'abord au questionnaire d'auto-évaluation de la page suivante ; vos réponses vous éclaireront sur la place qu'occupe la Curiosità dans votre vie présente et sur les améliorations que vous pourriez y apporter. Par la suite, recourez aux travaux pratiques pour exercer votre Curiosità.

Curiosità
Auto-évaluation

- ❑ Je note mes pensées et mes questions dans un journal ou un carnet.
- ❑ Je prends le temps de méditer et de réfléchir.
- ❑ Je suis toujours avide d'apprendre quelque chose de neuf.
- ❑ Je m'efforce d'étudier une question sous différents angles avant de prendre une décision importante.
- ❑ Je me passionne pour la lecture.
- ❑ Les enfants ont toujours quelque chose à m'apprendre.
- ❑ Je sais identifier et résoudre les problèmes.
- ❑ Mes amis diraient que je suis curieux et large d'esprit.
- ❑ Lorsque j'entends ou que je lis un mot ou une expression nouvelle, j'en cherche la définition et je la note.
- ❑ Je connais bien les cultures étrangères et je suis toujours curieux d'en savoir davantage.
- ❑ Je parle, ou j'étudie, une langue étrangère.
- ❑ Je sollicite le point de vue de mes amis, des membres de ma famille et de mes collègues.
- ❑ J'aime apprendre.

CURIOSITÀ
Mise en pratique et exercices

LE JOURNAL OU LE CARNET

Léonard de Vinci gardait toujours sur lui un carnet où il notait ses idées, ses impressions et ses observations. Ses carnets connus totalisent sept mille pages ; mais selon certains érudits, ce nombre ne représenterait que la moitié des carnets qu'il a légués par testament à Francesco Melzi. Ils renferment des plaisanteries et des fables, les pensées et les observations des hommes qu'il admirait, ses registres financiers, des lettres,

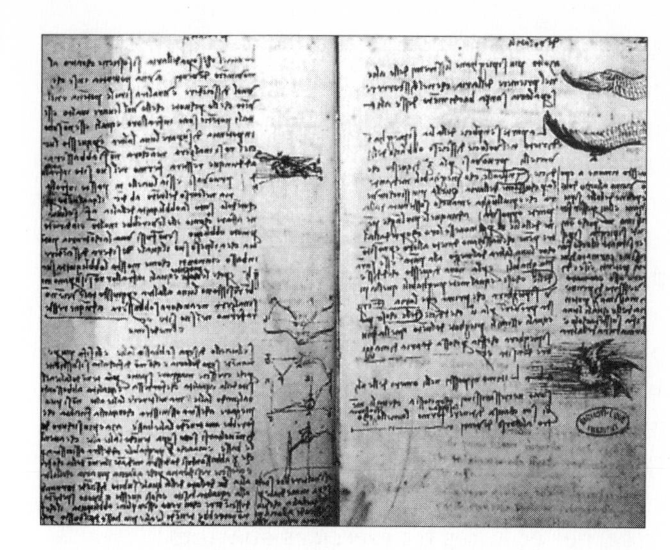

Dix-huit feuillets provenant des carnets de Léonard ont été achetés par Bill Gates en novembre 1994 au coût de 30,8 millions de dollars.

des réflexions sur ses ennuis domestiques, des rêveries philosophiques, des prophéties, des plans, des traités d'anatomie, de botanique, de géologie, des recherches sur la mécanique du vol, les eaux et la peinture.

Souvent, plusieurs thèmes apparaissent sur la même page et certaines observations sont reprises en plusieurs endroits. Bien entendu, ces carnets regorgent aussi de croquis, de dessins et d'illustrations. Léonard espérait un jour les mettre en ordre et les publier, mais, trop pris par sa quête de beauté et de vérité, il ne donna jamais suite à ce projet. Il accordait une très grande importance au fait de tenir un registre de ses questions, de ses observations et de ses idées.

Ceci sera un recueil sans ordre, fait de nombreux feuillets que j'ai copiés avec l'espoir de les classer par la suite dans l'ordre et à la place qui leur conviennent, selon les matières dont ils traitent ; et je crois qu'avant d'être à la fin de celui-ci, j'aurai à répéter plusieurs fois la même chose ; ainsi, ô lecteur, ne me blâme point...

— TIRÉ DU PRÉAMBULE À L'UN DES MANUSCRITS DE LÉONARD

Comme Léonard, vous pouvez favoriser la Curiosità au moyen d'un journal ou d'un carnet. Procurez-vous un cahier ; ce peut être un cahier de quelques sous ou un cahier plus coûteux, relié, à couverture illustrée. L'important est de l'avoir toujours à portée de la main où que vous alliez et d'y écrire assidûment.

Procurez-vous également un album ou des chemises où ranger des coupures de journaux et de magazines sur des sujets qui vous intéressent ; vous pouvez aussi naviguer sur Internet et télécharger des informations en science, en art, en musique, en alimentation, en santé...

Comme Léonard, notez vos questions, vos observations, vos réflexions, des plaisanteries, des rêves et des rêveries (l'écriture inversée n'est pas obligatoire).

Notre emploi du temps et nos responsabilités professionnelles nous poussent aux conclusions hâtives et aux résultats mesurables, mais la pratique exploratoire, libre, provisoire et objective du carnet léonardien favorise la liberté de pensée et la largeur de vues. Imitez le maître : prenez des notes sans ordre et sans logique.

Ouvrez votre carnet et faites les exercices suivants :

Cent questions

Inscrivez une liste de cent questions auxquelles vous attachez de l'importance. Il peut s'agir de *n'importe quelles questions,* du moment qu'elles vous tiennent à cœur ; par exemple, « Comment puis-je faire pour économiser davantage ? », ou « Comment pourrais-je mieux me divertir ? », ou « Quels sont le sens et le but de mon existence ? », ou « Comment pourrais-je mieux servir le Seigneur ? »

> Les plumes élèveront les hommes vers le ciel, comme les oiseaux : au moyen des lettres écrites avec leurs pennes.
>
> — Léonard de Vinci

Rédigez cette liste en une seule séance. Écrivez vite, sans penser à l'orthographe ou à la grammaire, sans craindre de répéter deux fois la même question avec des mots différents (les questions récurrentes signalent la présence de thèmes). Pourquoi précisément cent questions ? Les quelque vingt premières vous viendront spontanément à l'esprit. Parmi les trente ou quarante questions suivantes, vous noterez l'émergence d'un certain nombre de thèmes. Vers la fin de la seconde moitié de la liste, vous découvrirez des interrogations inattendues et profondes.

Votre liste terminée, relisez-la et notez les thèmes qui s'en dégagent, sans les analyser. Vos questions concernent-elles surtout vos relations personnelles ? Les affaires ? Le plaisir ? L'argent ? Le sens de la vie ?

Les dix principales questions

Relisez la liste entière, choisissez les dix questions qui vous paraissent les plus significatives et rangez celles-ci par ordre de priorité. (Vous pouvez, bien entendu, ajouter d'autres questions ou en changer l'ordre n'importe quand.) N'essayez pas d'y répondre tout de suite. Il suffit pour l'instant de les noter par écrit et de savoir que vous pouvez les consulter quand bon vous semble.

Les questions fondamentales

La liste qui suit rassemble quelques-unes des dix principales questions d'un certain nombre de personnes. Elles peuvent grandement contribuer à votre développement et à votre enrichissement personnels. Copiez-les dans votre carnet et réfléchissez-y.

- Quand suis-je le plus fidèle à moi-même, sans effort ? Au contact de quelles personnes, en quels lieux et en m'adonnant à quelles activités suis-je le plus pleinement moi-même ?
- Que pourrais-je cesser de faire, ou commencer à faire, ou faire autrement, *à compter d'aujourd'hui,* pour rehausser le plus possible ma qualité de vie ?
- Quel est mon plus grand talent ?
- Comment pourrais-je être rémunéré pour faire ce que j'aime ?
- Quels sont mes modèles les plus inspirants ?
- Comment puis-je me rendre utile aux autres ?
- Quel est mon plus grand désir ?
- Comment me perçoivent mes amis les plus intimes, mon pire ennemi, mon employeur, mes enfants, mes collègues, etc. ?
- Quels bienfaits ai-je reçu dans la vie ?
- Que voudrais-je léguer à la postérité ?

Comment un oiseau peut-il voler ?

Choisissez l'un des sujets suivants, tirés des interrogations passionnées de Léonard : le vol d'un oiseau, l'eau, le corps humain, un paysage, la réflexion de la lumière, un nœud ou une tresse. Notez au moins dix questions sur ce sujet. Il n'est pas encore temps d'y répondre. La Curiosità se concentre sur les questions. Par exemple : Comment un oiseau peut-il voler ?

- Pourquoi a-t-il deux ailes ?
- Pourquoi a-t-il des plumes ?
- Comment « décolle-t-il » ?
- Comment freine-t-il ?
- Comment accélère-t-il ?
- À quelle hauteur peut-il voler ?
- Quand dort-il ?
- Voit-il loin ?
- Que mange-t-il ?

Refaites l'exercice en choisissant cette fois un sujet qui se rapporte à votre vie personnelle ou professionnelle ; notez dix questions concernant votre carrière, votre vie amoureuse, votre santé. Inscrivez ces questions dans votre journal, mais n'y répondez pas tout de suite.

L'OBSERVATION PAR LES THÈMES

Le recours à un thème facilite grandement la concentration de la Curiosità. Choisissez un thème du jour et écrivez les observations qu'il vous inspire. Vous pouvez les noter au fur et à mesure ou encore réserver un moment de la soirée à cette activité. Efforcez-vous de rédiger des observations simples et précises. La spéculation, la théorie et les opinions personnelles, c'est bien, mais l'observation pure et simple est ce qui offre le plus de possibilités.

Vous pourrez facilement isoler plusieurs thèmes de votre liste de cent questions ou de vos questions fondamentales. Vous pouvez également choisir l'un des thèmes ci-après ou en inventer d'autres. Certains des thèmes les plus populaires sont : les émotions, voir, écouter, toucher, l'esthétique, les animaux. Faites cet exercice par vous-même ou encore choisissez un sujet avec un ou une amie et comparez vos notes à la fin de la journée.

Modèle d'exercice d'observation par les thèmes

Mon ami Michael Frederick est metteur en scène et répétiteur; il enseigne aussi la méthode Feldenkrais, la technique Alexander et le yoga. Il pratique l'observation par les thèmes depuis plus de vingt-cinq ans. Il a aimablement consenti à nous faire partager quelques extraits de ses carnets.

10 janvier 1998. Thème: le contact avec les objets

1) 7 heures 40: Je suis conscient de la sensation qu'éprouvent mes pieds en se posant par terre. Je comprends que ce contact avec le sol est ce qui soutient mon poids et me permet d'étirer mon corps au moment où je me mets sur pieds pour la première fois de la journée.
2) 8 heures 20: En me brossant les dents, je constate que je serre trop la brosse avec ma main droite et que la tension se propage au bras, à l'épaule et au cou. Je regarde ensuite dans la glace et vois que j'ai le dos courbé.
3) 11 heures 30: J'agrippe le récepteur du téléphone d'une main de fer, tête penchée vers la droite, ce qui m'occasionne une douleur dans le bras et l'épaule. Comme pour la brosse à dents. Cette façon que j'ai de m'emparer des objets «comme si ma vie en dépendait...»
4) 16 heures 30: En avalant un sandwich en vitesse, je m'aperçois que je gobe ma nourriture sans porter attention à ce que je mange. Je suis pressé, et parce que je suis pressé je ne goûte plus rien et j'en viens même à oublier de quoi est fait le sandwich.
5) 17 heures 30: Je remarque le coucher du soleil et la chaleur de ses rayons sur mon visage; je ralentis et je regarde autour de moi (autrement dit: je pénètre davantage dans le moment présent).
6) 18 heures 30: Je dépouille mon courrier. Que du rebut (autrement dit, des choses inutiles, destinées au rebut). J'ai l'impression de passer ma vie à trier, classer, réparer, manipuler des choses. Je suis leur «intendant»!
7) 22 heures 30: En tenant le stylo, je m'aperçois que j'écris sans effort. Le stylo glisse tout seul sur le papier sans que je le pousse.

EXERCICE DE CONTEMPLATION

Nous sommes si agressés par le bruit que nous ne maîtrisons plus l'art de la contemplation. Notre âme subit les conséquences de la diminution de notre capacité d'attention. Le *Robert* définit ainsi le mot contemplation : « concentration de l'esprit » et renvoie au mot « méditation ». La racine, *contemplare,* dérive de *con,* « avec », et *templum,* « espace carré délimité dans le ciel et sur terre, soit " temple " », et signifie « observer avec attention ».

Choisissez une question parmi celles des exercices précédents, par exemple : « Au contact de quelles personnes, en quels lieux et en m'adonnant à quelles activités suis-je le plus pleinement moi-même ? », et efforcez-vous d'y concentrer votre attention pendant au moins dix minutes chaque fois. Pour vous aider, inscrivez cette question en grandes lettres bien visibles sur une grande feuille de papier, et ensuite :

- Retirez-vous dans une pièce calme et fixez cette feuille de papier au mur en face de vous.
- Détendez-vous, respirez lentement et profondément en exhalant complètement l'air de vos poumons.
- Lorsque votre esprit commence à s'égarer, retrouvez votre concentration en lisant la question à voix haute. Cet exercice de contemplation est particulièrement enrichissant si vous le faites juste avant de vous endormir. Si vous vous y adonnez avec sincérité, vous « couverez » des intuitions pendant votre sommeil.

EXERCICE D'ÉCRITURE AUTOMATIQUE

L'écriture automatique est un excellent complément à la contemplation et un moyen très efficace de sonder vos questions en profondeur. Choisissez une question, n'importe laquelle, et notez vos pensées et les associations d'idées qui vous viennent, sans réfléchir ni corriger.

Consacrez au moins dix minutes à cette rédaction. Le secret de l'écriture automatique consiste à *ne pas interrompre le mouvement du stylo*. Ne le soulevez pas du papier, ne vous arrêtez pas pour corriger vos fautes d'orthographe ou de grammaire. Écrivez sans interruption.

L'écriture automatique donne lieu à beaucoup de sottises et de redondances, mais elle vous permet aussi de voir clair en vous-même et de vous comprendre. Ne vous inquiétez pas si ce que vous écrivez ressemble à du charabia ; ce charabia signifie que vous surmontez la superficialité habituelle de votre processus mental. Avec de la persévérance, si votre stylo ne quitte jamais le papier, une fenêtre s'ouvrira sur votre intelligence intuitive.

- ♦ Après chaque séance d'écriture automatique, faites une pause.
- ♦ Relisez à haute voix ce que vous venez d'écrire.
- ♦ Soulignez les mots ou les passages qui vous frappent le plus.
- ♦ Recherchez-y des thèmes, des débuts de poèmes, d'autres questions.
- ♦ Méditez la maxime du poète : « Écris dans l'ivresse, révise dans la sobriété. »

La contemplation et l'écriture automatique sont d'excellents outils de résolution de problèmes personnels et professionnels. Penchons-nous maintenant un peu plus sur le rôle de la Curiosità dans la résolution des problèmes.

LA CURIOSITÀ ET LA CRÉATIVITÉ DANS LA RÉSOLUTION DES PROBLÈMES

Retournez en pensée à vos années d'école. Nous savons tous que la curiosité est toujours punie. Mais qu'est-il arrivé à l'élève qui n'arrêtait pas de poser des questions ? Les instituteurs fatigués, assiégés de responsabilités avaient coutume de dire : « Nous n'avons pas assez de temps pour toutes ces questions ; nous avons trop de matière à voir. » Aujourd'hui, les jeunes qui n'arrêtent pas d'interroger le maître reçoivent un diagnostic de trouble déficitaire de l'attention ou d'hyperactivité, et se voient administrer du Ritalin ou d'autres médicaments. Si le jeune Léonard faisait aujourd'hui son cours primaire, il serait probablement sous traitement.

Bien que nous soyons venus au monde dotés d'une insatiable curiosité léonardienne, nous avons appris à l'école que les réponses importaient davantage que les questions. Dans la plupart des cas, l'enseignement scolaire ne développe pas la curiosité, le goût

Pourquoi le ciel est-il bleu ? Réponse de Léonard : « Je dis que l'azur que l'on voit dans l'atmosphère n'est point sa couleur spécifique, mais qu'il est causé par la chaleur humide évaporée en menues et imperceptibles particules que les rayons solaires attirent et font paraître lumineuses quand elles se détachent contre la profondeur intense des ténèbres de la région ignée qui forme couvercle au-dessus d'elles. »

de l'ambiguïté, et l'art de poser des questions. L'aptitude la plus valorisée est celle qui permet de découvrir « la bonne réponse », soit celle que détient la personne en situation de pouvoir, c'est-à-dire l'enseignant. Cette façon de faire se poursuit à l'université et même aux études supérieures, en particulier lorsque le professeur rédige son propre cours. (Lors d'une expérience désormais célèbre ayant eu lieu dans une grande université, on redonna à de nouveaux diplômés le même examen final un mois après la collation des grades : tous échouèrent. La chercheur Leslie Hart résuma ainsi l'expérience : « Parlons-en des examens finaux ! ») Cette approche visant à plaire à la personne en place, à étouffer la curiosité et à observer les règlements a sans doute produit des tas d'excellents ouvriers d'usine ou de fonctionnaires, mais elle n'a rien fait pour donner naissance à des êtres universels.

Il s'interroge d'abord sur la construction de certaines machines, puis, sous l'influence d'Archimède, sur les principes de la dynamique ; enfin, il pose des questions encore jamais posées sur le vent, les nuages, l'âge de la terre, la génétique et le cœur humain.

— KENNETH CLARK, AU SUJET DES CARNETS DE LÉONARD

Toute sa vie, Léonard de Vinci s'est appliqué à résoudre des problèmes avec énormément de créativité. La Curiosità est le fondement même de sa méthode. Elle consiste en une insatiable curiosité additionnée d'une grande ouverture d'esprit, qui débouchent sur tout un éventail de questions formulées selon des optiques différentes.

Vous pouvez développer votre aptitude à la résolution de problèmes, tant à la maison qu'au travail, en raffinant votre aptitude à poser des questions. Dans la plupart des cas, ceci devient possible lorsqu'on cesse de se demander « Est-ce la bonne réponse ? » pour se demander « Est-ce la bonne question ? » et « Sous combien d'angles différents puis-je examiner ce problème ? ».

Souvent, pour parvenir à résoudre correctement un problème, il convient de reformuler sa question initiale. On peut formuler une même question de plusieurs façons différentes ; une bonne formulation vous orientera vers la bonne solution. Selon le psychologue Mark Brown, l'évolution dans la formulation des questions a conduit à l'évolution de nos sociétés. Les sociétés nomades se fondaient sur la question « Où trouver de l'eau ? ». Ces sociétés se sont sédentarisées et stabilisées lorsqu'elles ont commencé à se demander « Comment faire pour transporter l'eau jusqu'à nous ? ».

Certains individus aiment à méditer le problème philosophique suivant : « Quel est le sens de la vie ? », mais les philosophes les plus pragmatiques se demandent : « Que puis-je faire pour donner plus de sens à ma vie ? »

L'ART DE TROUVER LA BONNE QUESTION

Comment pouvez-vous raffiner votre aptitude à poser des questions de façon à attirer les réponses ? Commencez par poser

La recherche de métaphores dans la nature était une des méthodes préférées de Léonard. Lorsqu'il conçut l'extraordinaire escalier en spirale du château de Blois, il trouva son inspiration dans les coquillages qu'il avait recueillis le long de la côte ligurienne plusieurs années auparavant. Sa conception d'un instrument de musique en forme de tuyau, similaire à la flûte à bec, lui a été inspirée par l'étude du larynx. Plus récemment, Alexander Graham Bell inventa le téléphone en se fondant sur le dessin de l'oreille. Les chardons qui collent aux vêtements quand on se promène en forêt ont donné naissance au Velcro. Quant à l'inventeur de la languette des cannettes en aluminium, il se posa la question suivante : « Qu'est-ce qui, dans la nature, s'ouvre facilement ? » L'image d'une banane lui venant aussitôt à l'esprit il se demanda comment cette banane pouvait lui procurer la solution à son problème. »

> Il n'était pas satisfait de connaître le fonctionnement de quelque chose ; il voulait aussi comprendre les raisons de ce fonctionnement. C'est cette curiosité qui a pu transformer le simple technicien en véritable homme de science.
>
> — KENNETH CLARK AU SUJET DE LÉONARD

les questions simples et « naïves » que les individus sophistiqués ont tendance à oublier. Le questionnement de Léonard était parfois d'une déconcertante simplicité. Par exemple : « Je me demande pourquoi le coup de marteau fait sauter le clou » ou « Je me demande pourquoi le ciel est azuré ».

Posez-vous des questions incongrues telles que : Pourquoi le roi est-il nu ? Pourquoi ceci est-il problématique ? S'agit-il du nœud du problème ? Pourquoi avons-nous toujours fait ceci comme cela ? Aspirez à des questions qui ont échappé à tout le monde.

Dans votre carnet, notez un problème personnel ou professionnel qui vous préoccupe et posez-vous les questions suivantes : « Qui ? Quoi ? Où? Quand ? Comment ? Pourquoi ? »

En **quoi** consiste le problème ? Qu'est-ce qui le sous-tend ? Quelles idées reçues, quels préjugés, quels paradigmes influencent mon point de vue ? Qu'arrivera-t-il si je l'ignore ? Quels en sont les aspects auxquels je n'ai pas encore songé ? Quels autres problèmes entraîneraient sa solution ? Quelles métaphores pourraient contribuer à le simplifier ?

Quand a-t-il commencé ? Quand cesse-t-il de se produire ? Quand en ressentirons-nous les conséquences ? Quand doit-il être résolu ?

Qui s'y intéresse ? Qui en est affecté ? Qui en est responsable ? Qui le perpétue ? Qui peut aider à le résoudre ?

Comment se produit-il ? Comment puis-je me renseigner objectivement à son sujet ? Comment puis-je l'examiner sous un angle inattendu ? Comment le transformer ? Comment saurai-je qu'il a été résolu ?

Où se produit-il ? Où a-t-il commencé ? Où n'ai-je pas regardé ? Où ailleurs s'est-il produit ?

Pourquoi est-ce important ? Pourquoi cela s'est-il produit ? Pourquoi cela continue-t-il ? Demandez-vous pourquoi, pourquoi, pourquoi... tant que vous ne serez pas allé au fond d'un problème.

LA CURIOSITÀ ET L'APPRENTISSAGE CONTINU

Léonard était conscient de l'importance de l'apprentissage continu : « Le fer se rouille faute de s'en servir, l'eau stagnante perd sa pureté et se glace par le froid. De même l'inaction sape la vigueur de l'esprit. » La recherche incessante de la connaissance est le fondement même de l'esprit léonardien, ce même esprit qui vous pousse à lire le présent ouvrage. Si, pour la plupart d'entre nous, tout connaître est impossible, nous pouvons néanmoins embrasser l'esprit léonardien en apprenant une nouvelle discipline.

Ces derniers vingt ans, j'ai demandé à des milliers de personnes ce qu'elles choisiraient s'il leur était possible d'apprendre quelque chose de nouveau. Les réponses les plus fréquentes sont : apprendre à jouer d'un instrument de musique ; une langue étrangère

LA CURIOSITÀ AU TRAVAIL

La plupart des innovations technologiques ou commerciales sont dues à la question : « Que se passerait-il si...? » Les milliards de dollars qui circulent à Silicon Valley procèdent en grande partie de l'interrogation suivante : « Que se passerait-il si nous réduisions la taille des puces informatiques ? » La mode des rabais destinés à mousser la vente d'un produit est née de la question : « Que se passerait-il si nous payions les clients pour acheter ce produit ? » Le fait de se demander ce qui se passerait si... stimule l'imagination et bouscule les points de vue. En songeant à un produit ou à un service que vous pourriez offrir, demandez-vous ce qui se passerait si vous le rapetissiez ; l'agrandissiez ; l'allégiez ; l'alourdissiez ; en changiez la forme ; le renversiez ; le rendiez plus serré ou plus lâche ; lui ajoutiez quelque chose ; lui retranchiez quelque chose ; interchangiez certains de ses éléments ; si vous teniez boutique vingt-quatre heures sur vingt-quatre ; offriez une garantie ; changiez le nom de votre produit ; s'il était recyclable, plus solide, plus faible, plus doux, plus dur, portatif ou non ; si vous en doubliez le prix ou si vous payiez les clients pour l'acheter ? Les individus les plus heureux sont ceux qui se demandent « Que se passerait-il si je trouvais le moyen d'être rémunéré pour faire ce que j'aime ? ».

(Léonard a appris seul le latin à l'âge de quarante-deux ans) ; la plongée sous-marine ; la navigation à voile ; le parachutisme ; le tennis ou le golf ; le dessin, la peinture ou la sculpture ; le métier de comédien ; le chant choral ; la poésie ou le roman ; la danse, le yoga ou les arts martiaux. Ce sont ce que j'appelle des passe-temps « idéaux » ou « de rêve » ; les personnes qui s'y adonnent avec passion ont une vie plus riche et plus satisfaisante.

Au fil des ans, j'ai encouragé des milliers de personnes à s'adonner à leur passe-temps idéal. On m'a aussi opposé toutes sortes de raisons de ne pas le faire, pour lesquelles j'ai formulé des objections. Lorsqu'on me dit « Je n'y excellerai jamais », je réponds qu'il faut surmonter ses complexes : Léonard n'était jamais satisfait de son travail non plus. Lorsqu'on me dit « Je suis trop occupé, j'ai une femme et des enfants », je réponds qu'il faut les faire participer aussi. Lorsqu'on me dit « Les leçons et le matériel coûtent trop cher », je réplique qu'il suffit d'économiser, d'ouvrir un compte bancaire réservé aux dépenses associées à ce passe-temps, ou encore de se proposer comme apprenti dans l'atelier d'un maître. Lorsqu'on m'affirme « J'ai trop de travail ; je le ferai quand j'aurai un peu plus de loisirs », je dis que ce moment risque de ne jamais arriver et que, sur leur lit de mort, ils seront heureux d'avoir su trouver le temps de poursuivre leur rêve. Quand on déclare : « Je suis trop vieux ; j'aurais dû y penser quand j'étais plus jeune », je rappelle qu'il n'est jamais trop tard. Notre aptitude à apprendre peut même s'améliorer avec l'âge si nous acceptons de stimuler notre Curiosità.

ADONNEZ-VOUS À VOTRE PASSE-TEMPS IDÉAL

Dans votre carnet, élaborez une stratégie qui vous permettra de vous adonner à votre passe-temps idéal. Faites-le tout de suite. Commencez par énumérer les passe-temps qui vous tentent le plus (si aucun ne vous tente, inventez-en un). Faites votre choix et posez-vous les questions suivantes :

- En quoi ce passe-temps m'enrichira-t-il ?
- Quels sont mes objectifs ?

La Curiosità et les parents

Comment faire pour garder vivante en vos enfants leur Curiosità léonardienne innée ? Imaginez d'abord que vous n'avez pas quitté les bancs de l'école et faites en sorte que votre enfant inspire le réveil de votre propre curiosité, de votre propre passion de la découverte. En partageant la pureté et l'enthousiasme du désir d'apprendre de votre enfant, vous serez mieux en mesure de nourrir ceux-ci. Évidemment, les questions incessantes d'un enfant mettent la patience des parents à dure épreuve ; mais si vous demeurez disponible, vous trouverez le courage de persister. Tout en étant vous-même un apprenti avide, vous pouvez encourager la Curiosità de vos enfants. Habituez-les à se poser les six questions classiques Qui ? Quoi ? Où ? Quand ? Comment ? et Pourquoi ? lorsqu'ils ont un problème à résoudre. Choisissez un « Génie du mois » et discutez en famille des questions que les grands esprits se sont posées au cours des siècles. (Le premier mois, choisissez Léonard ! Amenez vos enfants visiter l'exposition itinérante « Leonardo and the Age of Invention ». Ils seront ainsi mis en contact avec les extraordinaires découvertes du maître. Incitez vos enfants à poser des questions et à continuer à le faire tout au long de leur vie adulte. Lorsqu'ils rentrent de l'école, demandez-leur : « Quelles questions as-tu posées à ton instituteur aujourd'hui ? »

- De quoi aurai-je besoin ?
- Où puis-je trouver un bon professeur ?
- Combien de temps y consacrerai-je ?
- Quels obstacles devrai-je surmonter ?
- Les personnes les plus créatrices et les plus épanouies que je connaisse se posent aussi la question suivante : Comment puis-je faire en sorte d'être rémunéré pour m'adonner au passe-temps que j'aime ?

Vous pourrez participer simplement mais en profondeur au surgissement de votre Renaissance personnelle en ayant un passe-temps qui fasse partie intégrante de votre vie de tous les jours. Trouvez un excellent professeur ou un excellent entraîneur. Payez par avance pour dix leçons : cette stratégie vous aidera à ne pas renoncer à la dernière minute et empêchera l'inertie de l'habitude de faire son œuvre. En approfondissant passionnément un champ d'intérêt autre que la famille et le travail, vous élargissez votre horizon et vous enrichissez toute votre vie. Ainsi que le dit Joseph Campbell, « Vous poursuivez votre extase. »

APPRENEZ UNE LANGUE ÉTRANGÈRE

L'apprentissage d'une langue étrangère est un passe-temps très populaire et un excellent moyen de cultiver la Curiosità. Comme Léonard, on peut apprendre une langue étrangère à n'importe quel âge. Bien sûr, les jeunes enfants apprennent très vite. Leur ouverture d'esprit, leur énergie et leur sens du ludique leur facilitent cet apprentissage. Un jeune enfant qui grandit dans une famille où l'on parle trois langues apprendra ces trois langues sans aucune difficulté. Si vous êtes disposé à recourir aux principes généraux de la stratégie d'apprentissage du bébé, vous progresserez avec autant de facilité que lui. En outre, en tant qu'adulte, vous avez à votre disposition des ressources qui peuvent vous aider à apprendre encore plus rapidement qu'un jeune enfant.

Supposons, par exemple, que vous décidiez d'apprendre à parler *la bella lingua* (la belle langue), c'est-à-dire l'italien. Voici quelques trucs qui vous permettront de maîtriser plus rapidement cette langue :

- Acceptez de commettre des erreurs. Les *bambini* n'ont aucun complexe et s'en fichent s'ils ne maîtrisent pas sur-le-champ la prononciation correcte et la grammaire ; ils plongent et parlent. Vos progrès seront proportionnels à votre volonté de vous amuser, d'accueillir l'inconnu et de ne pas vous en faire si vous dites des sottises.

Livrez-vous à la petite expérience suivante : Dites tout haut « la belle langue ». Répétez cette expression et, cette fois, remarquez dans quelle partie du corps résonne votre voix. Bien. Maintenant, recommencez, mais en italien, comme si vous étiez Italien. Dites *la bella lingua*. Le son résonne-t-il différemment ? La plupart des gens constatent que le français résonne un peu plus haut, dans la gorge et l'avant du palais, tandis que l'italien résonne à l'arrière du palais, au fond de la gorge et, surtout, dans la poitrine.

- Avez-vous remarqué que les tout jeunes enfants, quand ils découvrent un mot ou une expression, répètent ceux-ci inlassablement ? Faites comme eux : la répétition est le secret de la mémoire.
- Si possible, commencez par vous inscrire à un cours d'immersion. Tout comme un vaisseau spatial requiert énormément d'énergie pour se propulser hors de l'atmosphère terrestre, vous bénéficierez le plus de votre apprentissage si vous le faites débuter par un cours intensif. Celui-ci lancera le moteur de votre cerveau en préparant ses circuits à l'apprentissage d'une nouvelle langue.
- Si vous ne parvenez pas à vous inscrire à un cours d'immersion, créez-en un vous-même : écoutez des audiocassettes, visionnez des films italiens dans la langue originale avec sous-titres, apprenez les paroles de chansons italiennes célèbres telles que « Rondini al nido » ou « Santa Lucia », chantez avec Pavarotti, fréquentez des cafés italiens et des restaurants italiens authentiques, écoutez les conversations des clients et commandez votre repas en italien. Si vous dites au garçon que vous vous efforcez d'apprendre sa langue et que vous aimeriez qu'il vous aide, il vous donnera une leçon gratuite, vous serez servi avec plus de diligence et, qui sait, on vous offrira peut-être les hors-d'œuvre !
- Apprenez des mots et des expressions en rapport avec vos champs d'intérêt. Beaucoup de cours d'italien sont d'un ennui mortel, car on y enseigne des phrases strictement utilitaires telles que « Où est la gare ? » et « Voici mon passeport ». En plus de ces expressions courantes, apprenez le langage de l'amour, de la sexualité, de la poésie, de l'art, de la gastronomie et du vin.
- Chez vous, apposez sur tous les meubles et objets des autocollants où vous aurez inscrit le nom italien des meubles et objets en question.
- Surtout, habituez-vous à la musicalité de la langue et apprivoisez la culture italienne. Lorsque vous parlez, faites semblant d'être Italien (imitez Marcello Mastroianni ou Sophia Loren). Adoptez des gestes et des expressions du visage typiquement italiens ; vous vous amuserez et vous apprendrez plus vite.

RÉDIGEZ UN LEXIQUE PERSONNEL

Un lexique personnel est un excellent moyen de favoriser l'apprentissage continu. Dans le *Codex Trivulzianus* et ailleurs, Léonard a noté des mots d'un intérêt particulier pour lui, accompagnés de leur description. Disposée en colonne, cette liste comprend des mots nouveaux, des termes étrangers et des néologismes.

L'une de ces listes contient les mots suivants :

ardu - difficile, douloureux
alpin - de la région des Alpes
archimandrite - supérieur d'un groupe

Sa curiosité universelle n'avait d'égale que l'originalité spontanée de sa réaction à tout ce qui éveillait son intérêt.

— LE PROFESSEUR MORRIS PHILIPSON

Après avoir décrit plus de neuf mille mots, il fit ce commentaire empreint à la fois de fierté et d'humilité : « Je dispose dans ma langue maternelle d'un si grand nombre de mots, que je devrais déplorer mon manque de parfaite compréhension des choses, plutôt que le manque d'un vocabulaire nécessaire pour exprimer parfaitement les concepts de mon esprit. »

Une telle habitude vous permettra d'imiter le maître et de raffiner votre Curiosità. Un vocabulaire étendu est garant de succès académique et professionnel et enrichit l'expression de soi. Chaque fois que vous découvrez une expression ou un mot que vous ne connaissez pas, consultez un dictionnaire et notez ce mot dans votre carnet. Efforcez-vous ensuite de l'intégrer à vos réflexions écrites et à vos conversations quotidiennes.

NOURRISSEZ VOTRE « INTELLIGENCE AFFECTIVE »

En plus de renforcer son intelligence linguistique en apprenant seul le latin et en créant son propre lexique, le maître a su nourrir son intelligence affective. Sa Curiosità le portait autant à l'observation des êtres qu'à celle des chevaux, des oiseaux, des eaux et de la lumière. N'écrivit-il pas: «Plût au Créateur que je fusse capable de révéler la nature de l'homme et ses coutumes de même que je décris sa figure»? Son insatiable curiosité pour les individus de toutes les couches de la société est à la source de la profondeur de ses représentations dessinées et peintes de la nature humaine. Il dit: «[...] amuse-toi souvent, en promenade, à observer et à considérer les attitudes et les actes des hommes qui parlent, se disputent, rient ou en viennent aux mains, à la fois leurs gestes et ceux des assistants qui interviennent ou restent spectateurs de toutes ces choses; tu les noteras en traits rapides, ainsi, sur un petit carnet que tu devras toujours porter sur toi.»

Les observations scrupuleuses de Léonard lui ont permis de perfectionner l'art des rapports humains harmonieux; il a su enrichir ces aptitudes aux relations interpersonnelles en s'appliquant toute sa vie à développer son intelligence intrapersonnelle (connaissance de soi). En plus de s'adonner à la contemplation et à la réflexion, Léonard a appris à se connaître lui-même en sollicitant le point de vue d'autrui et en incitant ceux qui le liraient à faire de même: «Aie donc le désir d'écouter patiemment l'avis d'autrui, et considère et réfléchis avec soin si celui qui te censure a raison.»

Vous pouvez renforcer votre Curiosità et approfondir votre connaissance de vous-même en demandant à votre conjoint, à vos enfants, à vos amis, à vos clients, à vos collègues, à vos employeurs de vous faire part de leur opinion. Avec vos propres mots, posez-leur les questions suivantes:

- Quelles sont mes faiblesses et mes lacunes, dans quels domaines gagnerais-je à m'améliorer?
- Quelles sont mes forces et mes qualités?
- Que puis-je faire pour être plus efficace, plus utile, plus sensible?

Lorsque vous sollicitez ces commentaires, assurez-vous d'écouter attentivement ce qu'on vous dit, surtout si la réponse n'est pas celle que vous attendiez. N'expliquez rien, ne justifiez rien, ne discutez pas. Il est préférable de n'émettre aucun commentaire. Contentez-vous d'écouter. Ensuite, notez ce que vous avez entendu dans votre carnet et méditez.

Dimostrazione

La volonté de mettre vos connaissances à l'épreuve par l'expérimentation, la persistance et le désir de tirer des leçons de vos erreurs.

Rememorez-vous les meilleurs enseignants que vous avez eus. Quel était leur secret ? Plus que tout, l'excellent enseignant possède le don d'aider l'étudiant à apprendre par lui-même. Les meilleurs professeurs savent que l'expérience est la clé de la sagesse. Le principe de la Dimostrazione est ce qui vous permettra de tirer le meilleur parti possible de cette expérience. Léonard a beaucoup profité de son apprentissage auprès du maître sculpteur et peintre Andrea del Verrocchio qui, selon Serge Bramly, le biographe de Léonard, « rassemblait à lui seul tous les professeurs d'art ». L'entraînement qu'a reçu le jeune Léonard lorsqu'il était apprenti dans l'atelier de Verrocchio mettait l'accent sur la pratique plutôt que sur la théorie. Il y a appris à préparer les toiles, à mélanger les pigments, et il y a été initié à la perspective. Les techniques de la sculpture, de la fonte du bronze et de l'orfèvrerie faisaient partie de son apprentissage, et il était incité à étudier, par l'observation directe, la structure des plantes et l'anatomie humaine et animale. C'est ainsi qu'il s'est orienté vers le pragmatisme.

Le pragmatisme de Léonard, son intelligence exceptionnelle, sa curiosité et son indépendance d'esprit l'ont conduit à remettre en question bon nombre de théories et de dogmes. Au cours de ses explorations géologiques, par exemple, il a découvert des fossiles et des coquillages au faîte des montagnes de la Lombardie. Dans le *Codex Leicester,* il réfute la thèse généralement admise selon laquelle ces fossiles et coquillages avaient été déposés sur les hauteurs par le déluge biblique ; pour ce faire, il ne faisait pas appel à la théologie mais bien à sa rationalité et à son expérience pratique. Remettant en question chacune des suppositions sur lesquelles se fondaient ces idées reçues, il est arrivé à la conclusion que « cette opinion ne saurait être fondée pour des cerveaux capables de grand raisonnement ».

Lorsqu'il s'intéressait à la géologie, Léonard se promenait dans les collines lombardes et recueillait des fossiles. Quand il a voulu apprendre l'anatomie, il a disséqué plus de trente cadavres humains et d'innombrables cadavres d'animaux. Tout comme ses recherches sur les fossiles, ses travaux anatomiques remettaient en question les idées reçues. N'a-t-il pas écrit: «Beaucoup croiront qu'ils ont motif de me blâmer, en alléguant que les preuves par moi avancées contredisent l'autorité de certains auteurs que leur jugement dépourvu d'expérience tient en grande révérence, sans considérer que mes conclusions sont le résultat de l'expérience simple et pure, laquelle est la vraie maîtresse.»?

Tout au long de sa vie, il a dit de lui-même qu'il était un *uomo senza lettere* (un homme peu habile aux lettres) et un *discepolo della esperienza* (disciple de l'expérience). Il a écrit: «L'expérience, truchement entre l'ingénieuse nature et l'espèce humaine, nous enseigne que ce que cette nature effectue parmi les mortels contraints par la nécessité ne saurait se produire autrement que de la façon que lui enseigne la raison, laquelle est son gouvernail.»

Léonard préconisait l'originalité et l'indépendance d'esprit: «Ceux qui étudient les auteurs et non les œuvres de la nature sont en art les petits-fils et non les fils de la nature. [...] *il est plus sûr d'aller directement aux œuvres de la nature* qu'à celles qui furent imitées avec grand dommage d'après ses originaux.» Sa volonté de rejeter l'imitation, de remettre en question l'autorité et de penser par lui-même serait remarquable à n'importe quelle époque; mais elle devient en tous points extraordinaire lorsque l'on songe que Léonard est né à une époque où l'on supposait, ainsi que le souligne William Manchester, «que tout ce qui était à connaître était déjà connu.»

En plus d'être l'un des penseurs les moins pieux de son temps, Léonard était aussi le moins superstitieux de tous. L'alchimie et l'astrologie qui connaissaient alors une très grande vogue étaient pour lui les ennemis de l'expérience et de l'indépendance d'esprit. Il rêvait du jour où «tous les astrologues seront châtrés».

En dépit de son sens critique vis-à-vis des traditions scholastiques et académiques, Léonard ne jetait pas le bébé avec l'eau du bain. Par exemple, il étudia le latin par lui-même en 1494, soit à l'âge de quarante-deux ans, afin de mieux pénétrer les classiques. Il possédait aussi sa bibliothèque personnelle où l'on retrouvait la Bible, ainsi que des œuvres d'Ésope, de Diogène, d'Ovide, de Pline l'Ancien, de Dante, de Pétrarque, de Ficino, de même que des ouvrages d'agriculture, d'anatomie, de mathématiques, de médecine et de stratégie militaire. Le spécialiste de Léonard de Vinci, le professeur Edward MacCurdy, souligne que Léonard « avait l'habitude d'étudier tous les ouvrages de l'Antiquité et du Moyen Âge dont il pouvait disposer sur les sujets qui le fascinaient ».

Léonard fréquentait d'autres grands esprits, dont Bramante, Machiavel, Luca Pacioli et Marcantonio della Torre. Il jugeait que les œuvres des autres étaient des « expériences indirectes » qui méritaient une étude attentive et critique avant d'être mises à l'épreuve par sa propre expérience.

Léonard savait que les présuppositions et les « préjugés livresques » mettaient un frein à l'enquête scientifique. Il savait également que l'on tire des leçons de ses erreurs. Il a écrit : « L'expérience ne trompe jamais ; seuls vos jugements errent, qui se promettent des résultats étrangers à notre expérimentation personnelle. »

Bien qu'il ait été le plus grand génie de tous les temps, Léonard n'était pas à l'abri des erreurs colossales et des gaffes. Parmi ses faux pas les plus célèbres, notons ses désastreuses expériences pour mieux fixer la peinture de deux fresques, la *Bataille d'Anghiari* et *La Cène*; les tentatives fort coûteuses, aboutissant à un lamentable échec, pour détourner l'Arno ; et l'invention d'une machine volante qui n'a jamais pu quitter le sol. Notons également son hilarant essai d'automatisation des cuisines de Ludovico Sforza. Ayant été invité à présider la préparation d'un important banquet auquel devaient participer plus de deux cents convives, Léonard conçut le plan de sculpter les mets de chaque service afin de faire de chaque plat une œuvre d'art en miniature. Léonard conçut une cuisinière plus puissante et un système complexe de convoyeur pour faciliter la circulation des plats. Il installa également un vaste réseau d'extincteurs en cas d'incendie. Le jour du banquet, ce fut un désastre : le personnel de cuisine de Ludovico étant incapable de réaliser les sculptures délicates demandées par Léonard, celui-ci dut inviter une centaine de ses amis artistes pour leur prêter main-forte. La cuisine était bondée de monde, le convoyeur tomba en panne, et un incendie se déclara. Les extincteurs fonctionnèrent admirablement, si bien qu'un véritable déluge emporta toute la nourriture et détruisit une bonne partie de la cuisine !

Malgré ces catastrophes, ses erreurs, ses échecs et ses déceptions, Léonard ne renonça jamais à apprendre, à explorer et à expérimenter. Il fit preuve d'une persistance herculéenne dans sa quête de connaissance. À côté du dessin d'une charrue, il écrit « Ne pas quitter le sillon ». Ailleurs, il note : « Les obstacles ne peuvent me ployer » et « Tout obstacle cède à l'effort ».

Martin Kemp, auteur de *Leonardo da Vinci : The Marvellous Works of Nature and Man,* remarque : « Le principe qui, pour Léonard, décrivait le mieux le sillon qu'il entendait creuser ne fait pas de doute. Ce principe est celui de "l'expérience". »

LA DIMOSTRAZIONE ET VOUS

La Renaissance donna lieu à une métamorphose des idées reçues, des présuppositions et des certitudes. En voulant défier l'opinion dominante par la mise en pratique du principe de Dimostrazione, Léonard se plaça à l'avant-garde de cette révolution. Il comprit que l'on ne saurait remettre en question les idées reçues sans d'abord remettre en question ses propres idées, et il formula cette mise en garde : « tu sais à quel point on se leurre sur ses propres œuvres ». Pour apprendre à penser comme Léonard, vous devrez remettre en question vos opinions personnelles, vos présomptions et vos certitudes.

Vos opinions vous trompent-elles ? Vos opinions et vos certitudes sont-elles vraiment les vôtres ? Les exercices ci-dessous ont été conçus pour vous aider à penser plus librement et avec originalité. Consacrez quelques instants à déterminer la place qu'occupe la Dimostrazione dans votre vie et à découvrir comment vous pouvez la renforcer. Évaluez votre autonomie : êtes-vous indépendant de pensée ? Quelle est la dernière fois où vous avez transformé en profondeur l'une de vos certitudes ? Qu'avez-vous ressenti ?

Songez à vos amis et à vos collègues. Sur quoi fondent-ils leurs certitudes et leurs opinions ? Quel est le penseur le plus indépendant et original que vous connaissiez ? Quelle est la raison de son originalité ?

Réfléchissez un moment à la façon dont vous avez acquis vos connaissances. Tirez-vous plus de leçons de vos réussites ou de vos échecs, de vos expériences positives ou de vos expériences négatives ? Nous savons tous que le jugement est le résultat de l'expérience. Mais nous n'ignorons pas non plus que, souvent, l'expérience nous vient de nos erreurs de jugement. Profitez-vous vraiment de vos erreurs ?

Penchez-vous sur l'auto-évaluation ci-après. Il n'est pas facile de répondre à ces questions, mais une réflexion honnête vous aidera à tirer le maximum de bienfaits des exercices qui suivent.

Dimostrazione
Auto-évaluation

- ❑ Je suis disposé à reconnaître mes erreurs.
- ❑ Mes meilleurs amis s'entendent pour dire que je suis disposé à reconnaître mes erreurs.
- ❑ Je profite de mes erreurs, et je commets rarement deux fois la même.
- ❑ Je remets en question la « sagesse populaire » et l'autorité.
- ❑ Lorsqu'une vedette que j'admire sanctionne un produit, je suis porté à l'acheter.
- ❑ Je puis exprimer mes certitudes les plus fondamentales ainsi que les motifs qui les sous-tendent.
- ❑ L'expérience pratique m'a conduit à transformer radicalement une de mes certitudes.
- ❑ Je persévère en dépit des obstacles.
- ❑ L'adversité est pour moi une occasion de me surpasser.
- ❑ Il m'arrive d'être superstitieux.
- ❑ Mes amis et mes collègues diraient de moi que, lorsque je suis confronté à une idée nouvelle, je suis :
  - a) naïf et « Nouvel Âge »,
  - b) cynique et étroit d'esprit,
  - c) sceptique et large d'esprit.

DIMOSTRAZIONE
Travaux pratiques

RÉFLÉCHISSEZ À L'EXPÉRIENCE

La petite heure consacrée à répondre à ces questions peut vous amener à réfléchir toute votre vie durant à la manière dont l'expérience a coloré votre attitude et votre comportement. Explorez par écrit les thèmes suivants.

Quelles ont été les expériences prédominantes de votre vie ? Accordez-vous vingt minutes pour répondre à cette question, en énumérant au moins sept expériences, et en résumant en une phrase les leçons que vous avez tirées de chacune.

Réfléchissez maintenant quelques minutes à la façon dont vous *mettez en pratique quotidiennement* les leçons que vous ont inculquées ces expériences fondamentales.

Ensuite, consultez votre liste et posez-vous la question suivante : Quelle est l'expérience la plus déterminante de ma vie ? (Certaines personnes trouveront facilement la réponse ; d'autres auront plus de difficulté à faire leur choix. Si aucune expérience ne s'impose, choisissez-en une au hasard.)

Pendant quelques minutes, demandez-vous : Comment cette expérience a-t-elle coloré mes comportements et mes points de vue ? Résumez en une ou deux phrases les effets que cette expérience a eus sur votre vision du monde.

Enfin, demandez-vous ceci : Puis-je reformuler certaines des conclusions auxquelles j'étais arrivé alors ? Ne répondez pas trop vite. Réfléchissez bien, laissez « mariner » cette question dans votre esprit et votre cœur.

EXAMINEZ VOS CERTITUDES ET LEURS ORIGINES

Nous savons rarement d'où proviennent les données que nous engrangeons. Nous savons seulement que nous possédons des opinions, des présomptions et des certitudes sur tout un éventail de sujets : nature humaine, éthique, politique, groupes ethniques, vérités scientifiques, sexualité, religion, médecine, sens de la vie, art, mariage, art d'être parents, histoire, autres cultures, etc. Mais savons-nous comment nous avons développé ces points de vue et d'où provient l'information qui leur a donné naissance ?

Choisissez d'abord l'un des trois thèmes énumérés cidessus, par exemple, la nature humaine, la politique et l'art. Dans votre carnet, notez au moins trois opinions, présomptions ou certitudes que vous entretenez à ce sujet. Par exemple :

Nature humaine

- Je crois que l'être humain est fondamentalement bon.
- Je crois que nos comportements sont déterminés par des facteurs héréditaires.
- Il est dans la nature humaine de résister aux changements.

Après avoir énuméré trois points de vue pour chacun des thèmes choisis, demandez-vous :

- Comment en suis-je venu à formuler cette opinion ?
- Est-elle très ancrée en moi ?
- Pourquoi est-ce que je ne veux pas en changer ?
- Qu'est-ce qui pourrait me faire changer d'idée ?
- Laquelle de mes certitudes m'affecte le plus ?

Ensuite, pour chaque thème choisi, réfléchissez au rôle que joue chacun des éléments suivants dans la formulation de votre point de vue :

- Les médias : livres, Internet, télévision, radio, journaux, revues.
- Les gens : famille, enseignants, médecins, guides spirituels, amis, employeurs, collègues.
- Votre propre expérience.

À quels critères recourez-vous pour estimer la validité de l'information que vous recueillez ? Vos idées proviennent-elles de vos lectures ? Êtes-vous principalement influencé par votre famille ? Croyez-vous tout ce que vous apprennent les journaux et la télévision ? Par la réflexion et la contemplation, efforcez-vous de déterminer votre principale source de renseignements ainsi que l'origine de vos points de vue et de vos certitudes. Déterminez si vous vous attachez à certains points de vue sans les avoir déjà passés au crible de votre expérience. Connaissez-vous un moyen de les mettre à l'épreuve ?

TROIS POINTS DE VUE

Notez l'affirmation de l'exercice précédent qui a suscité en vous l'émotion la plus forte.

Dans le chapitre sur la Curiosità, nous avons appris que, lorsque Léonard allait en quête de savoir objectif – en disséquant un cadavre ou en critiquant une de ses toiles –, il examinait son sujet sous au moins trois angles différents. Faites de même avec vos opinions et vos certitudes. Tout comme le maître observait ses toiles à l'envers, dans un miroir, efforcez-vous de découvrir l'argument qui va le plus à l'encontre de votre idée.

Léonard observait aussi ses toiles en prenant du recul. Examinez votre point de vue « à distance » en vous demandant : Est-ce que mon opinion changerait si je vivais dans un autre pays ; si j'étais d'une autre religion, d'une autre race, d'une autre couche socio-économique ; si j'avais vingt ans de moins ou de plus ou si j'étais membre du sexe opposé ?

Enfin, consultez ceux de vos amis ou de vos connaissances qui, selon vous, pourraient avoir un point de vue différent du vôtre. Interrogez-les afin de voir cette question sous un autre angle.

EXERCEZ-VOUS À LA PRATIQUE DES ARTS MARTIAUX INTERNES ET ANTI-COMMERCIAUX

Pendant que vous lisez cet ouvrage, des milliers de publicitaires exceptionnellement créateurs et déterminés jonglent avec des milliards de dollars dans le but d'influencer vos valeurs, votre image et vos habitudes de consommateur. Armés de vos insécurités sexuelles et de vos fantasmes, ou misant sur la force de la répétition, ils sont très habiles à toucher une clientèle cible. Pour préserver votre indépendance devant un tel assaut, il faut une bonne dose de discipline, une discipline semblable à celle qu'inculque la pratique des arts martiaux. Essayez les exercices d'« auto-défense » suivants :

- Feuilletez votre magazine préféré et analysez les stratégies qui sous-tendent chaque annonce publicitaire.
- Analysez de la même façon les annonces commerciales de la radio et de la télévision.
- Notez les annonces qui vous frappent le plus, et dites pourquoi.
- Comment la publicité vous affectait-elle lorsque vous étiez enfant ?
- Énumérez les trois meilleures annonces que vous ayez jamais vues. Quelles étaient les raisons de leur excellence ?
- Identifiez dix achats récents et demandez-vous si vous avez été influencé par la publicité entourant ces produits.
- Pratiquez l'écriture automatique pour déterminer « le rôle de la publicité dans la formation de mes valeurs et de mon opinion de moi-même ».

L'une des stratégies les plus futées et les plus cyniques des publicitaires consiste à mousser l'indépendance et l'individualisme. On incite les consommateurs à s'identifier au « Rebelle » et à l'« Individualiste » par des scènes audacieuses : conduire un véhicule automobile tout-terrain ; fumer un cigare de quinze dollars ; enfiler une marque spécifique de jeans ou de baskets, ou encore porter une casquette de base-ball sens devant derrière. Relevez des exemples de ce phénomène dans votre carnet. En voici quelques-uns que vous aurez sans doute remarqués :

- L'homme des Marlboro et la dame des Virginia Slims.
- La chaîne de restaurants dont la maxime est « Aucune autre règle que la perfection », ou la franchise de hamburgers qui nous rappelle que « Parfois, il faut déroger au règlement ». (Mais imaginez un peu ce qui arriverait si vous dérogiez une bonne fois au règlement en partant sans payer la note... !)
- Même l'adorable Dilbert, ce symbole de révolte contre la bureaucratie inepte, a été récupéré par les publicitaires. Il est devenu un

phénomène de masse et sert à vendre encore plus d'annonces et de cubicules.

SACHEZ PROFITER DE VOS ERREURS ET DE L'ADVERSITÉ

Explorez votre réaction face à l'erreur en méditant les questions suivantes et en notant vos réflexions dans un carnet.

- Qu'avez-vous appris à l'école en matière d'erreur ?
- Que vous ont enseigné vos parents en matière d'erreur ?
- Quelle est la plus grande erreur que vous ayez commise ?
- Quelle leçon en avez-vous tirée ?
- Quelles sont les erreurs que vous refaites sans cesse ?
- Quel rôle joue, dans votre vie, au travail et à la maison, la peur de vous tromper ?
- Êtes-vous plus porté à commettre des erreurs d'action ou d'omission ?

Faites une séance d'écriture automatique autour du thème qui suit : « Que ferais-je différemment si je n'avais pas peur de me tromper ? »

Léonard a commis de nombreuses erreurs et a dû affronter un grand nombre d'obstacles dans sa quête de beauté et de vérité. En plus des fausses accusations, des invasions, de l'exil et de la destruction d'une de ses plus grandes œuvres, le maître a été contraint à la solitude inhérente à l'homme trop en avance sur son époque.

Il a douté de lui-même, il a mis en question la validité de ses travaux, mais il n'a jamais capitulé. Le courage et la persistance de Léonard devant l'adversité nous sont une grande inspiration. Il n'a eu de cesse de renforcer sa détermination par des affirmations telles que :

« Ne pas quitter le sillon. »
« Les obstacles ne peuvent me ployer. »
« Tout obstacle cède à l'effort. »
« Je dois persévérer. »
« Je ne me lasse jamais d'être utile. »

La Dimostrazione et les parents

Comment éduque-t-on un enfant qui pense par lui-même, qui sait profiter de ses erreurs et qui persévère en dépit des obstacles? Comme pour tout ce qui concerne l'art d'être parent, il n'y a pas de réponse simple. L'un des secrets consiste à stimuler sa confiance en lui-même. Le mot confiance dérive du latin *confidere* (de *cum* – «avec», et *fidere* – «fier»). La confiance, c'est-à-dire la foi en soi-même et en ses possibilités, est la clé du succès, et le succès est la clé de la confiance en soi. Efforcez-vous de développer la confiance en soi de vos enfants en les incitant à réussir leurs apprentissages. Décomposez leurs tâches en plusieurs éléments simples de façon qu'ils connaissent plusieurs petites réussites au lieu de quelques gros échecs.

Rien ne peut mieux développer la confiance en soi d'un enfant qu'un amour inconditionnel. Faites comprendre à vos enfants que vous les aimez pour eux-mêmes plutôt que pour leurs accomplissements. Complétez cet amour inconditionnel par des encouragements enthousiastes. Répétez-leur des phrases telles que «Tu peux faire tout ce que tu décides de faire», «Je crois en toi» et «Je sais que tu peux y parvenir».

Lorsqu'ils se trompent, voyez là une occasion pour eux d'apprendre quelque chose. Lorsqu'ils échouent, commentez leur échec avec gentillesse et objectivité, tout en ne ménageant pas vos encouragements. L'un des problèmes que soulève l'éducation basée sur «l'estime de soi» est qu'on y confond l'amour inconditionnel et l'encouragement avec le manque d'objectivité. Le fait de dire à un enfant qu'il a réussi ou qu'il a bien agi lorsque c'est faux empêche celui-ci de développer une estime de soi authentique. En faisant preuve d'objectivité, vous le mettez en face de la réalité et vous respectez sa faculté d'apprendre.

Formulez vos propres affirmations

À la suite de longues recherches, le Dr Martin Seligman et plusieurs autres ont conclu que l'élément déterminant de la réussite professionnelle et personnelle est le ressort face à l'adversité. La conscience en éveil, la contemplation profonde et le sens de l'humour sont vos meilleurs amis quand il s'agit de savoir profiter d'expériences pénibles. Vous pouvez aussi, comme Léonard, renforcer votre force morale en formulant vos propres affirmations. Rédigez au moins une affirmation qui puisse vous inspirer à relever vos plus grands défis.

De nombreuses personnes formulent des affirmations qui commencent par «Je suis...», par exemple, «Je suis tolérant avec moi-même», ou «Je suis en train d'apprendre à être tolérant envers moi-même». Ce genre d'affirmations, quoique utiles, tendent à susciter des réactions avant tout intellectuelles et cognitives. Vos affirmations auront un effet plus profond si vous les formulez dans une optique émotive. La petite expérience qui suit vous fera percevoir plus facilement la différence entre ces deux types d'affirmation.

Dites plusieurs fois : Je suis tolérant envers moi-même. Remarquez votre réaction.

Dites maintenant : Je me sens tolérant envers moi-même. Encore une fois, notez votre réaction. Lorsque vous vous décrivez tel que vous vous sentez plutôt que tel que vous êtes, vous êtes davantage porté à ressentir profondément ce que vous dites et vous permettez ainsi à vos affirmations de pénétrer en vous plus profondément.

Les affirmations qui suivent, formulées en collaboration avec mon ami, le Dr Dale Schusterman, ont pour but de vous aider à accéder au centre de votre être pour y effectuer des transformations profondes.

Relations personnelles

- Je me sens disposé à ouvrir mon cœur à une autre personne.
- Je me demande ce que je pourrais transformer en moi pour venir en aide à mon partenaire.
- Je ressens bien la différence qui existe entre mon père et mon mari (ma mère/ma femme).
- J'éprouve de l'admiration envers la nature féminine de ma femme (mon amie).

Spiritualité

- Mon rapport avec le divin (Christ, Surmoi, Bouddha, etc.) est ma principale priorité (dites ceci en visualisant votre travail, vos relations personnelles, vos revenus, vos attentes, vos parents, les expériences douloureuses que vous avez vécues, etc.).
- Je ressens en moi la présence divine.
- Je sais dans mon cœur qu'une volonté divine agit sur ma vie.
- Je reconnais les leçons que mon âme doit tirer de (dites le nom d'une personne ou décrivez une expérience).

Argent

- J'ai conscience de la différence entre mes désirs et mes besoins.
- Je me demande comment attirer la richesse.
- Je me sens disposé à accueillir la richesse.
- Je me sens digne de la richesse.
- Je reconnais que je suis déjà riche.

Savoir

- Les diverses expressions de mon intelligence m'étonnent.
- Je reconnais mon aptitude à apprendre intuitivement.
- Je me demande comment (résoudre ce problème, apprendre à connaître telle ou telle chose).
- Je fais confiance à la connaissance : elle sera là quand j'en aurai besoin.

Carrière

- Je me sens fier de ma contribution au monde.
- J'ai pleinement conscience de ma force intérieure quand d'autres observent mon travail.
- Je me demande comment exprimer ma raison d'être sur terre.
- Je suis disposé à exprimer ma raison d'être sur terre.

Joie de vivre

- J'éprouve de la joie en toute chose (dites ceci en visualisant une situation de stress).
- Je sens que j'ai le droit d'être heureux.
- Je me réjouis du bonheur des autres.
- Ma joie et mon bonheur prennent naissance en moi.

Réalisation de soi

- Je me fie à ma vie intérieure.
- Je ressens en moi la présence du divin.
- Je me permets d'éprouver des émotions.
- J'ai pleine conscience de mes sentiments envers moi-même.

APPRENEZ DE VOS « ANTI-MODÈLES »

L'un des meilleurs moyens pour profiter de nos erreurs est de laisser les autres commettre ces erreurs à notre place. Bien sûr, il est tout à fait merveilleux de pouvoir s'inspirer d'un modèle de la stature de Léonard. Mais il est également possible de beaucoup apprendre en observant nos « anti-modèles ». Ce sont mes pires professeurs qui m'ont le plus appris l'art d'enseigner. Je me souviens d'un enseignant qui parlait sans arrêt d'une voix monocorde ; d'un autre qui ne répondait jamais à nos questions ; de tel entraîneur qui s'amusait à humilier les joueurs de son équipe. Ils m'ont montré ce qu'il ne faut pas faire. Je suis également reconnaissant aux autres anti-modèles qui, en faisant exactement ce qu'il ne faut pas faire, m'ont évité de m'endetter et de sombrer dans la dépression nerveuse.

Énumérez au moins trois personnes qui ont commis des erreurs que vous aimeriez éviter. Comment pouvez-vous apprendre de leurs erreurs ? Le plus difficile est que, parfois, ces anti-modèles dans un certain domaine sont aussi d'excellents modèles dans un domaine différent. Votre responsabilité consiste à savoir discerner entre ce que vous voulez imiter en eux et ce que vous voulez éviter.

LA DIMOSTRAZIONE AU TRAVAIL

Une vaste majorité de directeurs d'entreprises avouent que *le fait de ne pas tenir compte de leur propre expérience est la première cause de leurs pires erreurs de jugement.* Trop souvent, les gens d'affaires renoncent au bon sens que leur dicterait leur expérience au profit du jugement de conseillers, d'avocats ou d'intellectuels. Mark McCormack, fondateur du International Management Group (Groupe international de gestion) et auteur de *Tout ce que vous n'apprendrez jamais à Harvard*, décrit les limites du schéma mental que peut produire une formation universitaire : « Une maîtrise en gestion d'entreprise freine parfois le développement de l'expérience personnelle. Un bon nombre des comptables agréés que nous avons engagés étaient soit génétiquement naïfs, soit victimes de leur formation. Il s'en est suivi chez eux une inaptitude à apprendre — l'incapacité de deviner correctement les gens ou d'évaluer une situation, ainsi qu'un talent inquiétant pour tout percevoir de travers. »

Les meilleurs dirigeants, les meilleurs hommes d'affaires savent, tout comme Léonard, que l'expérience est le fondement même de la sagesse.

Sensazione

Le raffinement continu des sens, en particulier de la vue, dans le but de rehausser vos expériences.

La vue, l'ouïe, le toucher, le goût et l'odorat. Si vous pensez comme Léonard, ces sens sont pour vous les clés de toutes les expériences. Léonard croyait que les secrets de la Dimostrazione nous sont révélés par nos sens, en particulier la vue. *Saper vedere* (savoir voir) était l'une de ses maximes préférées et la pierre de touche de ses travaux artistiques et scientifiques. Dans *Les créateurs,* Daniel Boorstin donne à son chapitre sur Léonard de Vinci l'intitulé suivant: «Le souverain du monde visible». La souveraineté de Léonard procédait de son esprit inquisiteur et ouvert, de l'importance qu'il accordait à l'expérimentation, et de son exceptionnelle acuité visuelle. Grâce à une enfance occupée à observer et à goûter la beauté naturelle de la campagne toscane, puis au contact de son maître Verrocchio, «l'œil véritable», Léonard a su développer d'étonnantes facultés visuelles, proches de celles d'un super héros de bandes dessinées. Dans son *Traité sur les oiseaux,* par exemple, il a noté d'infimes détails sur le mouvement des plumes et des ailes de l'oiseau en vol que seul le développement de la cinématographie au ralenti nous a permis de confirmer et d'apprécier à leur juste valeur.

Toute notre connaissance découle de notre sensibilité.

— LÉONARD DE VINCI

Léonard s'est révélé le plus dramatique et transporté d'extase dans ses descriptions du pouvoir du regard:

> Celui que sa vue quitte cesse de percevoir son univers et ressemble à un homme enseveli vivant qui encore bougerait et respirerait dans sa tombe. Ne voyez-vous pas que l'œil embrasse toute la beauté du monde : Il est le maître de l'astronomie, il assiste et dirige tous les arts de l'homme. Il envoie des hommes aux quatre coins de la terre. Il règne dans tous les champs de la mathématique, et ses sciences sont de toutes les plus infaillibles. Il a mesuré la distance et la dimension des étoiles; il a découvert les

éléments et la nature des éléments, et en observant le cours des constellations il nous a permis de prédire l'avenir. Il a créé l'architecture et la perspective, et enfin l'art divin de la peinture. Ô suprême création de Dieu ! quels hymnes peuvent rendre justice à ta noblesse ; quel peuple, quelle langue peuvent vanter tes réalisations ?

Le regard de Léonard lui permettait de capter dans sa peinture des subtilités exquises jusque-là inégalées. Pour le maître, l'œil était véritablement la fenêtre de l'âme, et comme il se plaisait à le répéter, « la principale voie par où notre intellect peut apprécier pleinement et magnifiquement l'œuvre infinie de la nature ».

La vue, pour Léonard, était le premier des sens ; il considérait par conséquent que la peinture était la première de toutes les disciplines artistiques. L'ouïe, et donc la musique, ne venait qu'après. N'a-t-il pas écrit : « La musique est la sœur de la peinture, car elle dépend de l'oreille [...] la peinture est plus excellente et supérieure à la musique en ce qu'elle ne s'évanouit pas aussitôt née. » ? (Bien entendu, au temps de Léonard, les audiocassettes, les disques de vinyle et les disques compacts n'existaient pas encore.)

Qui croyait qu'un si petit espace peut contenir les images de l'univers entier ?

— LÉONARD DE VINCI

Léonard était aussi un excellent musicien. Sa popularité auprès de ses protecteurs était en partie attribuable à ses dons musicaux : il jouait de la flûte, du luth et d'autres instruments. Vasari nous dit qu'il chantait « en improvisant merveilleusement ». Lorsqu'il s'établit à Milan aux côtés de son protecteur Ludovico Sforza, il offrit à ce dernier un luth à manche d'argent en forme de tête de cheval qu'il avait réalisé de ses mains. En plus de composer, de jouer de plusieurs instruments et de chanter, Léonard aimait que des musiciens agrémentent ses séances de travail. Pour le maître, la musique était une nourriture à la fois sensuelle et spirituelle.

Bien que la vue et l'ouïe aient occupé les plus hauts degrés de sa hiérarchie des sens, Léonard appréciait, pratiquait et encourageait le raffinement de tous les sens. Il s'efforçait de porter les plus beaux vêtements qu'il était en mesure de s'offrir et goûtait en particulier la douceur des velours fins et des soies. Fleurs et parfums emplissaient son atelier. Il cultivait également ses sens par sa passion de l'art culinaire. C'est à Léonard que l'Occident doit le concept de petites portions santé, à la présentation exquise, lors des dîners officiels.

Les cinq sens sont les ministres de l'âme.

— LÉONARD DE VINCI

Mais Léonard signale, non sans amertume, que l'être humain moyen « regarde sans voir, écoute sans entendre, touche sans ressentir, mange sans goûter, se déplace sans la conscience de son corps, respire sans la conscience des odeurs ou des parfums, et parle sans réfléchir. » Des siècles après, cette constatation est une incitation à raffiner nos sens, notre esprit et nos expériences.

LA SENSAZIONE ET VOUS

Quelle est la plus belle chose que vous ayez jamais vue ? Le plus beau son que vous ayez jamais entendu ? La sensation tactile la plus exquise ? Imaginez une saveur sublime et délicieuse, un arôme délectable et obsédant. Comment l'un de vos sens affecte-t-il les autres ?

Les questions et les exercices contenus dans ce chapitre sont des plaisirs sensuels : vous savourerez du chocolat et du vin et vous découvrirez de nouvelles façons d'apprécier la musique et les arts. Vous apprendrez à enrichir vos expériences tactiles et à fabriquer votre propre eau de Cologne, comme le faisait le maître. Vous découvrirez la synesthésie, ou synergie des sens, secret des grands artistes et des scientifiques. Le raffinement de votre intelligence sensorielle réside sous cet ensemble de plaisirs sensuels.

En plus d'être les canaux par où circulent votre plaisir et votre douleur, vos sens sont les sages-femmes de votre intelligence. *Fin* est synonyme d'*intelligent* et *obtus* est synonyme de *sot*; ces deux mots décrivent l'acuité sensorielle. Mais dans notre monde de circulation automobile, de cubicules, de téléavertisseurs, de béton armé, de sonneries de téléphone, de colorants artificiels, de marteaux piqueurs et de téléromans insipides, il est trop facile de « regarder sans voir », comme le disait Léonard. Regarder sans voir viole l'esprit de Léonard qui s'efforçait tant de nourrir sa conscience et son acuité sensorielles. Le biographe de Léonard, Serge Bramly, compare l'évolution et le raffinement sensoriels de Léonard à l'entraînement d'un athlète : « Tout comme un athlète développe sa musculature, Léonard entraînait ses sens et éduquait ses facultés d'observation. Ses carnets nous révèlent la gymnastique mentale à laquelle il s'astreignait. » L'entraînement que vous procurera la gymnastique sensorielle du présent chapitre haussera votre conscience, votre acuité sensorielle et votre plaisir sensuel. Mais auparavant, méditez sur les auto-évaluations des pages 101 à 106.

Sensazione
Auto-évaluation
La vue

- ❑ Je suis sensible à l'harmonie et à l'absence d'harmonie des couleurs.
- ❑ Je connais la couleur des yeux de tous mes amis.
- ❑ Je regarde l'horizon et je lève les yeux au ciel au moins une fois par jour.
- ❑ J'excelle à décrire une scène en détail.
- ❑ J'aime griffonner et dessiner.
- ❑ Mes amis diraient que je suis alerte.
- ❑ Je suis sensible aux changements subtils de la lumière.
- ❑ Je peux facilement visualiser quelque chose.

Vous pourrez mesurer la justesse de la triste constatation de Léonard lors de votre prochaine visite au Louvre. Aux abords de *La Joconde,* vous apercevrez quantité d'écriteaux formulés en plusieurs langues qui mettent les visiteurs en garde : « Les visiteurs sont priés de ne pas utiliser d'appareil-photo avec flash. » Tandis que vous vous efforcerez d'absorber les infinies subtilités de ce mystérieux tableau, les Philistins qui ne se donnent jamais la peine de le regarder vous bombarderont d'incessants éclairs de magnésium.

Sensazione
Auto-évaluation
L'ouïe

- ❑ Mes amis disent que je sais les écouter.
- ❑ Je suis sensible au bruit.
- ❑ Je peux m'apercevoir que quelqu'un chante faux.
- ❑ Je chante juste.
- ❑ J'écoute du jazz ou de la musique classique régulièrement.
- ❑ Je peux distinguer la mélodie de l'accompagnement dans un morceau de musique.
- ❑ Je connais toutes les fonctions de contrôle de mon stéréo et je puis noter les différences lorsque je les ajuste.
- ❑ J'aime le silence.
- ❑ Je suis sensible aux variations de ton, de volume et d'inflexion de la voix d'un orateur.

Sensazione
Auto-évaluation
L'odorat

- ❏ J'ai un parfum préféré.
- ❏ Les odeurs affectent mes émotions, en bien ou en mal.
- ❏ Je peux reconnaître mes amis à leur parfum.
- ❏ Je sais comment modifier mon humeur à l'aide d'arômes.
- ❏ Je suis en mesure d'apprécier à l'odeur la qualité des aliments ou des vins.
- ❏ Lorsque j'aperçois des fleurs coupées, je ne manque jamais de respirer leur parfum.

Sensazione
Auto-évaluation
Le goût

- ❑ Je goûte la « fraîcheur » des aliments.
- ❑ J'aime tout un éventail de traditions culinaires.
- ❑ Je recherche de nouvelles expériences gastronomiques.
- ❑ Je peux déceler différentes herbes ou épices dans un mets complexe.
- ❑ Je fais bien la cuisine.
- ❑ J'aime le mariage des mets et des vins.
- ❑ J'évite les aliments vides.
- ❑ J'évite de manger sur le pouce.
- ❑ J'aime participer à des dégustations de mets et de vins.

Sensazione
Auto-évaluation
Le toucher

- ❏ Je suis conscient de la sensation tactile que me procure tout ce qui m'entoure : fauteuils, divans, siège de voiture, etc.
- ❏ Je suis sensible à la qualité des tissus de mes vêtements.
- ❏ J'aime toucher et être touché.
- ❏ Mes amis trouvent agréable que je les serre dans mes bras.
- ❏ Je sais écouter avec mes mains.
- ❏ Lorsque je touche une autre personne, je sais si elle est tendue ou détendue.

Sensazione
Auto-évaluation
Synesthésie

- ❑ J'aime décrire un sens par rapport à un autre.
- ❑ Je distingue intuitivement les couleurs « chaudes » des couleurs « froides ».
- ❑ Ma réaction à l'art est viscérale.
- ❑ Je suis conscient du rôle de la synes-thésie dans la pensée des grands artistes et scientifiques.
- ❑ Je sais combiner les sons suivants « oooohhlaaa », « zip-zip-zip » et « ni-ni-ni-ni-ni » aux formes suivantes ~, ^^^^, vvvv.

SENSAZIONE
Mise en pratique et exercices

LA VUE : REGARDER ET VOIR

Léonard a dit que « l'œil embrasse toute la beauté du monde. » Vous pouvez commencer à développer votre acuité visuelle – et ainsi mieux apprécier les beautés du monde qui vous entoure – en faisant les exercices suivants :

Exercice : les paumes sur les yeux

Asseyez-vous devant un bureau dans une pièce calme. Posez vos pieds bien à plat sur le sol et faites en sorte que les os inférieurs du bassin supportent votre poids. Si vous portez des lunettes, retirez-les ; vous pouvez garder vos lentilles cornéennes. Frottez vigoureusement vos paumes l'une contre l'autre pendant une vingtaine de secondes. Posez doucement vos coudes sur le bureau et vos paumes sur vos yeux fermés. Assurez-vous que vos paumes ne touchent ni vos paupières ni votre nez.

Respirez profondément et calmement, et gardez cette posture de trois à cinq minutes. Lorsque vous en aurez terminé, éloignez vos paumes de vos yeux, mais laissez ceux-ci fermés encore une vingtaine de secondes. (Ne frottez pas vos yeux !) Puis, ouvrez doucement les yeux et regardez autour de vous. Vous constaterez sans doute que les couleurs vous semblent plus brillantes et que les formes ont une meilleure définition. Faites cet exercice une ou deux fois par jour.

Regardez à proximité et au loin

Cet exercice est très simple et très efficace ; faites-le plusieurs fois par jour. Regardez un objet à proximité – par exemple, le livre que vous tenez entre vos mains – puis regardez le plus loin possible. Fixez votre regard sur un point précis de l'horizon pendant quelques secondes, puis revenez à l'objet entre vos mains ; levez de nouveau les yeux vers l'horizon, cette fois sur un point différent. En plus d'aviver le regard et d'étendre la perception,

Voici comment Léonard décrit un lever de soleil : « À la pointe du jour, au midi, l'atmosphère près de l'horizon s'embrume faiblement de nuages couleur de rose ; vers l'occident elle se fonce, et à l'orient, la vapeur humide de l'horizon le surpasse en éclat ; la blancheur des maisons au levant se distingue à peine, alors qu'au sud, plus elles sont lointaines, plus elles virent au rose foncé, et davantage encore vers l'occident ; il en va inversement pour les ombres, que la blancheur efface. »

cet exercice peut améliorer votre conduite automobile en vous empêchant d'accélérer sans vous en rendre compte juste au moment où une patrouille vous surveille.

« Le regard adouci »

Chez bon nombre de personnes, le travail à l'ordinateur ou la lecture de rapports contribue au rétrécissement du champ de vision. Prenez quelques respirations profondes et faites l'exercice suivant : joignez vos index et placez-les à la hauteur du regard à environ trente centimètres de votre visage. En regardant droit devant vous, écartez lentement vos doigts l'un de l'autre horizontalement. Arrêtez-vous quand vous ne parvenez plus à les discerner par la vision périphérique. Ramenez vos index vers le centre et répétez l'exercice, cette fois à la verticale. Expirez. Maintenant, « adoucissez » votre regard en détendant les muscles du front, du visage et de la mâchoire et en devenant réceptif au plus grand champ de vision possible. Remarquez combien cet exercice affecte votre esprit et votre corps.

Décrivez un lever ou un coucher de soleil

Consultez un journal pour connaître l'heure exacte du lever ou du coucher du soleil. Dénichez un endroit calme d'où vous aurez une vue imprenable et faites en sorte de vous y rendre au moins dix minutes avant l'heure officielle. Faites le vide dans votre esprit et détendez-vous en prenant quelques inspirations profondes et en vous assurant d'expirer à fond. Posez vos paumes sur vos yeux fermés pendant trois minutes, puis fixez votre regard à proximité et au loin, et adoucissez votre regard en augmentant le plus possible votre champ de vision. Décrivez cette expérience en détail dans votre carnet.

Étudiez la vie et l'œuvre de vos peintres préférés

Énumérez vos dix artistes préférés. Consacrez ensuite une période spécifique à l'étude de leur vie et de leur œuvre (une semaine, trois mois, un an). Lisez tout ce qui vous tombe sous la main à leur sujet. Allez admirer leurs œuvres. Décorez votre salle de bains, votre bureau, votre cuisine de reproductions de leurs toiles.

Voici mes dix peintres préférés (du monde occidental) :

1. Léonard de Vinci (surprise !)
2. Paul Cézanne
3. Vincent van Gogh
4. Rembrandt van Rijn
5. Michel-Ange
6. Jan Vermeer
7. Giorgione
8. Masaccio
9. Salvador Dalì
10. Mary Cassatt

Sachez profiter de vos visites au musée

Comment pouvez-vous approfondir votre amour de l'art et développer votre aptitude à *saper vedere* (savoir voir) ? Il suffit parfois de bien planifier vos visites muséales. Même les gens les plus cultivés éprouvent parfois de la difficulté à absorber tout ce qui s'offre à leur vue à l'occasion d'une visite au musée. Si l'on ne met pas au point une stratégie, il arrive qu'une exposition nous épuise et nous laisse sur notre faim. Les audiocassettes et les visites guidées sont parfois excellentes, mais leur qualité varie beaucoup.

Un petit truc : allez au musée en compagnie d'un ou d'une amie. Décidez par avance quelle partie de la collection vous intéresse. En pénétrant dans chaque salle, séparez-vous et donnez-vous rendez-vous à une heure précise.

Oubliez toutes les analyses et la terminologie des cours d'histoire de vos années d'études. Regardez chaque toile ou chaque sculpture avec un regard neuf et candide. Évitez de lire le nom de l'artiste ou le titre de l'œuvre tant que vous n'aurez pas pris le temps d'apprécier en profondeur ce que vous voyez. Qu'est-ce qui vous plaît le plus dans cette œuvre ? Notez dans un carnet vos impressions des toiles ou des sculptures qui vous affectent le plus. Allez ensuite retrouver votre ami et échangez vos impressions sur l'œuvre qui, dans cette salle, se détache le plus des autres. Si vous vous efforcez de traduire ce qui vous attire le plus dans une œuvre en particulier, vous raffinerez votre plaisir et votre admiration. Bien entendu, vous profiterez aussi du point de vue de la personne qui vous accompagne, ce qui vous aidera à mieux comprendre non seulement les œuvres que vous admirez mais aussi votre ami. Lorsque je visite des musées avec mes amis, ils disent toujours : « Je ne m'étais jamais autant amusé dans un musée ! »

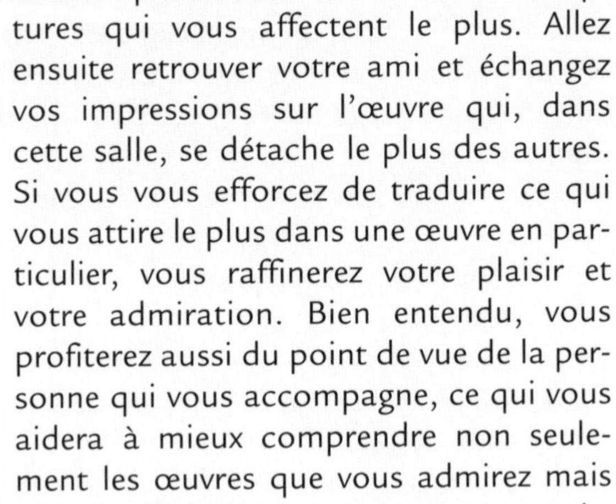

Léonard a constaté que « l'idée ou la faculté d'imaginer est à la fois gouvernail et frein des sens, dans la mesure où la chose imaginée émeut le sang ».

Pratiquez la « spéculation subtile »
L'art de la visualisation

La visualisation est un merveilleux outil pour raffiner les sens, améliorer la mémoire et mieux nous préparer à atteindre nos objectifs. La visualisation était un élément essentiel de l'apprentissage et de la créativité de Léonard. N'écrit-il pas : « Je sais par expérience qu'on ne tire point mince profit, quand on est au lit, dans l'obscurité, de repasser en esprit les contours essentiels des formes précédemment étudiées, ou autres choses dignes de remarque, conçues par une subtile spéculation ; et cet exercice est fort utile et recommandable pour fixer les choses dans la mémoire. » ? Ce conseil aux peintres convient tout autant aux artistes de la vie.

Vous pouvez vous adonner à la visualisation consciente tant pour améliorer votre technique de golf ou de danse sociale que pour perfectionner vos aptitudes d'orateur. La visualisation produit les meilleurs résultats lorsque celui qui la pratique est détendu. Les meilleurs moments pour la pratique de la visualisation sont :

- le matin au réveil ;
- le soir avant de s'endormir ;
- dans le train, l'avion, le bateau ou la voiture ;
- pendant la pause-café ;
- après la méditation, le yoga ou la séance d'exercice ;
- à n'importe quel moment de détente de l'esprit et du corps.

L'aptitude à visualiser un objectif est intégrée au cerveau, et votre cerveau est conçu de manière à vous aider à unifier image et accomplissement. Plus vous solliciterez tous vos sens, plus forte sera cette visualisation. Pour profiter au mieux de vos visualisations, faites les exercices suivants, afin de stimuler l'éclat de vos visualisations multisensorielles.

Imaginez votre scène préférée

Respirez profondément à quelques reprises, puis fermez les yeux. Créez mentalement l'image de votre décor préféré, réel ou imaginaire. Supposons que vous choisissiez une plage. Regardez mentalement le vaste océan en suivant le mouvement des vagues et de l'écume. Écoutez le bruissement de la vague et sentez la chaleur du soleil sur votre dos. Respirez l'air salin qui vous revigore et que charrie la brise marine, et goûtez la texture du sable humide qui glisse entre vos orteils. Vous apercevez un groupe de six pélicans bruns qui rasent la surface de l'eau et qui soudain se dispersent dans toutes les directions. Le plus grand des oiseaux revient et plonge tout à coup en attrapant dans son bec un poisson argenté. Prenez une poignée de sable et levez la main vers le ciel. Laissez le sable s'écouler entre vos doigts tandis que le soleil en fait scintiller les cristaux. Rincez votre main à la vague. Léchez vos doigts, goûtez le sel de l'eau. Prolongez ainsi votre séjour en ce lieu de rêve et savourez-en chaque sensuel et délicieux détail.

Selon Léonard, il existe deux formes de visualisation :

- « Post-imaginer, c'est imaginer les choses passées. »
- « Pré-imaginer, c'est imaginer les choses à venir. »

N'allez surtout pas imaginer une Joconde moustachue ! Si vous n'avez pas respecté cette instruction, c'est parce que vos facultés de visualisation sont si puissantes qu'elles s'emparent de la moindre suggestion, bonne ou mauvaise, et la transforment en image. Ainsi que le signalait le maître, « la chose imaginée émeut les sens ». Cela étant, de nombreuses personnes continuent de croire à tort qu'elles « ne sont pas douées pour la visualisation ». Elles veulent dire par là qu'elles ne captent pas des images intérieures claires, en Technicolor. Il importe de savoir que l'on peut bénéficier pleinement de la visualisation sans pour autant « voir » des images claires, en Technicolor. Si vous vous croyez nul en matière de visualisation, répondez aux questions suivantes : Quels sont le modèle et la couleur de votre voiture ? Pouvez-vous décrire le visage de votre mère ? À quoi ressemble le poil d'un dalmatien ? Je parie que vous avez répondu sans peine à ces questions en puisant dans la banque de données visuelles de votre cerveau, située dans l'occiput. Cette banque de données, de concert avec vos lobes frontaux, peut emmagasiner et créer plus d'images réelles et imaginaires que toutes les compagnies de production télévisuelle et cinématographique du monde.

- Soyez positif – De nombreuses personnes pratiquent à leur insu une visualisation négative ; autrement dit, elles s'inquiètent. Bien que l'aptitude à imaginer ce qui pourrait mal tourner soit essentielle à une planification intelligente, évitez d'être obsédé par des visions d'échec, de désastre et de catastrophe. Efforcez-vous plutôt de visualiser votre réaction positive à des circonstances difficiles.
- Sachez faire la différence entre la rêverie et la visualisation – La rêverie peut être amusante, et le courant d'idées qu'elle suscite a un effet positif sur la créativité. Mais il existe une différence entre rêverie et visualisation. Au cours de la visualisation, vous centrez sciemment vos pensées sur un processus et un objectif spécifiques. En d'autres termes, vous faites mentalement, et avec discipline, une « répétition générale ». Votre constance et votre concentration, bien plus que la limpidité et les couleurs de votre visualisation, contribuent à l'efficacité de cet exercice.

- Faites des visualisations plurisensorielles – Recourez à tous vos sens pour faire de votre visualisation une expérience inoubliable et irrésistible. Que vous prépariez une conférence, que vous planifiiez un repas ou que vous vous entraîniez pour une compétition sportive, imaginez le décor, les sons, la sensation, l'odeur et le goût associés à votre réussite.

Créez votre propre théâtre

L'une des meilleures façons de cultiver l'art de la visualisation consiste à visualiser des tableaux. Choisissez n'importe lequel des chefs-d'œuvre de votre artiste préféré – par exemple, *La Cène* de Léonard ou *Les tournesols* de Van Gogh. Fixez au mur une reproduction de cette œuvre et examinez-la au moins cinq minutes par jour pendant une semaine. Le soir, juste avant de vous endormir, efforcez-vous de recréer cette toile en imagination. Visualisez-en chaque détail. Faites participer tous vos sens : imaginez les bruits de table de *La Cène,* humez le parfum des *Tournesols*. Notez comment, de jour en jour, votre impression évolue.

L'œil embrasse toute la beauté du monde.

Apprenez à dessiner

L'ultime approche léonardienne pour le raffinement de la vue serait d'apprendre à peindre. Mais comme pour beaucoup d'artistes, la peinture de Léonard se fondait sur le dessin. Léonard affirmait que le dessin était la base de la peinture et de l'art de regarder. Il écrivit : « Le dessin est aussi indispensable à l'architecte et au sculpteur qu'il est indispensable au potier, au tisserand, à la brodeuse. [...] il a donné leurs nombres aux arithméticiens et enseigné aux géomètres les formes de leurs figures ; il a instruit les opticiens, les astronomes, les constructeurs de machines et les ingénieurs. »

Pour Léonard, le dessin représentait beaucoup plus que la simple illustration ; dessiner lui permettait de comprendre la création. Pour les aspirants léonardiens, apprendre à dessiner est le meilleur moyen d'apprendre à voir et à créer. Pour vous lancer dans cette voie, consultez le chapitre intitulé «Cours de dessin léonardien pour débutants» à la page 244.

Écouter et entendre

Tous les sons et tous les silences nous procurent l'occasion de raffiner notre acuité auditive; mais les rumeurs de la ville, envahissantes, engourdissent parfois notre sensibilité. Nous sommes entourés de marteaux piqueurs, d'appareils de télévision, d'avions, de rames de métro, d'automobiles. La plupart du temps, nous fermons nos oreilles à ces bruits dans un souci d'auto-protection. Faites les exercices suivants pour vous aider à «aiguiser» vos facultés auditives.

L'écoute par degrés

Une ou deux fois par jour, faites une pause, prenez quelques respirations profondes, et mettez-vous à l'écoute des bruits qui vous entourent. Vous entendrez en premier lieu les plus intenses - climatiseur, tic-tac de l'horloge, circulation automobile, conversations, rumeurs de machinerie. Puis, quand cette «couche» de bruits se sera éclaircie, vous commencerez à entendre les bruits du dessous - votre respiration, une brise, des pas dans le hall, le bruissement de votre manche lorsque vous bougez la main. Continuez de pénétrer toujours plus profondément dans les différentes couches de bruits jusqu'à ce que vous n'entendiez plus que le subtil et rythmique battement de votre cœur.

Écoutez le silence

Efforcez-vous d'entendre les plages de silence entre les sons - les pauses dans la conversation d'un ami ou dans votre musique favorite, et les silences qui parsèment le chant d'un oiseau. Faites du silence votre thème du jour et notez vos observations par écrit. Avez-vous accès à un lieu totalement silencieux, loin du ronron des machines ? Efforcez-vous d'en trouver un. Comment vous sentez-vous quand vous êtes ainsi entouré de silence ?

Pratiquez le silence

Faites l'expérience d'une journée entière de silence. Pendant toute une journée, ne parlez pas ; contentez-vous d'écouter. Il est préférable de passer cette journée en pleine nature, de marcher en forêt, en montagne ou au bord de la mer. Plongez-vous dans les sons de la nature. Ce « jeûne verbal » renforcera votre aptitude à écouter en profondeur et rafraîchira votre esprit.

Étudiez la vie et l'œuvre de vos compositeurs et artistes musicaux préférés

La belle musique est un outil indispensable pour développer notre faculté d'écoute et notre acuité auditive. Léonard disait de la musique qu'elle « façonne l'invisible ». Vous pouvez accroître votre sensibilité musicale en vous concentrant d'abord sur vos musiques préférées. Énumérez les cinq morceaux de musique que vous préférez dans le style qui vous plaît par-dessus tout, qu'il s'agisse de musique classique, de gospel, de groupes klezmer, d'orchestres de tango, de chanteurs de charme, de violoneux, de vedettes de l'opéra ou du rock, de joueurs de flûte shakuhachi, des grands du jazz, de maîtres du raga, ou de rhythm & blues. Ensuite, choisissez-en un et plongez-vous dans son œuvre pendant toute une journée, toute une semaine ou tout un mois. Si votre voiture est dotée d'un lecteur de disques compacts, faites provision de disques de votre artiste ou compositeur préféré. Mettez en pratique certaines des techniques d'écoute active que nous décrivons plus loin avant de développer une meilleure appréciation de ce corpus.

Apprenez à connaître les grandes époques de la musique occidentale

La musique du monde est immensément riche, diversifiée et merveilleuse. Le fait de connaître et d'admirer les grandes œuvres de la tradition musicale occidentale est un excellent point de départ à votre renaissance auditive personnelle. Avec le concours inestimable de la compositrice Audrey Elizabeth Ellzey, du chef d'orchestre réputé Joshua Habermann, de la chanteuse Stacy Forsythe, et de Murray Horwitz de la National Public Radio, j'ai préparé pour vous une brève introduction à la musique occidentale.

La période médiévale (450-1450) : l'époque médiévale se caractérise par la musique sacrée (églises et monastères) et celle, profane, des ménestrels et autres artistes ambulants. La voix humaine était l'instrument le plus important. La plupart des compositeurs du Moyen Âge, comme la plupart des peintres, travaillaient dans l'anonymat. La merveilleuse Hildegarde de Bingen est une exception. Son œuvre pieuse et humble, magnifiquement expressive, se hisse aujourd'hui dans les dix premières places du palmarès des ventes à travers le monde.

La Renaissance (1450-1600) : Le développement majeur qu'a connu cette période est l'évolution de la polyphonie, c'est-à-dire de la musique dont chaque partie est indépendante des autres. La musique est également imprimée pour la première fois dans l'histoire, ce qui permet aux artistes d'apprendre et de suivre les multiples parties des pièces qu'ils exécutent. La musique se complexifie. Josquin, Byrd et Dufay sont quelques-uns seulement des grands compositeurs de la Renaissance dont les œuvres ont survécu. La plupart des experts s'entendent cependant pour dire que Palestrina, né peu de temps après le décès de Léonard, fut le plus important compositeur de cette période.

La période baroque (1600-1750) : La musique baroque était centrée sur le contrepoint. Dans le contrepoint, les lignes mélodiques individuelles sont toujours indépendantes les unes des autres, mais elles obéissent étroitement à des progressions harmoniques régulières. La musique baroque est très consistante, et s'appuie sur un ensemble de règles rigides. La musique de cette époque, comme celle de la Renaissance, était principalement une musique de cour ou une musique sacrée. Bach et Handel sont les grands maîtres du baroque.

L'époque classique (1785-1820) : La période classique commence après une transition de trente-cinq ans (1750-1785). Pendant la période classique, le contrepoint perd de sa popu-

LE PALMARÈS DES GRANDS

J'ai demandé à tous mes collaborateurs spécialistes de me fournir la liste de leurs « dix plus grands génies » de tous les temps. Aucun n'a accepté que je leur impose une hiérarchisation, parce que « l'art ne connaît pas de hiérarchie ». J'ai insisté, et je leur ai posé des questions telles que : « Si, exilé sur une île déserte, vous ne pouviez y emporter avec vous que dix œuvres du répertoire classique ou dix œuvres du répertoire de jazz, quelles seraient-elles ? » Pourquoi ai-je insisté sur un tel palmarès alors que Murray Horwitz m'opposait que « nous n'avons pas à choisir l'équipe vedette de la NBA » ? Parce que cet exercice de classification, qu'il s'agisse de musique, de peinture ou de vin, cette discipline qui consiste à choisir un nom et en éliminer un autre, puis à placer tous ces noms par ordre de préférence, et enfin à justifier sa décision, cette discipline exige une clarté et une profondeur de vision, la faculté de comparer avec justesse, toutes choses qui ne peuvent qu'enrichir l'esprit critique et magnifier le plaisir. Il serait bon également que vous compariez votre liste à celle de quelqu'un d'autre. Ceci vous permet de vous cultiver et de mieux connaître vos amis. Faites ces listes avec humilité et sans trop vous prendre au sérieux, et n'oubliez surtout pas que vous pouvez toujours les modifier à loisir.

larité et l'harmonie accompagne la ligne mélodique. Les règles et la rigueur de la musique baroque s'estompent ; c'est la naissance de la forme sonate. La forme sonate permettait plus de liberté aux compositeurs et leur donnait la possibilité d'exprimer leur individualité. Quoique toujours formelle, la musique de cette période est surtout réputée pour son élégance et son raffinement. Mozart, Haydn et Beethoven sont les grands maîtres de la période classique.

La période romantique (1820-1910) : Pendant la période romantique, les harmonies exotiques et la recherche mélodique ont contribué au développement de la structure musicale. En quête d'idéal, l'individu s'y est efforcé d'exprimer ses émotions. La passion et les sentiments ont émergé des grandes œuvres instrumentales de Brahms, de Chopin et de Schubert, et dans les majestueux opéras de Verdi, de Puccini et de Wagner.

Le vingtième siècle (1910-) : Au début du XXe siècle, des compositeurs tels que Stravinski, Debussy, Richard Strauss, Mahler, Schoenberg, Shostakovitch et Bartòk ont défriché de nouvelles avenues musicales. En se rebellant contre la rigueur des époques précédentes, les compositeurs modernes ont essaimé dans tant de directions différentes que le public a eu peine à les suivre. La Deuxième Guerre mondiale a contribué à compliquer les choses. Par exemple, les musiques de Stravinski et de Debussy étaient bannies en Russie, et Shoskatovitch y était réprimé (il y est encore, en cette seconde moitié du siècle). Les progrès de l'électronique ont aussi exercé une influence considérable sur le développement de la musique sérieuse et populaire. La technologie audio a également permis aux amateurs de se repaître de musique dans leur voiture et chez eux, en sorte que les publics contemporains sont davantage à la recherche d'interprètes virtuoses et de meilleurs enregistrements des grandes œuvres du passé que de nouveaux compositeurs et de nouvelles formes musicales.

Étudiez la musique du canon classique

À force de discussion, mes collaborateurs en sont enfin venus à une forme de consensus au sujet des dix plus grandes œuvres musicales du canon classique. Écoutez-les et jugez par vous-mêmes.

1. Bach : *Messe en si mineur*
   Profonde spiritualité et célébration joyeuse se retrouvent dans l'œuvre la plus bouleversante de toute l'histoire de la musique sacrée.
2. Beethoven : *La neuvième symphonie*
   Métamorphose des téhèbres en lumière et finale spectaculaire. L'interprétation de Beethoven du texte de Schiller pour célébrer la fraternité humaine est époustouflante.
3. Mozart : *Requiem*
   Presque unanimement considéré comme la plus grande œuvre pour chœur et orchestre. Bizarrement, la mort prématurée de Mozart a fait que son Requiem a été achevé par son élève.

4. Chopin : *Nocturnes*
   Ces œuvres intimistes pour piano envelopperont votre âme de leurs reflets lunaires. (Procurez-vous-en l'interprétation sublime d'Artur Rubinstein.)
5. Brahms : *Le Requiem allemand*
   Une œuvre qui couvre toute la gamme des émotions, des échos sublimes de l'éternité aux bouleversements intimes et réconfortants.
6. Mahler : *Sixième symphonie*
   Une exploration des émotions comme seul Mahler en est capable, et une célébration du triomphe de l'espoir sur la désespérance.
7. Richard Strauss : *Quatre derniers lieder*
   Pièces pour voix et orchestre sur des poèmes de Hermann Hesse et Joseph von Eichendorff. La luxuriante orchestration crée une riche toile de fond pour la voix de la soprano. Lorsque Strauss dépeint l'envol de l'âme dans « Beim Schlafengehen », nous assistons à l'un des moments les plus extraordinaires que nous ait donné la musique occidentale.
8. Debussy : *Préludes*
   Chacune de ces petites pièces est un véritable joyau miniature de style impressionniste.
9. Stravinski : *Le sacre du printemps*
   Une œuvre explosive, incendiaire, au rythme obsédant. Le public a bruyamment manifesté à l'occasion de la première.
10. (*ex æquo*) Verdi : *Aida* et Puccini : *La Bohème*
    Tous se sont entendus pour dire qu'un opéra devait figurer au palmarès des dix plus grandes œuvres, mais nous n'avons pu nous mettre d'accord sur l'œuvre en question. Voici donc nos deux vainqueurs, *ex æquo*. Une représentation de l'*Aida* de Verdi est une expérience théâtrale inoubliable. Mais pour l'écoute à domicile, rien ne vaut *La Bohème* de Puccini. Ses belles mélodies captent l'essence même de l'amour romantique. (Vous devez cependant veiller à vous procurer des enregistrements de très haute qualité, regroupant les meilleurs chanteurs et chefs d'orchestre.)

Cette brève introduction aux grands chefs-d'œuvre de la musique occidentale ne serait pas complète sans un survol des classiques du jazz et de la musique pop.

LE DÉVELOPPEMENT DE L'ÉCOUTE ACTIVE

Vous pouvez accroître votre appréciation de la musique en favorisant une approche active. Rien ne vous oblige à écouter de la musique passivement. Voici quelques stratégies d'écoute active que vous pouvez mettre en pratique.

Recherchez les temps forts et les temps faibles : c'est là une des façons les plus simples et les plus agréables d'approfondir votre appréciation de la musique et votre plaisir d'écoute. Tous les compositeurs, quel que soit leur genre de prédilection, font usage de temps forts et de temps faibles. En recourant à des variations rythmiques, des changements de tonalité, des pauses, et des mouvements harmoniques, le compositeur entraîne l'auditeur le long de méandres de mouvements et d'immobilité, de faîtes et de creux mélodiques qui, tous, ont pour but de hausser les attentes et de conduire à la plénitude musicale. Même lorsque l'auditeur n'est pas conscient de ce qui se passe, il est constamment amené à des plateaux, des montées et des libérations. Écoutez différentes œuvres dans tous les styles, de Franz Liszt à Lennon et McCartney, et voyez si vous êtes en mesure de déceler les moments clés de ces courbes (montée et relâchement). C'est aussi facile que d'observer les mouvements de la vague.

Écoutez votre musique préférée en fonction des quatre éléments : Léonard et ses contemporains voyaient souvent le monde en fonction de ses éléments, soit la terre, le feu, l'eau et l'air. C'est là une excellente façon d'envisager la musique. Quels sont les éléments dominants dans la musique que vous aimez ? Efforcez-vous de cataloguer vos compositeurs et vos artistes favoris en fonction de l'élément dominant qui les caractérise. Par exemple, bien que tous les grands compositeurs illustrent l'ensemble des quatre éléments, je crois que Brahms et Beethoven sont les meilleurs représentants de la « terre » ; Stravinski et Shostakovitch ceux du « feu » ; Ravel et Debussy évoquent le mieux l'essence même de l'« eau » ; tandis que Mozart et Bach sont l'expression suprême de l'« air ». Êtes-vous de cet avis ?

La musique populaire américaine

L'un des présents les plus importants que les États-Unis d'Amérique aient offerts au monde entier est un corpus musical produit pendant l'âge d'or de la musique populaire, soit de 1910 à 1960 environ. Ce corpus réunit les chansons populaires américaines classiques qui, par leur évocation et leur célébration de la vie moderne, sont aimées à travers le monde. Les meilleures de ces œuvres marient les paroles et la musique avec une perfection équivalente à celle des oratorios de Haendel. (Mon premier critère de perfection d'un air populaire est la probabilité qu'il puisse encore inspirer et émouvoir dans cent ans.)

Voici quelques-uns des plus importants créateurs de musique populaire :

- George et Ira Gershwin – George Gershwin a écrit ce que d'aucuns considèrent comme le premier opéra américain, *Porgy and Bess*. La synthèse gershwinienne du jazz, du blues et du style européen a produit des œuvres d'une grande beauté et d'une indiscutable permanence.
- Richard Rodgers et Oscar Hammerstein – L'équipe unique de Rodgers et Hammerstein a créé des comédies musicales inoubliables telles que *Oklahoma* et *The Sound of Music*.
- Alan Lerner et Frederick Loewe – Une autre équipe célèbre pour ses chansons intégrées à des comédies musicales telles que *My Fair Lady*.
- Irving Berlin – Il a écrit des chansons amusantes, légères et tout à fait américaines telles que « White Christmas », « Cheek to Cheek » et « Say It Isn't So ».
- Jerome Kern – Le célèbre *Showboat* de ce pionnier du théâtre musical américain, dont la première a eu lieu en 1927, a ouvert la voie aux plus grandes comédies musicales américaines.
- Cole Porter – Les paroles de Porter sont le summum du raffinement et de l'intelligence. Recherchez l'enregistrement d'Ella Fitzgerald, *The Cole Porter Song Book*, qui réunit ses plus grands classiques, notamment « I Love Paris », « Too Darn Hot » et « I've Got You Under My Skin ».

Le jazz

Dans ses meilleurs exemples, le jazz est un va-et-vient sonore entre le chaos et l'ordre, qui exprime et inspire l'essence même de la créativité. Murray Horwitz affirme que les trois plus grands noms du jazz sont Louis Armstrong, Duke Ellington et Charlie Parker.

Le trompettiste et chanteur Louis Armstrong est sans doute le plus grand des plus grands interprètes de jazz, l'un de deux ou trois solistes exceptionnels, le grand maître du rythme, un homme à la personnalité irrésistible. Procurez-vous les enregistrements qu'il a réalisés avec son mentor Joe « King » Oliver : « Snake Rag », « Dippermouth Blues », etc. Ensuite, passez à ses propres grands succès : « Hot Fives » et « Hot Sevens », puis « West End Blues » et ses célèbres enregistrements des années quarante et cinquante pour la maison Decca, notamment « Up a Lazy River » et « On the Sunny Side of the Street ».

Selon Horwitz, Duke Ellington figure parmi les plus grands compositeurs américains, tous genres confondus. Ses chefs-d'œuvre comprennent des suites telles que « Harlem », « Such Sweet Thunder » et « Far East Suite ». Ses pièces courtes sont tout aussi exceptionnelles, en particulier « Portrait of Ella Fitzgerald », « Black and Tan Fantasy » et « Clothed Woman ». Observez l'évolution de ses orchestrations et de ses compositions depuis les années vingt jusqu'à la fin des années soixante-dix. Vous vous délecterez de sa technique pianistique exceptionnelle et de sa collaboration extraordinaire avec Billy Strayhorn. Régalez-vous de quelques-unes de ses meilleures compositions telles que « Satin Doll », « Solitude » et « Take the 'A' Train ».

Un grand nombre d'amateurs de jazz affirment que le troisième grand du jazz, Charlie Parker (surnommé « Bird »), n'a jamais exécuté un solo qui ne soit pas la perfection même. Cette affirmation pourrait sembler exagérée, mais des douzaines de musiciens majeurs l'entérinent. En plus de ses solos époustouflants, les prestations collectives de Parker étincellent de verve et d'originalité. En compagnie du trompettiste Dizzy Gillespie, du pianiste Thelonious Monk, du batteur Kenny Clarke et d'autres, il a été à l'avant-garde du bebop. Recherchez ses disques Dial (y compris les deux versions de « Embraceable You »), le célèbre concert « Jazz at Massey Hall » et « Charlie Parker with Strings ».

Outre ces géants, Murray Horwitz nous propose ici, à ma demande, les noms de quelques musiciens de jazz suivis du titre d'un ou deux de leurs classiques, en guise d'introduction à cette importante tradition musicale américaine.

- Benny Goodman (« Sing, Sing, Sing », tiré de son concert de 1938 à Carnegie Hall).
- Count Basie (presque tout, mais en particulier « April in Paris », surtout la version chantée par Ella Fitzgerald).
- Mildred Bailey (« I'll Close My Eyes », « It's So Peaceful in the Country », « Squeeze me »).
- Miles Davis (« Kind of Blue » et « Four and More »).
- Coleman Hawkins (« Body and Soul », « Talk of the Town »).
- Billie Holiday (« Fine and Mellow », ses collaborations avec Count Basie, Lester Young et Buck Clayton, et ses enregistrements des années cinquante).
- Dizzy Gillespie (surtout le grand orchestre des années quarante).
- Jelly Roll Morton (tous les disques Red Hot Peppers).
- Nat King Cole (« After Midnight » et les trios).
- Thomas « Fats » Waller (« Vallentine Stomp », « Love Me or Leave Me », « Ain't Misbehavin' »).
- John Coltrane (« My Favorite Things », « A Love Supreme »).

Apprenez à développer votre discernement: Notre appréciation de la musique s'approfondit à mesure que se développe notre discernement. Au départ, il convient de savoir distinguer un style d'un autre, par exemple le rythm & blues de la musique country, ou la musique classique du jazz. Ensuite, on apprend à distinguer les sous-types, par exemple le Dixieland et le free-jazz, le baroque, le classique et le romantique. À un autre niveau, on parvient à isoler un compositeur d'un autre: Bach de Brahms, Mozart de Monteverdi. Ensuite, on apprend à discerner les caractéristiques principales des différents solistes, orchestres, chefs d'orchestres et enregistrements.

Écoutez la même œuvre par différents orchestres dirigés par des chefs distincts. Par exemple, écoutez d'abord la sixième symphonie de Mahler par l'Orchestre symphonique de Boston (un orchestre professionnel majeur jouissant d'un budget annuel de quarante-neuf millions de dollars) sous la direction de Seji Ozawa. Réécoutez la même symphonie, cette fois par l'Orchestre philarmonique de Boston (un orchestre composé d'étudiants, d'amateurs et de quelques professionnels, avec un budget annuel de quatre cent soixante mille dollars), dirigé par Benjamin Zander. Décrivez les différences d'interprétation que vous relevez.

Vous pouvez aussi écouter plusieurs instrumentistes jouer du même instrument. Écoutez «Snake Rag», par King Oliver, du début à la fin. Lors d'une deuxième écoute, efforcez-vous de distinguer entre la trompette du King, et celle de Louis Armstrong, responsable de l'accompagnement.

Recherchez les émotions: Pourquoi telle pièce de musique rejoint-elle chez vous une corde sensible? Quelles œuvres, quels instruments et quelles voix vous touchent le plus profondément?

Écoutez un des premiers enregistrements de Frank Sinatra. Quelle émotion se dégage de sa voix? Écoutez ensuite un enregistrement plus tardif, postérieur à sa relation avec l'actrice Ava Gardner («New York, New York» et «My Way» sont des chansons exemplaires de sa période post-Ava). En quoi cette émotion a-t-elle changé?

Notez la transition entre le troisième et le quatrième mouvement de la cinquième symphonie de Beethoven. Recherchez-y l'expression de triomphe et d'exubérance. Puis, écoutez le deuxième mouvement de la troisième symphonie de Beethoven. Recherchez-y le tragique, la tristesse, le désespoir. Pourquoi ces sons vous affectent-ils ainsi ?

Recherchez les empreintes de l'histoire et des cultures sur la musique : Toute musique est la marque d'une culture et porte en soi l'insigne de la période historique qui l'a vue naître. Choisissez vos compositeurs et vos styles préférés et efforcez-vous de comprendre leurs œuvres à la lumière du contexte socio-historique de leur création. Voyez, par exemple, si la musique rap peut le mieux être appréciée en tant que représentation poétique de la vie urbaine issue des rythmes et des traditions orales africaines ; ou si la musique structurée et réglementée de Bach rend compte du respect de l'autorité divine et séculière qui caractérisait la société germanique pendant la période baroque.

Orchestrez votre vie

Afin de mieux apprécier la musique, prenez le temps de l'écouter en profondeur sans vous laisser distraire. Concentrez, par exemple, toute votre attention sur la Neuvième de Beethoven, en l'écoutant du début à la fin et en la réécoutant une seconde fois en entier. Vos oreilles, votre cœur et votre esprit y trouveront leur compte. Bien entendu, vous pouvez aussi goûter tout au long de votre vie les bienfaits de ce qui, selon Léonard, « façonne l'invisible ». La musique affecte l'humeur et l'émotion, la vivacité et la réceptivité. Elle transforme nos ondes cérébrales (pour le meilleur ou pour le pire) ; elle sert à rassembler les soldats au moment du départ pour le front, et accompagne les boxeurs à leur entrée sur le ring. Elle endort les bébés, favorise la croissance des plantes et réconforte les malades.

Sachez profiter des pouvoirs du son en notant par écrit quelques-unes de vos activités quotidiennes et en découvrant quel type de musique peut le mieux les accompagner. Orchestrez ensuite votre vie en fonction de cette découverte : par exemple, réveillez-vous au son des « Chariots of Fire » de Vangelis, étudiez au son d'un concerto pour violon de Mozart, endormez-vous au son de « La route de la soie » de Kitaro.

PERCEPTION DES ARÔMES

Nous sommes chaque jour confrontés à une infinité d'odeurs. Nos cinq millions de cellules olfactives sont en mesure de discerner une seule molécule de substance odoriférante dans une partie par trois milliards d'air. Nous inspirons quelque vingt-trois mille fois par jour, pour un total de plus de douze mètres cubes d'air rempli d'odeurs.

Malheureusement, la plupart des gens disposent d'un vocabulaire extrêmement limité pour décrire leurs expériences olfactives : «ça pue» ou «ça sent bon» sont les expressions les plus courantes. Efforcez-vous d'accroître votre perception et votre appréciation des odeurs en enrichissant votre vocabulaire olfactif. Les parfumeurs rangent les odeurs dans les catégories suivantes : florale (rose), mentholée (menthe poivrée), musquée (musc), éthérée (poire), résineuse (camphre), mauvaise (œuf pourri), âcre (vinaigre). Servez-vous de ces termes et inventez-en d'autres dans les exercices qui suivent.

Que sentez-vous maintenant ?

Décrivez l'odeur que vous sentez en ce moment précis, avec la plus grande précision possible. Puis, comme le ferait votre chien adoré, explorez du nez votre environnement immédiat. Humez l'odeur de ce livre, de votre tasse de café vide, de la paume de votre main, du dossier de votre chaise. Décrivez cette expérience dans votre carnet.

Faites des « odeurs » votre thème du jour

Notez ce que vous sentez et comment ces odeurs affectent le déroulement de votre journée. Recherchez les senteurs inhabituelles ou intenses. Flânez au comptoir des fromages de votre épicerie fine préférée. Faites une balade à la campagne et visitez une écurie. Respirez les parfums d'herbes et d'épices qui flottent dans votre cuisine. Comment ces différentes odeurs affectent-elles votre humeur ? Votre mémoire ? Recherchez des senteurs spécifiques qui influencent vos émotions et vos souvenirs, et notez-les.

Une corne d'abondance olfactive

Cet exercice est plus facile à faire et plus agréable si on le fait avec des amis. Rassemblez différents articles possédant tous une odeur distincte : par exemple, une rose, un morceau de cèdre, une gousse de vanille, le t-shirt qu'a porté récemment votre meilleur ami, un brin d'algue, une tranche d'orange, une poignée de terre, un blouson de cuir, un bon cigare, une tranche de gingembre. Bandez vos yeux et demandez à un ami d'approcher tour à tour chaque élément de vos narines pendant trente secondes. Décrivez chaque senteur ainsi que votre réaction.

Créez votre propre parfum

Chez un marchand de parfums, faites l'essai de différentes huiles essentielles : lavande, patchouli, clou, rose, eucalyptus, etc. Achetez-en le plus possible. Comment chacun de ces parfums vous affecte-t-il ? Comment affecte-t-il votre entourage ? Essayez différentes combinaisons jusqu'à ce que vous ayez créé le parfum qui vous convient le mieux.

Étudiez l'aromathérapie

Les parfums d'herbes et de plantes avaient, pour les anciens Égyptiens, les Hébreux et les Chinois, des vertus médicinales. Très populaire aussi pendant la période classique et même au temps de Léonard, la thérapie par les herbes et les parfums connaît aujourd'hui un renouveau. Cherchez des ouvrages traitant de ce sujet chez votre libraire.

Tous les exercices que nous venons de décrire sont riches de bienfaits, mais la façon la plus agréable d'explorer nos facultés olfactives réside dans le mariage de la nourriture et du vin.

Recette d'eau de Cologne de Léonard : « Pour fabriquer des parfums. Prends de l'eau de rose fraîche et mouille-t'en les mains ; puis de la fleur de lavande et frotte-la entre les mains, et ce sera bien. »

Le goût

La plupart des gens ont trois fois par jour l'occasion d'exercer leurs papilles gustatives. Mais dans le stress de notre vie moderne, nous le faisons le plus souvent distraitement. Il est trop facile de « casser la croûte sur le pouce » et de consommer un repas entier sans vraiment rien savourer. Arrêtez-vous quelques instants avant de manger. Réfléchissez aux origines du repas que vous vous apprêtez à prendre. Efforcez-vous d'être présent à cent pour cent dès la première bouchée.

La dégustation comparée

L'écoute de la belle musique raffine merveilleusement notre sens de l'ouïe ; comparer une prestation à une autre est encore plus efficace. Il en va de même de l'odorat et du goût. La gastronomie et les grands vins contribuent à éduquer nos sens, mais il est possible de grandement accélérer le raffinement de notre sensibilité olfactive et gustative par la dégustation comparée. Les exercices suivants sont conçus dans ce but.

Vous possédez environ dix mille papilles gustatives dont chacune comprend cinquante cellules gustatives. Ces papilles peuvent faire la distinction entre le sucré, l'acide, l'amer et le salé. Les papilles sensibles au sucré sont situées à l'apex de la langue, celles qui captent l'acide sur les côtés, l'amertume est ressentie à l'arrière de la langue et le salé par toute sa surface.

Achetez trois sortes de miel (fleur d'oranger, fleurs sauvages, trèfle), et humez chaque parfum de miel pendant trente secondes. Décrivez ces arômes. Ensuite, goûtez chacun des miels ; prenez-en environ une demi-cuillerée à thé et promenez-y votre langue. Entre chaque dégustation, rincez-vous la bouche avec de l'eau de source. Décrivez les différences d'arôme et de saveur.

Faites aussi une dégustation comparée de trois sortes d'huile d'olive, de chocolat, de champignons, de bière, de pommes, d'eau embouteillée, de saumon fumé, de caviar, de raisin, ou de crème glacée à la vanille.

La dégustation de vins

Les bons vins sont une forme d'art. Ils sont la quintessence de la richesse de la terre. Ils sont la preuve, comme le faisait observer Benjamin Franklin, que « Dieu nous aime et désire notre bonheur. » Apprendre à goûter et à aimer les vins est le meilleur moyen, et le plus agréable, de raffiner le goût et l'odorat. (Si vous ne buvez pas d'alcool, vous pouvez quand même faire les exercices suivants avec des vins désalcoolisés vendus dans certains magasins d'aliments naturels.

Pour une bonne dégustation de vins, assurez-vous d'avoir un excellent éclairage, essentiel quand il s'agit d'admirer la couleur de la robe (les puristes exigent même une nappe blanche) ; prévoyez un panier de pain croûté et de l'eau de source pour nettoyer le palais entre chaque vin ; assurez-vous d'avoir des verres de bonne qualité, conçus pour optimiser le bouquet et la saveur du vin. Bien entendu, n'oubliez ni le tire-bouchon ni... le vin !

Choisissez un thème. Par exemple, comparez un chardonnay californien de qualité supérieure, un pinot noir ou un cabernet sauvignon avec un bourgogne blanc, un bourgogne rouge ou un bordeaux français de prix équivalent. Ou encore, goûtez trois chianti différents de la Toscane natale de Léonard de Vinci. (Essayez le Chianti Classico Antinori Tenuta Riserva. La famille Antinori était déjà reconnue pour ses vins à la naissance de Léonard en 1452. Les meilleures années ? 1988, 1990, 1993.)

Quoique la dégustation même soit ce qui procure le plus grand plaisir, tous les sens y jouent un rôle. La sensation que procure la bouteille dans votre main, le bruit particulier que fait le bouchon quand on l'extrait du goulot, la texture du liège sous vos doigts, le glouglou du vin quand on le verse dans les coupes. Levez votre verre à la lumière et admirez la robe particulière du vin ; ensuite, faites-le tournoyer dans votre verre pour en libérer les arômes, puis humez-en le bouquet plongeant votre nez dans le verre. Prenez votre temps. Décrivez chaque élément aromatique que vous parvenez à distinguer. Puis, buvez une gorgée que vous retiendrez quelque temps en bouche pour en apprécier la saveur, la texture et la qualité. Avalez. Remarquez les saveurs et les sensations qui restent en bouche. Ce dernier élément, la « finale », est l'indice suprême d'un grand vin. Les meilleurs vins se prolongent en bouche pendant une bonne minute après que vous les ayez avalés.

Décrivez chaque étape de la dégustation avec précision et poésie.

En plus de recourir au vocabulaire consacré, augmentez votre plaisir en inventant vos propres descriptions. Plus celles-ci seront poétiques et originales, mieux ce sera. Offrez un prix à la personne qui formulera la description la plus évocatrice (à propos, moins il reste de vin, plus les descriptions sont évocatrices...). À l'occasion d'une dégustation organisée pour le département des finances d'une grande société pétrolière, un comptable, qui affirmait ne rien connaître au vin, remporta le premier prix pour sa description d'un élégant Meursault : « C'est comme ouvrir un parapluie jaune sous une pluie tiède. »

Avec un peu d'expérience, vous découvrirez que ces dégustations de vins enrichissent votre perception des autres saveurs et arômes. *Salute ! Cent'anni !*

LE TOUCHER ET LA SENSATION TACTILE

Le cerveau reçoit de l'information en provenance de plus de cinq cent mille terminaisons nerveuses sensitives et deux cent mille terminaisons nerveuses capables de percevoir les variations de température. Léonard déplorait pourtant que la plupart des gens « touchent sans ressentir ». Le secret d'un toucher sensible réside dans la réceptivité, dans la faculté d'« écoute » des mains et du corps, comme le démontrent les exercices ci-dessous.

Un toucher d'ange

Observez le dessin de l'ange dans le *Baptême du Christ* de Verrocchio (page 34). Imaginez la délicatesse du toucher de Léonard lorsqu'il appliqua les légères couches de peinture. Maintenant, en vous inspirant de l'exquise délicatesse du maître, touchez les objets qui vous entourent : ce livre, ses pages, sa couverture, le tissu de vos vêtements, vos cheveux, le lobe de votre oreille, l'air au bout de vos doigts. Touchez le monde qui vous entoure comme si vous éprouviez pour la première fois cette sensation.

La prochaine fois que vous aurez une relation intime avec l'être cher, recréez cette délicatesse tactile. Votre partenaire deviendra un mordu de la Renaissance.

Les dégustateurs professionnels disposent de centaines de mots pour analyser et décrire les grands vins. Certains se passent d'explication ; d'autres requièrent quelques précisions. Le lexique ci-dessous, qui comprend aussi certains termes dans la langue maternelle de Léonard, réunit certaines des expressions les plus colorées.

amabile	aimable, gentil, avec une pointe de douceur
aristocratico	vin des meilleurs cépages, des meilleures années, des meilleurs sols et des meilleurs éleveurs
équilibré	l'harmonie parfaite entre le yin (acide) et le yang (fruité)
cassis	le bouquet classique du cabernet sauvignon
crémeux	décrit la texture du vin, sa sensation « en bouche »
carezzevole	caressant, fluide, comme la chevelure de sainte Anne
complexe	pluridimensionnel ; superposition des bouquets, des saveurs et des textures
generoso	facile à boire ; richesse des saveurs, du bouquet et degré élevé d'alcool
rotondo	sans aspérités ; moelleux et rond
soyeux	lisse et long en bouche
stoffa	qui a de l'étoffe – vins capiteux et complexes avec une finale vigoureuse
souple	simple et agréable à boire
velouté	comme soyeux mais en plus riche
nerf	légère acidité des vins blancs – le degré idéal d'acidité confère au vin une structure qui facilite sa dégustation ; en stimulant les sucs gastriques, l'acidité du vin aide à la digestion.

Le toucher en aveugle

Invitez un ami à participer. Rassemblez autant que possible tous les objets énumérés ci-après : une balle de caoutchouc, un foulard de soie, un objet de céramique, un fermoir en Velcro, un Slinky, une feuille, un bol de glaçons, un marteau, une veste en velours, tout autre objet que vous aimeriez explorer. Bandez vos yeux et touchez ces objets avec vos mains, en faisant en sorte que celles-ci soient réceptives et à l'écoute. Décrivez les textures, le poids, la température et les autres sensations tactiles que vous procurent ces objets.

Expérience au moyen du sens tactile. Si tu places ton index sous la pointe du médius, de façon que ton ongle tout entier soit visible de l'autre côté, tout ce que touchent ces deux doigts te semblera double, pour peu que l'objet touché soit rond.

— EXTRAIT DES CARNETS DE LÉONARD

Touchez la nature

Sortez explorer les différentes textures rencontrées dans la nature : l'écorce et les feuilles de différentes essences d'arbres, l'herbe, les pétales des fleurs, la terre, la fourrure d'un chien ou d'un chat.

Faites du toucher votre thème du jour

Notez la qualité du toucher de différentes personnes : la fermeté d'une poignée de main, la chaleur d'une étreinte, la douceur d'un baiser. Quel est le toucher le plus agréable que vous ayez ressenti (à l'exception de vos rapports sexuels) ? Pourquoi était-ce si agréable ? Comment pouvez-vous faire éprouver aux autres un toucher aussi doux ? Offrez un massage des pieds à un ami, prenez vous-même rendez-vous chez la masseuse. Vous exploiterez ainsi à fond votre thème du jour.

LA SYNESTHÉSIE

La synesthésie, ou l'union de tous les sens, est une caractéristique des grands esprits et des génies scientifiques.

Vous pouvez raffiner votre Sensazione en développant votre sensibilité synesthésique. Une façon simple d'y parvenir consiste à décrire chaque sens en fonction des autres. Faites les exercices suivants.

Dessinez de la musique

Écoutez votre musique préférée. Pendant que vous l'écoutez, traduisez vos émotions par des formes et des couleurs.

Transposez les couleurs en sons

Examinez une reproduction de votre toile préférée. Émettez les sons que vous inspirent ses couleurs, ses formes et ses textures.

Façonnez l'invisible

Si vous deviez sculpter une pièce musicale spécifique, quel matériau choisiriez-vous ? Quelle forme lui donneriez-vous ? Quelles couleurs ? Quel parfum émanerait de cette musique ? Si vous pouviez mordre la musique, quelle en serait la saveur ? Faites cet exercice de sculpture imaginaire multisensorielle en écoutant deux de vos œuvres musicales préférées.

Transposez

Consultez la liste de vos artistes et compositeurs préférés. Intervertissez-les en vous inspirant de leur œuvre, non pas de leur personnalité. Par exemple, si Michel-Ange était musicien, qui serait-il ? Si Mozart était peintre, qui serait-il ? Je crois personnellement que Michel-Ange serait Beethoven et Mozart serait Raphaël. C'est là un excellent exercice à faire entre amis. Quand chacun a formulé son opinion, demandez-lui de justifier son choix.

Résolvez vos problèmes synesthésiquement

Réfléchissez à une question, un défi ou un problème spécifique. Attribuez-lui une couleur, une forme, une texture. Imaginez son odeur et sa saveur. Quelle sensation vous procure-t-il ? Quelles sont les textures, les saveurs, les formes, les couleurs et les sonorités de quelques solutions possibles ?

Préparez un minestrone synesthésique

Le minestrone était le plat favori de Léonard. Vous pouvez aiguiser et raffiner tous vos sens en préparant le minestrone qui suit, adapté de la recette de ma grand-mère Rosa. En plus d'exceller à la cuisine italienne, ma grand-mère Rosa était un excellent peintre. Dans cet exercice, vous ferez la cuisine comme un artiste synesthésique.

Ingrédients :

1 tasse de fèves blanches « cannellini » (les fèves en conserve conviennent tout à fait)
285 g de bette à carde coupées en lamelles
3 courgettes moyennes en tranches moyennement fines
2 oignons jaunes finement hachés
5 gousses d'ail
4 tomates mûres à point, coupées en morceaux
2 carottes coupées en dés
4 branches de céleri coupées en dés
4 feuilles de chou de Savoie coupées en lamelles
3 pommes de terre moyennes, blanchies et coupées en morceaux
De la bonne huile d'olive
2 tasses de bouillon de légumes, de poulet ou de bœuf
Un bout de croûte de fromage parmesan (ou pecorino)
Une poignée de basilic frais, une pincée d'origan, du poivre noir
Optionnel : du riz arborio ou des pâtes courtes cuites *al dente*

Avant d'émincer, de hacher, de trancher ou de couper vos légumes, soupesez chacun dans votre main pour en évaluer le poids, la texture, la forme et la couleur. Humez les arômes de chaque ingrédient et fredonnez la mélodie de leur essence.

Dans un grand faitout, faites revenir doucement l'ail avec le céleri, les carottes et les oignons dans l'huile d'olive (jusqu'à ce que les oignons soient translucides). Ajoutez ensuite les autres légumes, une tasse de bouillon, une pincée de poivre, et cuisez à feu doux en remuant souvent mais délicatement. Si le liquide vient à manquer, versez-y un peu de bouillon. Ajoutez la croûte de fromage.

La Sensazione et les parents

À l'occasion d'une expérience célèbre, des ratons ont été soumis à un environnement dépourvu de stimuli sensoriels, tandis qu'un autre groupe de ratons a été élevé dans un milieu riche en stimuli. On a constaté chez le premier groupe un arrêt de la croissance cérébrale. Ces rats ne parvenaient pas à s'orienter dans un labyrinthe et affichaient un comportement agressif et violent. Les rongeurs du second groupe ont développé un cerveau plus grand et plus complexe. Ils étaient capables de s'orienter rapidement dans un labyrinthe et s'amusaient gaiement entre eux. On a recours à des rats pour de telles expériences, car leur système nerveux présente beaucoup de similitudes avec le système nerveux humain. Efforcez-vous le plus possible de créer chez vous un milieu propice au développement cérébral et ce, dès la grossesse. Des recherches effectuées par le Dr Thomas Verny et plusieurs autres ont démontré que le fœtus bénéficie de certaines musiques, par exemple celle de Mozart. Après la naissance, veillez à ce que votre enfant grandisse dans un milieu riche de sensations raffinées. Le toucher et les caresses sont particulièrement importants à son développement neurologique et affectif. Le raffinement de l'odorat et du sens du goût peut attendre jusqu'à ce qu'il soit assez vieux pour apprécier certaines subtilités, mais l'acuité visuelle, les plaisirs associés aux couleurs et aux sons, et une conscience synesthésique naturelle se développeront par le dessin, la peinture, la musique et un contact quotidien avec la beauté.

Savourez la synthèse des couleurs, des textures et des arômes. Fredonnez les sons que vous inspire cette symphonie gustative et olfactive.

Laissez mijoter votre minestrone pendant environ trois heures, jusqu'au parfait mariage de tous les ingrédients.

En humant les couleurs dans cette jouissance de tous vos sens, imitez les gestes des Italiens pour exprimer votre plaisir.

Ajoutez les fèves, puis le riz ou les pâtes dix minutes avant de servir. Saupoudrez de parmesan ou de pecorino, et n'oubliez pas l'essentiel filet d'huile d'olive crue. Garnissez de basilic ou d'origan frais. Servez avec du pain italien à peine sorti du four et un verre de vin ou d'eau minérale San Pellegrino.

LA SENSAZIONE AU TRAVAIL

Léonard reconnaissait l'importance d'un milieu de travail visuellement agréable. Il comprenait que les impressions sensorielles que nous recevons de notre environnement quotidien sont une nourriture de l'esprit. La plupart des gens qui évoluent chaque jour dans le milieu institutionnel souffrent toutefois de malnutrition mentale en raison de la pauvreté du menu de leurs impressions sensorielles. Notre milieu de travail ressemble souvent à un bureau du gouvernement, à un hôpital, à une école ou à une prison. On nous inflige des cubicules, des murs ternes, et un éclairage au néon. Les concepteurs de ces environnements croient-ils que le jeûne sensoriel améliore la productivité ?

Bizarrement, de nombreuses sociétés exigent maintenant une plus grande créativité de la part de leurs employés, davantage d'innovation et un engagement plus prononcé dans l'entreprise. On demande aux employés de « penser librement » tout en les enfermant dans des boîtes. Les entreprises qui demandent à leurs employés plus de créativité et d'originalité doivent mettre en place un milieu de travail qui favorise de tels comportements.

Les psychologues savent depuis plusieurs années que la qualité des stimuli en provenance du milieu est essentielle au développement du cerveau au cours des premières années de la vie d'un enfant.

Plus récemment, les neurologues ont découvert que cette qualité de stimuli continue d'affecter le développement du cerveau adulte. L'anecdote suivante, puisée à ma propre expérience, montre comment il est possible de créer un milieu de travail propice à la créativité, à l'originalité et à la communication.

En 1982, l'équipe de formation (Learning Resources Group) d'un fabricant d'équipement médical nous a demandé de l'aider à résoudre un problème spécifique, celui de la formation du personnel de ses clients dans l'utilisation et l'entretien d'un appareil conçu pour effectuer des diagnostics complexes. Pour être rentable, une telle formation ne devait pas excéder une semaine. L'ennui est qu'elle devait parfois se prolonger deux ou même trois semaines.

À ma première visite, je fus très impressionné par la technologie de pointe. Les étudiants bénéficiaient de cours informatisés extrêmement sophistiqués et d'appareils véritables. Toutefois, ils évoluaient dans un milieu typique de murs ternes, d'éclairage au néon, etc. Seule tentative d'embellissement des lieux : d'immenses photos des appareils fixées sur le mur au-dessus de chacun. On accordait deux pauses café aux étudiants – une le matin et une l'après-midi.

Les trente-neuf membres de l'équipe de formation furent donc soumis à un entraînement intensif de trois jours, au cours duquel ils apprirent à appliquer les principes léonardiens à la résolution de problèmes réels. Dès leur retour, ils diffusèrent des concertos de Mozart dans les ateliers de formation. À compter de ce moment, la proportion de « questions inutiles » posées par les étudiants chuta de cinquante pour cent. Ils en conclurent que la musique aidait les étudiants à se détendre et à se concentrer, et leur évitait de fuir la monotonie en faisant appel à un certain chaos mental.

Voici quelques-uns des autres changements effectués par l'équipe de formation :

- les photos des appareils furent remplacées par des reproductions d'œuvres d'art ;
- l'éclairage au néon fut remplacé par un éclairage incandescent ;
- on pria les étudiants d'apporter des fleurs dans les salles de cours pour enjoliver, parfumer et vivifier le décor ;
- on transforma le coin café en « pièce de créativité » par une bonne provision de stylos de toutes les couleurs, de tablettes de papier, de jeux de construction, de pâte à modeler et de Slinkies destinés à stimuler le sens du toucher ;
- on incita les étudiants à faire une fois par heure une « pause cerveau » de dix minutes.

L'équipe de formation compila les résultats de ces changements sur une période d'un an et constata que l'efficacité de l'apprentissage avait connu une hausse de quatre-vingt-dix pour cent.

Toutes les notes individuelles se fondent maintenant dans une harmonie parfaite. Chantez ou fredonnez votre minestrone. Dansez votre minestrone.

Créez votre propre studio léonardien

Le développement d'une culture qui encourage l'équilibre et la créativité au travail n'est pas une mince tâche. En revanche, rien de plus simple que de créer votre propre atelier léonardien. C'est un pas dans la bonne direction. Vous pouvez ensuite utiliser cette pièce pour des remue-méninges, pour élaborer des stratégies, et pour résoudre des problèmes dans un esprit de créativité. Des sociétés mettent ces idées en pratique avec succès. Tenez compte avant tout des éléments et des ressources suivantes :

- *La pièce :* Optez pour une salle de conférence, un débarras, un sous-sol, ou un bureau vide ; retirez-en tous les meubles ordinaires et les téléphones. Fixez sur la porte un écriteau qui dit : « Salon Renaissance », « Centre de créativité », « Laboratoire de Léonard », « Zone de réflexion », etc.
- *L'éclairage :* Rien ne vaut la lumière naturelle ; optez donc pour une pièce munie de fenêtres. Remplacez l'éclairage au néon par des fluorescents, des lampes halogènes ou des ampoules incandescentes.
- *Le son :* Installez une chaîne stéréo d'excellente qualité et diffusez de la musique classique ou du jazz pendant vos séances de remue-méninges ou vos pauses café. (Une étude récente, effectuée à l'université de Californie à Irvine, a montré que le quotient intellectuel augmente de façon significative, quoique temporaire, lorsque les sujets testés écoutent du Mozart.)
- *Le décor :* Décorez les murs avec des œuvres d'art inspirantes et suspendez un mobile au plafond. Remplacez ces œuvres de temps à autre. N'oubliez pas les plantes vertes et les fleurs coupées.
- *Le mobilier et les fournitures :* Un divan confortable, des fauteuils, des coussins moelleux, et, pourquoi pas, un hamac. Faites provision de tablettes à écrire grand format, de stylos et de marqueurs (non toxiques, à base d'eau) de toutes les couleurs. Ins-

tallez un projecteur de bonne qualité qui fait le moins de bruit possible, et de très grands tableaux.

- *Le Feng Shui :* Depuis très longtemps, les Chinois ont développé l'art de la disposition des pièces. Par des miroirs, des paravents, des fontaines et des meubles stratégiquement disposés, ils assurent l'équilibre des forces du yin et du yang et favorisent une meilleure harmonie avec la nature. Certaines sociétés occidentales de même que d'innombrables entreprises orientales ont recours à des conseillers en *feng shui* pour créer des environnements qui stimulent la créativité.
- *L'air :* La plupart des intérieurs sont mal aérés, trop chauds ou trop froids. Installez si possible un chauffage d'appoint et un ventilateur. Un humidificateur, un déshumidificateur et un purificateur d'air se révéleront utiles (les plantes vertes contribuent à la purification de l'air). N'oubliez pas les parfums divers - pot-pourri, encens, huiles essentielles (menthe poivrée pour la vivacité d'esprit ; lavande pour la détente).

Sfumato

La volonté d'embrasser l'ambiguïté, le paradoxe, l'incertitude.

Quiconque stimule les pouvoirs de sa Curiosità, explore les profondeurs de l'expérience et raffine ses sens, tôt ou tard affronte l'inconnu. Un esprit ouvert à l'incertitude est la clé de cet envol créateur. Le principe du Sfumato est au cœur d'une telle disponibilité.

> L'esprit médiéval ignorait le doute.
> — WILLIAM MANCHESTER

Le mot *Sfumato,* qui signifie «vaporeux», est utilisé par les critiques d'art pour parler de l'aspect brumeux et mystérieux qui est l'une des caractéristiques des tableaux de Léonard. Cet effet, obtenu par la superposition de plusieurs couches de peinture extrêmement délicates, est une très belle métaphore de l'être humain. Le questionnement incessant de Léonard, son insistance à recourir à tous les sens pour approfondir son expérience lui ont ouvert la voie de l'intuition et de la découverte, mais ils l'ont également mis en face de la vastitude de l'inconnu et de l'inconnaissable. Pourtant, son aptitude phénoménale à embrasser les contrastes, l'incertitude, l'ambiguïté et le paradoxe a été l'un des aspects fondamentaux de son génie.

Le thème de l'opposition revient souvent dans son œuvre et deviendra une préoccupation majeure avec le passage du temps. Dans le *Livre sur la Peinture,* où il décrit les sujets que doivent choisir les artistes, il évoque des images extrêmement contrastées: «[...] différentes sortes d'animaux [...] et d'arbres, de plantes, de fleurs. Quelle variété de sites montagneux ou plats, de sources, fleuves, cités, édifices privés et publics; que d'instruments agencés pour servir à l'homme, de costumes, d'ornements et d'arts, – toutes choses qui devraient pouvoir être rendues avec une aisance et une grâce égales [...]».

La quête de beauté de Léonard a conduit ce dernier à explorer la laideur sous toutes ses formes. Ses croquis de batailles, de grotesques, de déluges côtoient souvent de sublimes évocations de fleurs et de jeunes et beaux garçons. Lorsqu'il remarquait un être laid ou difforme dans la rue, il pouvait le suivre pendant toute une journée et imprimer dans sa mémoire chacune de ses attitudes. Un jour, il donna un banquet pour les êtres les plus grotesques de la ville. Il multiplia les plaisanteries jusqu'à ce que leurs traits fussent encore plus déformés sous l'effet du rire. Ses invités partis, il passa le reste de la nuit à dessiner leurs visages de mémoire. Kenneth Clark explique la curiosité de Léonard pour la laideur en lui comparant « les raisons qui ont poussé les hommes à sculpter des gargouilles sur le toit des cathédrales gothiques. Les gargouilles servaient de compléments aux saints ; les caricatures de Léonard servaient de complément à sa quête inlassable d'un idéal de beauté. »

Le peintre qui ne doute jamais n'accomplira pas grand-chose.

La passion de Léonard pour le contraste et le paradoxe s'exprimait de plusieurs façons. Comme en témoignent ses carnets, il aimait les calembours, les plaisanteries, le rire, les énigmes, les casse-tête et les nœuds. Ses tableaux, ses croquis, ses ébauches, ses modèles de broderie, des dessins de parquets et de tuiles présentent souvent des motifs de nœuds, d'entrelacs et de spirales. Ainsi que l'observe Vasari,

> Il perdit même son temps à dessiner des entrelacs de cordes méthodiquement agencés de façon à pouvoir être parcourus de bout en bout à l'intérieur d'un cercle. L'un d'eux, fort beau et compliqué, existe en gravure, avec l'inscription : « LEONARDUS VINCI ACCADEMIA ».

La fascination de Léonard pour les tracés infinis va plus loin que le simple plaisir du jeu de mots (ces motifs d'entrelacs s'appelaient alors *fantasie dei vinci* – jeu sur son nom et sur le verbe latin *vincire*, « lier »). Pour Bramly, ces motifs sont le « symbole de l'infini et de l'unité de monde ». Ces nœuds étaient pour Léonard l'expression plaisante du paradoxe et du mystère qui émergeaient à mesure qu'il approfondissait ses connaissances.

Plus il acquérait un savoir universel, plus Léonard était confronté à l'ambiguïté. Et à mesure que se développait sa conscience du mystère et du contraste, son expression du paradoxe acquérait de la profondeur. Ce trait est particulièrement évident dans sa bouleversante évocation de saint Jean-Baptiste. En effet, selon Kenneth Clark,

> Saint Jean-Baptiste était le précurseur de la Vérité et de la Lumière. Et qu'est-ce qui précède inévitablement la Vérité? L'interrogation. Le saint Jean-Baptiste de Léonard est l'éternel point d'interrogation, l'énigme de la création. Il en devient donc le familier de Léonard, c'est-à-dire l'esprit qui regarde par-dessus son épaule et lui propose des énigmes insolubles. Il possède le sourire du sphinx et sa silhouette dégage une force obsédante. J'ai déjà dit comment son geste – ascendant telle une interrogation – se retrouve dans toute l'œuvre de Léonard. Léonard lui donne ici sa quintessence.

Bien entendu, la suprême expression léonardienne du paradoxe est *La Joconde*. Le mystère de son sourire a fait couler des torrents d'encre depuis des siècles. Pour Bramly, elle est «un équivalent féminin du Christ». Walter Pater, auteur du classique intitulé *La Renaissance,* la décrit ainsi: «une beauté amenée du dedans au dehors, le dépôt, infime cellule par infime cellule, de pensées étranges, de rêveries fantasques et de passions exquises.» Sigmund Freud écrivit que *La Joconde* est «[...] la plus parfaite représentation des contrastes qui dominent la vie amoureuse de la femme.» Le sourire de *La Joconde* est à la frontière du bien et du mal, de la compassion et de la cruauté, de la séduction et de l'innocence, du provisoire et de l'éternel. Elle est le pendant occidental du symbole chinois du yin et du yang.

E. H. Gombrich, auteur de l'*Histoire de l'art,* nous aide à comprendre comment Léonard a pu perfectionner cette suprême évocation de l'essence même du paradoxe, le Sfumato: «Les contours flous et vaporeux [...] permettent la fusion des formes tout en laissant libre cours à l'imagination. [...] Tous ceux qui ont tenté de dessiner un visage savent que le secret de l'expression réside aux commissures des lèvres et au coin des yeux. Ce sont justement ces deux traits que Léonard a délibérément laissés flous, en les fondant dans une ombre douce. Voilà pourquoi nous ne savons jamais très bien ce que cache le regard de *La Joconde.*» Gombrich souligne aussi les différences volontaires entre les deux

La Joconde.

Dr Lillian Schwartz : Juxtaposition de l'autoportrait de Léonard et de La Joconde.

moitiés du visage et «le rendu quasi miraculeux de la chair» qui tous deux contribuent au charme de ce portrait de chevalet.

L'un des nombreux mystères entourant *La Joconde,* sans doute même le plus grand, est la question de l'identité du modèle. S'agit-il, comme le biographe Giorgio Vasari l'a affirmé trente ans après le décès de Léonard, de l'épouse de Francesco del Giocondo ? Mona Lisa, la Joconde, est-elle en réalité Isabella d'Este, marquise de Mantoue, comme l'affirme le Dr Raymond Stites dans son ouvrage intitulé *Sublimations of Leonardo da Vinci*?

Ou se pourrait-il que ce portrait soit celui de Pacifica Brandano, compagne de Julien de Médicis ou maîtresse de Charles d'Amboise, comme d'autres l'ont laissé entendre ? Serait-ce plutôt le portrait composite de toutes les femmes que Léonard a connues : sa mère, les maîtresses des courtisans, les paysannes et les prostituées qu'il a passé des heures à observer et à dessiner? S'agirait-il encore, comme d'autres l'ont proposé, d'un extraordinaire autoportrait ?

Le Dr Lillian Schwartz des laboratoires Bell, auteur de *The Computer Artists Handbook,* offre une fascinante démonstration de cette dernière hypothèse. En combinant des techniques de simulation par ordinateur à des calculs extrêmement précis de proportion et d'alignement, Schwartz a comparé *La Joconde* au seul autoportrait connu de Léonard, une sanguine réalisée en 1518. «La juxtaposition des images, dit-elle, a suffi pour obtenir une fusion parfaite : l'emplacement du nez, de la bouche, du menton, des yeux et du front est identique dans les deux portraits. Il suffit de relever les commissures du portrait de Léonard pour voir apparaître aussitôt le sourire énigmatique de *La Joconde.*»

Schwartz en a conclu que le modèle de ce portrait célèbre est nul autre que le maître lui-même.

La Joconde est peut-être le portrait de l'âme de Léonard. Quelle que soit l'identité réelle de *La Joconde,* elle éclaire magistralement le rôle du paradoxe dans sa vision du monde.

LE SFUMATO ET VOUS

Dans le passé, seuls des génies de la stature de Léonard manifestaient une grande tolérance au doute et à l'incertitude. Maintenant que nous vivons des transformations sans cesse accélérées, nous sommes en mesure de constater une multiplication des ambiguïtés et nous trouvons de plus en plus difficile de nourrir nos certitudes illusoires. Nous devons apprendre à jouir de l'ambiguïté dans notre vie quotidienne. Le sang-froid en présence du paradoxe est la clé non seulement de notre efficacité, mais aussi de notre équilibre psychologique dans un monde en transformation.

Sur une échelle de un à dix, évaluez votre tolérance au paradoxe : un représente un besoin presque maniaque de certitude, et dix représente l'attitude éclairée du prêtre taoïste ou de Léonard. Quels comportements pourriez-vous changer afin de grimper plus haut sur cette échelle ? Les exercices qui suivent sont conçus pour vous aider à consolider votre pouvoir de Sfumato. Pour en tirer le meilleur parti possible, commencez par répondre au questionnaire d'auto-évalutation ci-après.

Sfumato
Auto-évaluation

- ❑ J'aime l'ambiguïté.
- ❑ Je suis sensible aux rythmes de mon intuition.
- ❑ J'adore le changement.
- ❑ Je vois de l'humour dans tout ce qui m'entoure.
- ❑ J'ai tendance à « sauter aux conclusions ».
- ❑ J'aime les énigmes, les casse-tête et les calembours.
- ❑ Je sais déceler mes moments d'anxiété.
- ❑ Je passe suffisamment de temps dans la solitude.
- ❑ Je fais confiance à mon instinct.
- ❑ Je peux facilement jongler avec des idées contradictoires.
- ❑ J'aime le paradoxe et je suis sensible à l'ironie.
- ❑ Je conçois facilement que le conflit puisse être un moteur de la créativité.

SFUMATO
Mise en pratique et exercices

LA CURIOSITÀ EST SYNONYME D'INCERTITUDE

Consultez à nouveau la liste de vos dix plus importantes questions du chapitre sur la Curiosità. Lesquelles éveillent en vous le plus d'incertitudes ou la plus grande ambivalence ? Quels paradoxes les sous-tendent ? Essayez-vous à l'art abstrait. Dessinez le sentiment d'incertitude qui vous inspire l'une des questions de votre liste. Puis, gesticulez ou improvisez une danse qui exprime ce sentiment. Si vous n'êtes pas certain de ce que vous devez faire, tant mieux : il s'agit précisément d'incertitude. Quelle musique accompagnerait le mieux votre danse de l'ambiguïté ?

ACCUEILLEZ L'AMBIGUÏTÉ

Énumérez et décrivez brièvement trois circonstances de votre vie passée ou présente où règne l'ambiguïté. Par exemple, vous attendez de savoir si vous avez été accepté à l'université de votre choix, vous songez à réduire les effectifs de votre entreprise, ou vous réfléchissez à l'avenir d'une relation importante.

Décrivez ce sentiment d'ambiguïté. Dans quelle partie du corps la ressentez-vous ? Si l'ambiguïté avait une forme, une couleur, une résonance, une saveur, une odeur, quelles seraient-elles ? Comment réagissez-vous à ce sentiment d'ambiguïté ? Décelez-vous un lien entre l'ambiguïté et l'anxiété ?

Observez votre anxiété

Pour de nombreuses personnes, l'ambiguïté est synonyme d'anxiété ; mais souvent, à moins d'avoir consulté un psychothérapeute, les gens ne sont pas conscients de leur anxiété. Ils lui opposent un réflexe de fuite : ils parlent sans arrêt, se versent à boire, allument une cigarette ou se réfugient dans un rêve éveillé obsédant. Pour profiter le mieux de l'incertitude et de l'ambiguïté, nous devons d'abord apprendre à reconnaître les moments où ces phénomènes se produisent. Plus nous prenons conscience de notre anxiété, plus nous sommes en mesure de l'accepter, d'en faire l'expérience et de nous libérer de nos réflexes compulsifs.

Dites ce que représente pour vous l'anxiété. Existe-t-il différents types d'anxiété ? Dans quelle partie de votre corps se manifeste-t-elle ? Si l'anxiété avait une forme, une couleur, une résonance, une saveur, une odeur, quelles seraient-elles ? Faites de l'anxiété votre thème du jour et notez vos observations dans votre carnet.

Penchez-vous sur votre intolérance à l'ambiguïté

Comptez le nombre de fois en une journée où vous utilisez une expression telle que « totalement », « toujours », « certainement », « je dois », « jamais » et « absolument ».

Remarquez la manière dont vous mettez fin à une conversation. Avez-vous l'habitude de formuler une affirmation ou une interrogation ?

HABITUEZ-VOUS À TOLÉRER LA CONFUSION

Le principe du Sfumato touche l'essence même de l'être. Tout comme le jour fait suite à la nuit, notre aptitude au bonheur prend naissance dans le chagrin. Chacun de nous occupe le centre d'un univers unique ; nous ne sommes que d'insignifiants grains de poussière cosmique. Aucune opposition n'est plus intimidante que celle de la vie et de la mort. L'ombre de la mort est ce qui donne un sens à la vie.

Vous pouvez développer votre force léonardienne en vous habituant à tolérer la confusion, en raffinant vos réactions sensorielles au paradoxe et en devenant réceptif à la tension créatrice. Faites un exercice de contemplation avec n'importe lequel des paradoxes ci-dessous.

- La joie et la peine – Remémorez-vous les moments les plus tristes de votre vie, et vos moments de plus grande joie. Par quoi ces deux états sont-ils reliés ? Vous arrive-t-il de ressentir simultanément de la joie et de la peine ? Léonard écrivit un jour : « Le bonheur suprême sera la plus grande cause de misère. » Êtes-vous d'accord ? Le contraire est-il davantage vrai ?

- L'intimité et l'indépendance – Par quoi l'intimité et l'indépendance sont-elles reliées dans vos relations personnelles ? Pouvez-vous jouir de l'une sans jouir de l'autre ? Le rapport entre les deux vous porte-t-il à l'anxiété ?
- La force et la faiblesse – Énumérez au moins trois de vos forces. Énumérez ensuite au moins trois de vos faiblesses. Comment vos forces et vos faiblesses sont-elles reliées ?
- Le bien et le mal – Est-il possible d'être bon sans admettre et sans comprendre nos propres penchants au mal, ce que Jung appelait notre « côté sombre » ? Que se passe-t-il lorsqu'on nie ce côté sombre ou qu'on n'en a pas conscience ? Que faire pour admettre et accepter vos préjugés, votre haine, votre colère, votre jalousie, votre envie, votre orgueil, votre paresse sans les traduire par vos actions ?
- Le changement et la constance – Relevez trois des changements les plus importants que vous ayez vécus. Relevez aussi trois choses qui sont demeurées constantes. L'idée voulant que « plus ça change, plus c'est pareil » est-elle pour vous un aphorisme valable ou un mauvais cliché ? Voici quelques-unes des pensées du maître sur cette question : « Le phénix est le modèle de la constance ; son instinct lui fait prévoir sa résurrection, aussi supporte-t-il avec intrépidité les flammes ardentes qui le consument, sachant qu'il doit renaître. »
- L'humilité et l'orgueil – Remémorez-vous les moments de votre vie où vous avez éprouvé le plus de fierté. Remémorez-vous aussi vos plus grands moments d'humilité. Efforcez-vous de recréer en vous cette profonde humilité et cette immense fierté. Décelez-vous des similitudes inattendues entre ces deux sentiments ? Des oppositions ?
- La fin et les moyens – Rappelez-vous un objectif important que vous êtes parvenu à atteindre. Décrivez le processus qui vous a conduit à cette réussite. Avez-vous connu des succès qui ne vous ont apporté aucune satisfaction ? Quel lien relie la fin et les moyens, l'être et le faire ? La fin justifie-t-elle les moyens ? Pour jouir de la réussite et du bonheur, une personne doit-elle :

a) s'engager à cent pour cent dans la poursuite d'objectifs clairement définis ; b) savoir que son parcours quotidien, sa qualité de vie, est ce qui compte ; c) les deux ?

- La vie et la mort – Formulez par vous-même cet exercice.

FAITES DE *LA JOCONDE* UN SUJET DE MÉDITATION

Serge Bramly nous raconte que, selon un poète chinois de la dynastie des Sung, trois choses étaient synonymes de gaspillage et de chaos : une jeunesse sans éducation, un thé fin mal préparé, l'indifférence au grand art. *La Joconde* de Léonard est si connue qu'on l'admire rarement. Observez-la pendant un moment. Attendez que votre rationalité se calme, et imprégnez-vous de son essence. Notez vos réactions. (Quand vous irez à Paris, rendez-vous au Louvre dès l'ouverture, soit à 9 heures, et dirigez-vous immédiatement vers *La Joconde*. À cette heure, vous ne risquerez pas d'être dérangé dans votre tête-à-tête.)

Considère l'espoir et le désir (pareil à l'élan du phalène vers la lumière) qu'éprouve l'homme de se rapatrier et de retourner au chaos primordial. Avec un désir continuel, il attend joyeusement chaque printemps nouveau et chaque nouvel été [...] et trouve que les choses souhaitées sont trop lentes à venir, sans comprendre qu'il aspire à sa propre destruction. Mais la quintessence de cette aspiration compose l'esprit des éléments, lequel se trouvant captif dans la vie du corps humain, veut perpétuellement retourner à son mandant. Et sache que ce même désir est, dans sa quintessence, inhérent à la nature [...].

— PROPOS DE LÉONARD SUR LA VIE ET LA MORT

ADOPTEZ LE SOURIRE ÉNIGMATIQUE DE LA JOCONDE

Efforcez-vous de reproduire l'expression de la Joconde, en particulier son célèbre sourire. Notez vos réactions. Voici quelques-uns des commentaires de personnes qui se sont livrées à cet exercice :

La Joconde.

- «J'ai l'impression que mon esprit occupe deux endroits en même temps.»
- «Je me sens plus libre intérieurement lorsque je souris ainsi.»
- «J'ai l'impression d'être un sage.»
- «Je me sens immédiatement transformé, comme si tout, tout à coup, s'était métamorphosé.»

Retournez aux questions les plus angoissantes de votre liste de Curiosità. Mais cette fois, lorsque vous réfléchissez à chacune de ces interrogations, mimez le sourire de la Joconde. Votre façon de penser change-t-elle lorsque vous adoptez son point de vue? Notez vos observations par écrit.

LA GESTATION ET L'INTUITION

Les grands musiciens affirment que leur art prend naissance dans les silences entre les notes. Pour les maîtres sculpteurs, la force d'une œuvre réside dans le vide qui entoure la matière. De même, la clé de votre créativité et de votre aptitude à résoudre les problèmes est tapie dans les creux qui séparent vos moments d'effort conscient. C'est là que mûrissent vos perceptions, vos idées et vos émotions.

Lorsque Léonard peignait sa *Cène,* il travaillait plusieurs jours d'affilée, du matin au soir, perché sur des échafaudages. Puis, sans prévenir, il abandonnait son travail. Le prieur de Santa Maria delle Grazie qui l'avait engagé n'appréciait guère ses pauses. Ainsi que le note Vasari: «Le prieur du couvent importunait Léonard afin qu'il achevât l'ouvrage; il lui paraissait étrange de le voir passer parfois une demi-journée perdu dans ses réflexions. Il aurait voulu que, comme les ouvriers qui piochaient le jardin, il n'arrêtât jamais son pinceau.» Vasari dit que le prieur se plaignit au duc qui s'enquit auprès de Léonard de ses habitudes de travail. Léonard expliqua au duc que «c'est au moment où ils travaillent le moins que les esprits élevés en font le plus.»

Manifestement, Léonard s'appréciait à sa juste valeur. Mais l'estime qu'il avait de lui-même et la confiance qu'il accordait à ses périodes de gestation trouvaient leur équilibre dans une grande humilité et un humour plaisant. Vasari raconte que Léonard expliqua au duc qu'il ne lui restait plus que deux têtes à faire, celle du Christ et celle de Judas. Celle du Christ, qui demeura inachevée, était pour lui au-dessus de ses forces, car « il renonçait à [la] chercher sur terre, n'espérant plus pouvoir imaginer la beauté et la grâce célestes qui conviennent à l'image de Dieu incarné ». Quant à la tête de Judas, elle lui donnait du souci, « car il se sentait incapable d'imaginer l'expression du visage de celui qui, après tant de bienfaits reçus, avait eu l'âme assez noire pour trahir son Seigneur, le créateur du monde. Toutefois, il allait encore chercher et, s'il ne trouvait pas mieux, il aurait toujours la tête du prieur, si importun et si indiscret. »

Votre employeur n'acceptera sans doute pas que « c'est au moment où ils travaillent le moins que les esprits élevés en font le plus », mais la gestation n'en est pas moins essentielle à la réalisation de votre potentiel créateur. Qui n'a pas « dormi sur un problème » pour se réveiller en tenant la solution ? La gestation est plus efficace lorsqu'on alterne, comme le faisait Léonard, les périodes de travail intense et concentré et les périodes de repos. Sans ces moments de travail intense et concentré, rien de peut mûrir.

Pour mesurer votre intuition et votre créativité, il suffit de découvrir et d'apprendre à faire confiance à la courbe de vos périodes de gestation. Parfois, la gestation se solde par une intuition limpide. Plus souvent, les fruits de ce travail de l'inconscient sont subtils et nous échappent facilement. Les muses exigent de notre part une attention soutenue aux nuances délicates de la pensée. Sachez percevoir les faibles murmures de vos voix intérieures.

> Ses yeux limpides avaient l'éclat de la vie ; cernés de nuances rougeâtres et plombées, ils étaient bordés de cils dont le rendu suppose la plus grande délicatesse. Les sourcils [...] ne pouvaient être plus vrais. Le nez, aux ravissantes narines roses et délicates, était la vie même. Le modelé de la bouche avec le passage fondu du rouge des lèvres à l'incarnat du visage n'était pas fait de couleur mais de chair. Au creux de la gorge, le spectateur attentif saisissait le battement des veines.
>
> — Giorgio Vasari au sujet de *La Joconde*

LE SFUMATO ET LES PARENTS

Les jeunes enfants ne sont pas prêts à composer avec les profonds paradoxes de l'existence. Mais ils aiment les énigmes et le mystère. Développez chez eux le Sfumato par des jeux, des casse-tête et des histoires. Par exemple, racontez-leur la même histoire pour les endormir, mais chaque fois inventez une fin différente. En plus de stimuler vos propres facultés créatrices, vous développerez en eux le goût de l'inconnu.

D'après les neurologues, la banque de données de l'inconscient est dix millions de fois plus grande que celle du conscient. Cette banque de données est à la source de votre créativité. En d'autres termes, certaines parties de vous sont plus intelligentes que vous ne l'êtes. Les individus les plus sages puisent régulièrement au génie de leur inconscient. Vous le pouvez aussi : il suffit de vous allouer des périodes de gestation.

ACCORDEZ-VOUS DES MOMENTS DE SOLITUDE ET DE DÉTENTE

Où vous viennent vos meilleures idées ? Depuis une vingtaine d'années, j'ai posé cette question à des milliers de gens. Leurs réponses les plus fréquentes sont celles-ci : « au lit », « en promenade dans la nature », « en voiture, quand j'écoute de la musique » et, « sous la douche ou dans la baignoire ». Il est très rare qu'on me dise « au travail ».

Que se passe-t-il en forêt, au lit ou sous la douche qui ne se passe pas au travail ? Vous êtes seul et vous êtes détendu. La plupart des gens ont leurs meilleures idées dans la solitude et la détente.

Léonard aimait les échanges de points de vue, mais il savait néanmoins que ses intuitions les plus créatrices émergeaient de ses moments de solitude. Il dit : « Le peintre ou le dessinateur doit être solitaire.[...] Si tu es seul, tu seras tout à toi ; accompagné, fût-ce d'un seul compagnon, tu ne t'appartiendras qu'à moitié. »

Développez le Sfumato en vous accordant des moments de solitude. Une ou deux fois la semaine, allez faire une promenade en solitaire ou installez-vous confortablement dans un fauteuil.

Faites une pause détente

Chez la plupart des gens, l'hémisphère gauche travaille toute la journée. Nous sommes si concentrés sur nos tâches que nous en venons à perdre tout recul. Une pause détente une fois par heure nous permet de trouver davantage de plaisir au travail ou à l'étude et d'y être plus efficace. Les recherches de la psychologie moderne démontrent qu'après une pause horaire de dix minutes, la matière étudiée est plus fraîche à l'esprit qu'au bout d'une heure de travail ininterrompu. Ce phénomène porte le nom d'Effet de réminiscence. Dans son *Livre sur la Peinture,* Léonard écrit: « Il est bon également de se lever de temps en temps pour prendre quelque divertissement; revenu à ton œuvre, ton jugement sera plus sûr. » Suivez les conseils du maître et prévoyez des « pauses cerveau » de dix minutes dans votre horaire de travail chargé. Écoutez du jazz ou de la musique classique, griffonnez, méditez, faites des exercices d'élongation; tout cela favorisera la détente et la gestation. En plus de ces pauses horaires, offrez-vous une journée de vrai congé par semaine et de véritables vacances annuelles.

Voici ce que dit le Dr Candace Pert, auteur de *Molecules of Emotions,* au sujet de l'esprit du corps: « Au niveau moléculaire, le cerveau s'intègre parfaitement au reste du corps, tant et si bien que l'expression *cerveau mobile* convient tout à fait au réseau psychosomatique qu'emprunte l'information intellectuelle pour se rendre d'un système à l'autre. » Elle ajoute: « Chaque seconde, un volumieux échange d'information a lieu dans notre corps. Imaginez que chacun de ces systèmes de messagerie possède une résonance particulière, une musique propre, qu'il monte et descende, avance et se retire, se noue et se dénoue. » L'intuition est l'art de mettre notre oreille intérieure à l'écoute des rythmes et des mélodies de notre « corps musical ».

LE SFUMATO AU TRAVAIL

Dans les années quatre-vingt, une recherche de l'American Management Association concluait que les directeurs d'entreprises les plus efficaces se distinguaient par leur « immense tolérance à l'ambiguïté et leurs prises de décisions intuitives ». En notre époque de transformations rapides, « tolérer » l'ambiguïté ne suffit plus ; nous devons l'accueillir à bras ouverts et y prendre plaisir.

Dans *The Logic of Intuitive Decision Making*, le professeur Weston Agor affirme avoir découvert, par le biais d'entretiens approfondis, que les directeurs d'entreprises estiment avoir commis leurs pires erreurs de jugement en n'écoutant pas la voix de leur intuition. En ce début du XXIe siècle, alors qu'une masse d'information toujours plus volumineuse menace de nous submerger, l'intuition est plus importante que jamais.

Conclusion : accueillez l'ambiguïté et fiez-vous à votre intuition.

FIEZ-VOUS À VOTRE INTUITION

Accordez plus d'attention à votre instinct et à votre intuition. Notez vos perceptions dans un carnet et vérifiez-en l'exactitude. En étant aux aguets de vos intuitions quotidiennes, vous les raffinerez.

Pour développer un système d'orientation fiable et précis, vous devez apprendre à écouter votre corps. Des commentaires tels que « Mon instinct me dit le contraire », « Je le sens », « J'en ai la profonde certitude » ou « Je le sais au plus profond de moi » montrent bien que le corps et l'intuition sont intimement liés.

Lorsque vous vous accordez des moments de solitude – en forêt, au volant de la voiture ou au lit – écoutez ce que vous disent votre corps et votre cœur. Faites les exercices qui suivent, d'une exquise simplicité, une ou deux fois par jour afin de mieux vous ouvrir aux subtilités de votre intuition :

Prenez quelques grandes respirations.
Détendez vos muscles abdominaux.
Soyez réceptif.

Arte/Scienza

La recherche de l'équilibre entre science et art, logique et imagination. Une façon de penser qui sollicite le cerveau tout entier.

Êtes-vous au courant des recherches sur les hémisphères gauche et droit du cortex cérébral ? Dans l'affirmative, savez-vous quel hémisphère domine chez vous ? En d'autres termes, êtes-vous plus artistique et intuitif, comme dans le cas de personnes chez qui domine le cerveau droit ou plus à l'aise dans la logique et la rationalité comme les personnes chez qui le cerveau gauche est dominant ?

Les recherches du professeur Roger Sperry sur la droiterie et la gaucherie lui ont valu un prix Nobel. Il a découvert que, dans la plupart des cas, l'hémisphère gauche traite l'information d'une manière logique et analytique, tandis que l'hémisphère droit favorise l'imagination et la vue d'ensemble.

Nos éducateurs ont beau prétendre encourager l'universalité de l'individu, la très grande majorité des individus ne pensent qu'avec la moitié de leur cerveau. « Notre système d'éducation, dit le professeur Sperry, tout comme la science dans son ensemble, tendent à négliger l'intelligence non verbale. Il en résulte une société moderne qui entretient des préjugés à l'égard du cerveau droit. » Ainsi, les individus chez qui domine l'hémisphère gauche réussissent mieux dans leurs études mais ne développent pas leur aptitudes créatrice, tandis que les individus chez qui l'hémisphère droit est dominant s'en culpabilisent d'autant plus souvent qu'on dit qu'ils éprouvent des « difficultés d'apprentissage ».

Les personnes qui recherchent un équilibre entre les fonctions de leurs deux hémisphères s'intéressent tout naturellement à Léonard, car ce qui nous fascine sans doute le plus chez ce grand homme est son aptitude à engager la totalité de son cerveau dans sa réflexion.

L'historien d'art Kenneth Clark, dans son essai sur la relation entre la science et l'art chez Léonard, met en évidence l'interdépendance de ces deux facteurs : « Nous avons tendance à étudier séparément Léonard l'homme de science et Léonard l'artiste.

Sans doute est-ce dû aux nombreux défis que soulèvent ses recherches mécaniques et scientifiques. Toutefois, une telle attitude ne saurait être satisfaisante, puisque l'histoire de l'art ne peut être pleinement comprise sans quelque référence à l'histoire de la science. Dans chaque cas, nous examinons les symboles auxquels l'homme recourt pour exprimer sa réflexion, et que ces symboles soient picturaux ou mathématiques, qu'il s'agisse d'une fable ou d'une équation, ils reflètent la même évolution.» L'historien de la science George Sarton tire les mêmes conclusions quoique son point de départ soit différent: «Puisque l'accroissement des connaissances est le fondement du progrès, l'histoire de la science devrait être le fondement de l'histoire de l'humanité. Pourtant, les grandes questions de l'existence ne sauraient être résolues par les seuls hommes de science, ou par les artistes ou les humanistes seuls: tous doivent y participer. La science est indispensable mais elle ne suffit pas. Nous sommes assoiffés de beauté, et là où la charité fait défaut rien d'autre n'a de sens.» Il ajoute: «L'immense mérite de Léonard est de nous avoir montré par l'exemple que la quête de beauté et la quête de vérité ne sont nullement incompatibles.»

Or, Léonard était-il un homme de science qui s'intéressait à l'art, ou un artiste qui s'intéressait à la science? Manifestement, il était les deux. Ses recherches sur les minéraux, les plantes, le vol, les mouvements des eaux et l'anatomie humaine, par exemple, s'expriment par des œuvres d'art magnifiquement évocatrices et expressives et non pas dans de secs tracés techniques. En même temps, les cartons de ses tableaux et ses esquisses de sculptures sont superbement détaillés, laborieusement analytiques et mathématiquement exacts.

Ainsi que le constate Jacob Bronowski, auteur de *The Ascent of Man,* «[Léonard ...] a su transposer dans la science sa vision d'artiste. Il a compris que la science, tout autant que la peinture, doit pouvoir retrouver dans ses détails les desseins de la nature. [...] Il a donné à la science ce qui lui faisait le plus défaut, soit la conscience artistique de l'importance du détail. Jusque-là, nul ne se demandait – ni n'était intéressé à découvrir – la vitesse qu'atteignent deux masses inégales en tombant ni si les orbites planétaires dessinent des cercles parfaits ou des ellipses.»

> Étudie la science de l'art et l'art de la science.
>
> — LÉONARD DE VINCI

Pour Léonard, art et science étaient indissociables. Dans son livre sur la peinture, il met en garde ceux qui s'intéressent à la peinture : « Ceux qui sont férus de pratique sans posséder la science, sont comme le pilote qui s'embarquerait sans timon ni boussole, et ne saurait jamais avec certitude où il va. »

Léonard insistait sur le fait que l'aptitude d'un artiste à exprimer la beauté de la figure humaine procédait d'une étude approfondie de l'anatomie. À défaut d'une connaissance issue de l'analyse détaillée du squelette et de la musculature, l'apprenti dessinerait « des nus si ligneux et disgracieux, qu'à les voir on les prendrait plutôt pour un sac de noix que pour une forme humaine, ou pour une botte de raves plutôt que des muscles de nu. » Il ajoute : « Il est nécessaire au peintre de connaître la structure interne de l'homme. » Kenneth Clark affirme pour sa part que la science, chez Léonard, procédait de l'art : « L'on dit souvent que Léonard était un bon dessinateur, car il avait de grandes connaissances ; il serait plus juste de dire que Léonard avait de grandes connaissances parce qu'il dessinait si bien. »

Léonard accordait une très grande importance à la discipline (une de ses maximes était *Ostinato rigore !* – Effort persistant !), à l'attention au détail, à la logique, aux mathématiques et à l'analyse approfondie, mais il encourageait également ses disciples à se sensibiliser au pouvoir de l'imagination, chose qui ne s'était encore jamais vue. En leur présentant ce qu'il décrivait comme étant « un système de spéculation nouveau, encore qu'il semble mesquin et presque risible, [...] néanmoins fort utile pour exciter l'intellect à des inventions diverses », il les incita à observer les pierres, la fumée, les braises, les nuages et la boue, et à s'habituer à voir dans ces formes banales « des paysages variés [...] et une infinité de choses ». Il en est de telles intuitions, écrit-il, « comme du son des cloches, dont chaque coup t'évoque le nom ou le vocable que tu imagines ».

Ces leçons valent plus que de simples conseils destinés à stimuler l'imagination ; elles sont à l'avant-garde de l'évolution intellectuelle. Léonard a donné naissance à une tradition qui a évolué vers nos « remue-méninges » modernes. Avant lui, la notion même de « pensée créatrice » en tant que discipline de l'esprit n'existait pas.

LE RÔLE DE L'ARTISTE AU TEMPS DE LÉONARD

Au moment de la naissance de Léonard, le peintre ou le sculpteur était un artisan anonyme jouissant du même statut social qu'un ouvrier. Les artistes travaillaient dans un décor ressemblant davantage à une usine qu'à nos ateliers modernes, et ils étaient payés à l'heure. La plupart de leurs œuvres étaient collectives et non signées. Dans l'Europe de la pré-Renaissance, Dieu était le seul créateur et l'on tenait pour sacrilège l'idée qu'un être humain puisse faire œuvre de création.

Pendant la vie de Léonard, le rôle de l'artiste s'est radicalement transformé. Les artistes commencèrent à réaliser des œuvres qui correspondaient à leurs propres goûts plutôt qu'à ceux de leurs protecteurs. Ils y apposèrent leur signature, ils écrivirent leur autobiographie et l'on vit paraître des biographies des grands artistes. Raphaël, Titien et Michel-Ange devinrent des vedettes de leur vivant. Ils étaient riches, respectés et admirés.

Ces remarquables transformations étaient dues au précurseur de Léonard, Leon Battista Alberti. À l'époque de la vie de ce dernier, l'arithmétique, la géométrie, l'astronomie, la musique, la grammaire, la logique et la rhétorique étaient vues, parmi l'élite intellectuelle, comme des disciplines nobles, des fontaines de savoir. La peinture était exclue de ces disciplines, mais Alberti constatait que la proportion et la perspective, qui avaient les mathématiques pour base, pouvaient servir de lien entre les disciplines nobles et la peinture. Léonard s'empara de cette idée et la développa. Sa description de la peinture en tant que science lui permit de hisser son habitude de « savoir voir » au faîte des humanités. Son incitation à aller « tout droit de la nature à [l'] art » dans le but d'être original, d'être un *inventore*, a contribué à transformer non seulement le rôle de l'artiste mais la notion même de génie.

ARTE/SCIENZA ET VOUS

Tous les principes énoncés dans cet ouvrage peuvent vous aider à atteindre l'équilibre entre les deux hémisphères cérébraux et à stimuler vos aptitudes léonardiennes latentes. Mais une méthode se révèle particulièrement efficace lorsqu'il s'agit de développer la synergie entre l'Arte et la Scienza dans vos activités mentales quotidiennes, dans la planification de votre emploi du temps, dans la résolution de problèmes. Cette méthode, c'est la cartographie mentale.

La cartographie mentale, qui engage tout le cerveau dans la création et l'organisation d'idées, a été mise au point par Tony Buzan qui s'est beaucoup inspiré des notes de Léonard. La cartographie mentale peut vous aider à définir vos objectifs, à planifier votre emploi du temps, à résoudre vos problèmes de communication. Elle est utile au travail, dans l'éducation des enfants, bref, en tout. Mais son plus grand bienfait est le suivant: plus vous la pratiquez, plus vous devenez un penseur équilibré *à la Léonard de Vinci*.

Avant d'aborder la cartographie mentale, réfléchissons un instant à la méthode qui nous a été enseignée pour générer et ordonner nos idées, en d'autres mots, le plan. Le plan classique commence par un «I romain». Avez-vous déjà passé beaucoup trop de temps à attendre que surgisse l'idée devant suivre ce «I romain»? Vous l'avez peut-être trouvée au bout d'une vingtaine de minutes, et vous avez fini par vous rendre au point IIId pour vous rendre compte que le point IIId devrait plutôt être le point IIb. Vous le rayez et vous tracez une flèche. Votre plan est déjà chaotique – et nous savons tous qu'un plan se doit d'être *soigné*. Frustré, vous vous mettez à griffonner et à rêvasser. Votre cerveau droit, réduit au silence, s'efforce de s'exprimer, mais vos griffonnages donnent à votre plan une allure de brouillon et vous vous culpabilisez d'avoir la tête dans les nuages. Accablé par ce combat mental entre les deux moitiés de votre cerveau, vous jetez la feuille au panier et vous repartez de zéro.

Quoique utile lorsqu'il s'agit de présenter une idée de façon formelle et ordonnée, *le plan suit la période de réflexion; il ne la*

ARTE/SCIENZA AU TRAVAIL

Ned Hermann, fondateur de la Whole Brain Corporation, a mis au point un test destiné à déterminer la dominante hémisphérique d'un individu. Dans ses ateliers, Herman a isolé les individus « ultra-gauchers » et « ultra-droitiers » et assigné à chaque groupe un devoir à faire. Le groupe ultra-gaucher rendit son travail sans retard. Il s'agissait d'un rapport dactylographié, parfaitement au point, magnifiquement ordonné, mais douloureusement ennuyeux et dénué d'inspiration. Le groupe ultra-droitier s'engagea dans un débat philosophique sur le sens du travail à remettre. Ils présentèrent à plusieurs reprises des ébauches d'idées griffonnées n'importe comment et, dans l'ensemble, inutiles.

Les deux groupes furent ensuite fusionnés en un seul. On leur confia une autre tâche et on mit un coordonnateur à leur service. Ils rendirent leur travail à l'heure dite. Cette fois, leur rapport était équilibré, bien organisé, imaginatif. La leçon ? L'efficacité est le résultat d'un heureux mariage entre deux équipes opposées.

La plupart du temps, les individus tendent à se regrouper en fonction de leurs caractéristiques cérébrales. Les employés de la comptabilité, chez qui domine le cerveau gauche, se réunissent à la pause café, jettent un coup d'œil du côté des employés du secteur de la mise en marché, chez qui domine le cerveau droit, et songent : « Ces pauvres rêveurs ont la tête dans les nuages. Ils ne comprennent pas le fond des choses, comme nous. » Entre-temps, près de la fontaine, les droitiers observent les gauchers et songent : « N'est-ce pas que ces compteurs de trombones ont un bien petit cerveau ? Ils n'ont aucune vue d'ensemble, contrairement à nous. »

Nous tombons facilement dans ce piège mental. Les gauchers se disent : « Désolé. Je suis gaucher. Il m'est impossible de faire preuve de créativité ou d'imagination. » Les droitiers font l'erreur de s'auto-programmer : « Eh bien, je suis droitier. Impossible pour moi d'arriver à l'heure aux réunions. »

Depuis 1978, j'ai travaillé auprès de milliers de directeurs d'entreprises. Certains étaient des planificateurs consciencieux, sérieux et analytiques ; d'autres étaient des improvisateurs intuitifs, enjoués et spontanés. Les meilleurs ont toujours été ceux qui parvenaient à un équilibre entre analyse et intuition, sérieux et enjouement, planification et improvisation, Arte et Scienza.

remplace pas. Si vous vous efforcez de trouver des idées en rédigeant un plan, vous constaterez qu'aucune idée ne vous vient et que le plan freine votre liberté créatrice. Il est illogique de tenter d'organiser vos idées avant même de les avoir eues.

En outre, le plan, ainsi que toute autre méthode de réflexion linéaire, vous empêchent de profiter des aptitudes de votre cerveau à penser en termes de couleurs, de dimensions, de synthèses, de rythmes et d'images. En lui imposant une seule couleur et une seule forme, vous courtisez la monotonie. Le plan ne nécessite qu'une moitié de tête, l'autre moitié ne lui sert à rien. Quelle perte!

La cartographie mentale vous libère de la tyrannie de l'organisation prématurée qui vous empêche d'avoir des idées. Elle libère vos forces conceptuelles en équilibrant la création et l'organisation tout en stimulant tout l'éventail des expressions cérébrales.

Remémorez-vous le dernier livre que vous avez lu ou la dernière conférence à laquelle vous avez assisté. Imaginez que vous deviez en rédiger un compte rendu. Rappelez l'information reçue à votre mémoire. Ce faisant, efforcez-vous d'observer le fonctionnement de votre cerveau.

Votre cerveau vous présente-t-il des paragraphes entiers ou des plans ordonnés? Sans doute pas. Il est plus probable que des impressions, des mots clés, des images surgissent à votre esprit et que des liens se tissent entre eux. La cartographie mentale n'est autre chose que le prolongement sur papier de ce processus mental spontané.

Léonard incitait le peintre à aller «tout droit de la nature à son art» dans sa quête de savoir et de compréhension. Si vous examinez la structure d'un arbre ou d'une plante, par exemple, l'étoile de Bethléem, vous verrez qu'elle est constituée de réseaux qui rayonnent à partir du tronc ou de la tige. Si vous survolez une ville en hélicoptère, vous verrez qu'elle forme un tout composé de plusieurs centres reliés à des rues, d'avenues reliées à des voies secondaires. Nos nappes d'eau souterraines, nos réseaux de communication, notre système solaire sont eux aussi composés de points reliés par des traits. Les différents éléments de la nature communiquent entre eux spontanément d'une manière

Illustration des hémisphères gauche et droit du cortex cérébral.

qui n'a rien de linéaire ; ils forment un ensemble de systèmes et de motifs.

Le réseau naturel le plus extraordinaire est celui qui se trouve à l'intérieur de votre tête. L'unité de base du cerveau est le neurone. Chacun de nos milliards de neurones rayonne à partir d'un centre, appelé noyau. Chacune de ses branches, appelées dendrites (de *dendron*, soit « arbre ») est couverte de petits nodules – les vésicules dendritiques. Lorsque nous pensons, les informations électrochimiques sautent par-dessus les vides entre ces vésicules. Ces points de jonction sont les synapses. Nos pensées prennent naissance dans ce vaste schéma synaptique. Une carte mentale est l'expression graphique de ces motifs cérébraux spontanés.

Il n'y a donc pas lieu de s'étonner si les annotations des grands génies de l'histoire tels que Charles Darwin, Michel-Ange, Mark Twain et, bien entendu, Léonard de Vinci, ont l'apparence d'une structure arborescente organique agrémentée de croquis, de griffonnages et de mots clés.

Êtes-vous mentalement droitier ou gaucher ? Avant d'apprendre à vous orienter vers la pensée radiante au moyen d'une carte cérébrale, allez à la page 168 et réfléchissez quelques minutes à vos « tendances hémisphériques ». Quelles affirmations vous conviennent le mieux ?

Quelle liste vous ressemble le plus ? La première moitié de ces affirmations décrivent les personnes dominées par l'hémisphère gauche. La seconde moitié est caractéristique des personnes que domine l'hémisphère droit. Bien entendu, la plupart des gens ne sont pas aussi tranchés. Quoi qu'il en soit, les notions de « droiterie » et de « gaucherie » sont utiles pour qui souhaite réfléchir à l'équilibre cérébral.

Quelle que soit votre dominante, la recherche continuelle de cet équilibre est la clé qui vous permettra de développer vos facultés au maximum.

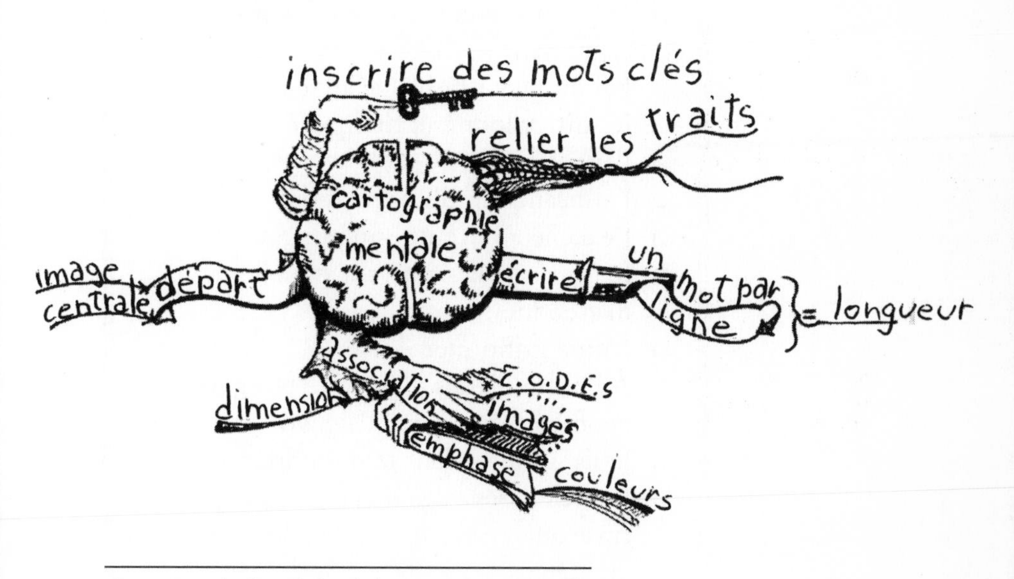

Carte mentale des Règles de la cartographie mentale.

Arte / Scienza
Auto-évaluation

- ❑ J'aime les détails.
- ❑ Je suis presque toujours à l'heure.
- ❑ J'excelle en mathématiques.
- ❑ Je me fie à la logique.
- ❑ J'écris lisiblement.
- ❑ Mes amis disent que je m'exprime clairement.
- ❑ J'ai du talent pour l'analyse.
- ❑ Je suis ordonné et discipliné.
- ❑ J'aime les listes.
- ❑ J'ai beaucoup d'imagination.
- ❑ J'excelle aux remue-méninges.
- ❑ Je dis ou je fais souvent des choses inattendues.
- ❑ J'aime griffonner.
- ❑ À l'école, j'étais plus doué pour la géométrie que pour l'algèbre.
- ❑ Je lis un livre dans le désordre.
- ❑ Je préfère les vues d'ensemble et je laisse aux autres le soin de s'occuper des détails.
- ❑ Je perds souvent la notion du temps.
- ❑ Je me fie à mon intuition.

ARTE/SCIENZA
Mise en pratique et exercices

APPRENEZ LES RÈGLES DE LA CARTOGRAPHIE MENTALE

Vers la fin du *Livre sur la peinture,* Léonard écrit ce qui suit : « Ces règles se proposent de te former un bon et libre jugement, car le bon jugement procède de la bonne compréhension, laquelle dérive de la raison exercée aux bonnes règles ; et ces bonnes règles sont filles de la saine expérience, mère commune des sciences et des arts. »

Les règles de la cartographie mentale « se proposent de vous former un bon et libre jugement ». Elles sont « filles de la saine expérience », ayant été mises à l'épreuve et raffinées depuis plus de trente ans.

Pour commencer, tout ce qu'il vous faut est un sujet de réflexion, quelques stylos de couleur et une grande feuille de papier. Observez maintenant les règles énoncées ci-après :

1. Avant tout, tracez un symbole ou une image (pour représenter le sujet choisi) au centre de la feuille. Le fait de commencer votre carte au centre de la feuille procure à votre cerveau un espace de trois cent soixante degrés pour y inscrire vos associations d'idées. Les dessins et les symboles, étant plus faciles à retenir que les mots, stimulent votre créativité.
2. Notez des mots clés.
   Les mots clés sont des « pépites » d'information, de réminiscences et d'associations d'idées.
3. Reliez les mots clés au dessin central par des traits.
   En reliant les mots par des traits (des « rameaux »), vous pourrez visualiser les rapports qui existent entre eux.
4. Tracez les mots clés en lettres moulées.
   Les lettres moulées sont plus faciles à lire et à retenir que l'écriture cursive.
5. Chaque trait ne doit pas contenir plus d'un mot clé.
   Cette limite vous aide à découvrir le maximum d'associations d'idées pour chaque mot clé. Cette discipline vous habitue en outre à vous concentrer sur le mot clé le plus pertinent, contribue à la rigueur de votre pensée et minimise le désordre.

6. Tracez chaque mot clé sur le trait et efforcez-vous d'ajuster la longueur de ce trait à la longueur du mot.
   Ceci a pour but de favoriser la netteté des associations de mots et vous habitue à économiser l'espace.
7. La couleur, le dessin, le format et les codes facilitent les associations d'idées et leur mise en évidence.
   Soulignez les points importants et illustrez les rapports entre les différents rameaux de votre carte mentale. Vous pourriez, par exemple, hiérarchiser vos inscriptions au moyen d'un code de couleurs : jaune pour les points les plus importants, bleu pour les points secondaires, et ainsi de suite. Recourez le plus souvent possible à des dessins et des graphismes, si possible très colorés ; ceux-ci stimulent les associations imaginatives et raffinent vos facultés de mémorisation.

CRÉEZ MAINTENANT VOTRE CARTE MENTALE PERSONNELLE

La pratique de la cartographie mentale vous révélera peu à peu tous ses avantages. La cartographie mentale vous permet d'enclencher plus rapidement le processus créateur et de trouver un grand nombre d'idées en très peu de temps. En outre, la réflexion, le travail et la résolution des problèmes deviennent plus agréables. Tous les plans classiques se ressemblent, mais chaque carte mentale est différente. Le plus grand bienfait de la cartographie mentale est l'enrichissement d'un mode d'expression unique et personnel, et la découverte subséquente de notre propre originalité. Sa pratique régulière fait de chacun de nous un *inventore*.

L'exercice suivant constitue une bonne entrée en matière.

1. Prenez une grande feuille de papier et six stylos de couleur ou plus. Ayez aussi à portée de la main des marqueurs phosphorescents. Bien entendu, faute de mieux, une feuille de papier ordinaire et un crayon peuvent également faire l'affaire.

   On peut, bien sûr, tracer une carte mentale sur un carton d'allumettes, sur la paume de la main, sur des autocollants ; mais il est préférable de se servir d'une grande feuille de papier, de la dimension d'une tablette à dessin. Plus le papier sera grand, plus vous exprimerez librement vos associations d'idées.

   Disposez le papier horizontalement en face de vous. La disposition horizontale facilite le tracé des mots clés et leur lecture.

2. Supposons maintenant que le sujet de cette carte soit la Renaissance.

- Tracez une image représentative de la Renaissance au centre de la feuille.
- Efforcez-vous de réaliser un dessin qui soit le plus réaliste possible, et n'hésitez pas à utiliser plusieurs couleurs.
- Amusez-vous et ne recherchez pas l'exactitude ou la beauté du dessin.

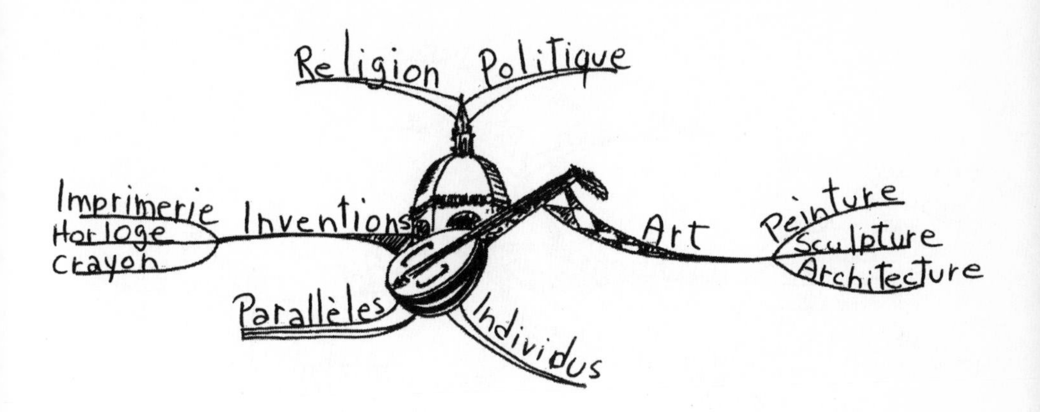

3. Inscrivez maintenant des mots clés sur des traits que vous ferez rayonner de cette image centrale. (N'oubliez pas d'écrire ces mots sur le trait, de vous limiter à un mot par trait et de vous assurer que ces traits sont reliés de quelque façon.)

- Il est facile de trouver des idées sous forme de mots clés. Par exemple, parlant de la Renaissance, l'un de ces mots clés pourrait être le mot *art*; ce mot déclencherait des associations d'idées telles que *peinture, sculpture, architecture.* Un autre mot clé pourrait être *inventions,* et ce mot pourrait être suivi des mots *imprimerie, horloge, crayon.* D'autres mots clés pourraient être *individus, politique, religion, parallèles.*
- Si vous êtes en panne, choisissez n'importe lequel des mots clés de votre carte et inscrivez immédiatement l'association d'idée qu'il vous inspire, même si celle-ci vous semble ridicule ou peu pertinente. Ne vous arrêtez pas à réfléchir et ne vous inquiétez pas de savoir si vous faites le « bon » choix.

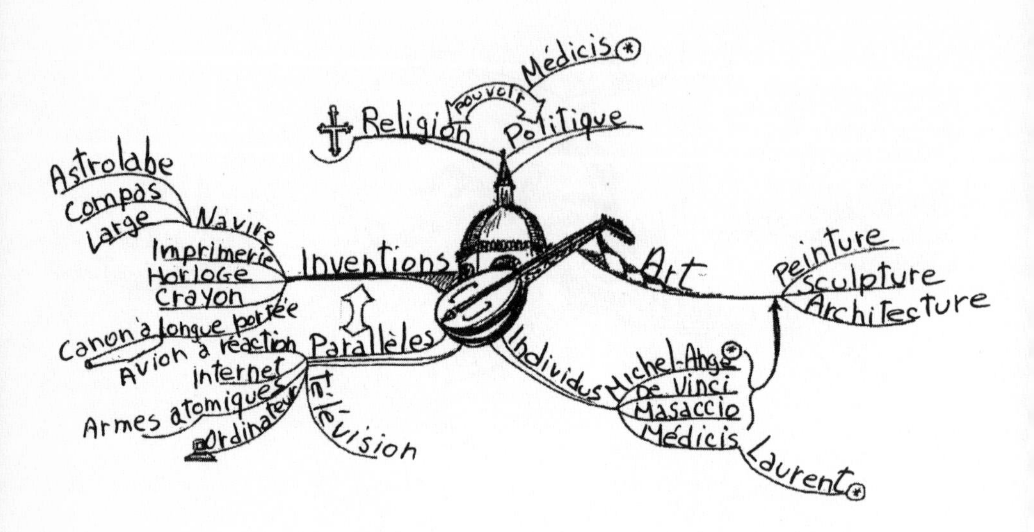

4. Quand il vous semblera avoir réuni suffisamment de matière, examinez votre carte : toutes vos idées sont maintenant étalées sur la feuille.

- En examinant votre carte, vous découvrirez entre vos idées des liens qui vous permettront de mieux les organiser et de mieux les intégrer.
- Recherchez les mots qui reviennent souvent : ils sont l'indice de thèmes majeurs.

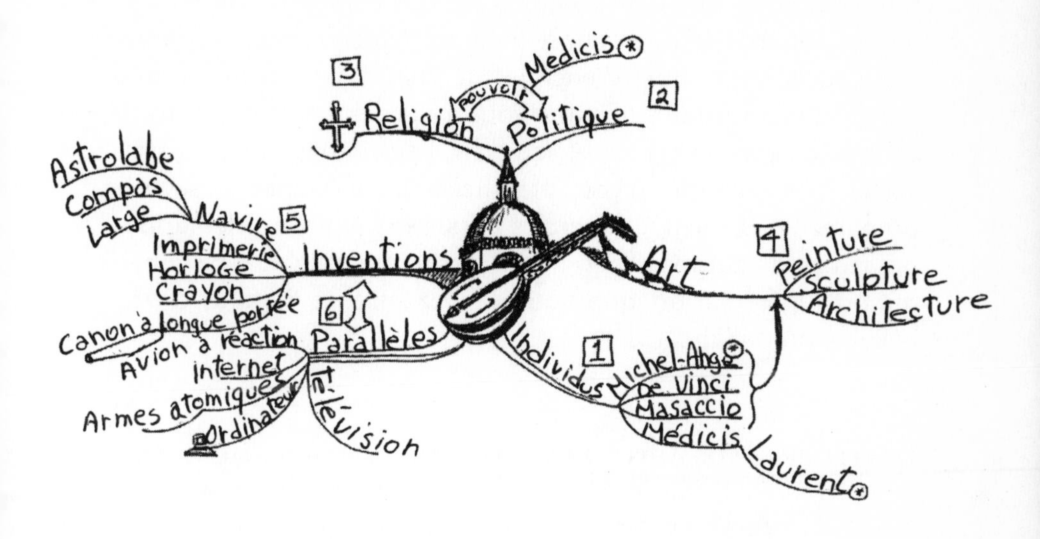

5. Reliez les secteurs de la carte qui se rapportent les uns aux autres par des flèches, des codes et des couleurs.

- Éliminez ce qui vous semble superflu. Ne retenez que les idées essentielles à vos besoins immédiats.
- Si nécessaire, rangez ces idées par ordre de priorité. Vous pouvez, par exemple, les numéroter ou encore redessiner votre carte en disposant vos idées dans le sens des aiguilles d'une montre.

Comment savoir que votre carte est terminée ? En principe, une telle carte demeure toujours inachevée. Ainsi que le souligne Léonard : « Toute chose naît de toute chose. » Si vous aviez assez de temps, d'énergie, de stylos de couleur et une feuille d'un format suffisant, vous pourriez relier de la sorte toutes vos connaissances et, qui sait, l'ensemble du savoir universel. Bien entendu, si vous planifiez une conférence ou si vous préparez un examen, un exercice aussi exhaustif vous demanderait trop de temps. Bref, votre carte mentale est terminée quand l'information que vous y avez inscrite répond à vos besoins immédiats.

DÉVELOPPEZ VOS APTITUDES À LA CARTOGRAPHIE MENTALE

La cartographie mentale est inestimable pour quiconque désire simplifier des tâches complexes telles que la planification stratégique, la préparation de discours, la gestion d'entreprise, la préparation d'examens, l'analyse des systèmes.

Voici quelques trucs pour que votre carte soit propre, facile à lire, bien organisée. Dessinez votre symbole dominant bien au centre de la feuille en n'exagérant pas ses dimensions. Tracez ensuite des lignes à angle droit ou en courbe de façon que tous vos mots clés soient lisibles. Limitez-vous à un mot par ligne et inscrivez ce mot en lettres moulées. Faites en sorte que chaque trait soit plus large à son point de départ et que vos lettres aient au moins six millimètres de hauteur pour en faciliter la lecture. Certains mots peuvent même être plus gros pour leur donner encore plus d'importance. Ajustez la longueur du trait à la longueur du mot. Ainsi, vous économiserez de l'espace et les liens entre les mots clés seront plus nets. Si possible, utilisez de très grandes feuilles de papier. Vous éviterez de surcharger votre feuille et vous serez porté à voir grand. Ne vous inquiétez pas si votre brouillon semble confus. Vous pouvez refaire votre carte deux ou même trois fois pour clarifier le portrait de vos idées.

Il est cependant préférable de vous y initier en développant des sujets simples et légers. Commencez votre apprentissage en choisissant l'un des thèmes suivants et consacrez environ vingt minutes à votre première carte.

- Votre prochaine journée de congé – Tracez un dessin simple qui symbolise pour vous une journée de repos (un soleil souriant, une page de calendrier, etc.). Inscrivez des mots clés et ébauchez des dessins qui illustrent les activités auxquelles vous aimeriez vous adonner. N'oubliez pas de faire rayonner ces mots clés et ces images du symbole central.
- Vos vacances de rêve – Explorez en pensée des vacances idéales. Au centre de la feuille, tracez le symbole d'un lieu de villégiature paradisiaque (vagues de l'océan, montagnes couvertes de neige, tour Eiffel, etc.), et faites rayonner du centre les mots clés et les images qui regroupent des éléments de vos vacances rêvées.
- Une soirée parfaite en compagnie d'un être cher – La cartographie mentale peut vous aider à planifier une soirée parfaite en compagnie de l'être aimé. Au centre de la feuille, tracez un symbole qui représente cette personne. Puis, par des mots clés et des images, répartissez sur la feuille tout ce qui pourrait rendre cette personne heureuse. N'oubliez pas de procéder par associations d'idées sans classifier celles-ci. Contentez-vous de laisser surgir à votre esprit tout ce qui pourrait enchanter l'être aimé. Quand vous aurez accumulé suffisamment d'idées, rangez-les par ordre d'importance.

Réexaminez maintenant toutes vos cartes, celle du jour de congé, celle de vos vacances de rêves, celle de la soirée parfaite. Assurez-vous que vous avez bien observé toutes les règles :

— Avez-vous créé des images vivantes et multicolores ?
— Avez-vous inscrit un seul mot au-dessus de chaque trait ?
— Avez-vous tracé les mots clés en lettres moulées ?
— Avez-vous relié les traits entre eux ?

Si vous n'avez pas observé toutes ces règles, reprenez l'exercice du début.

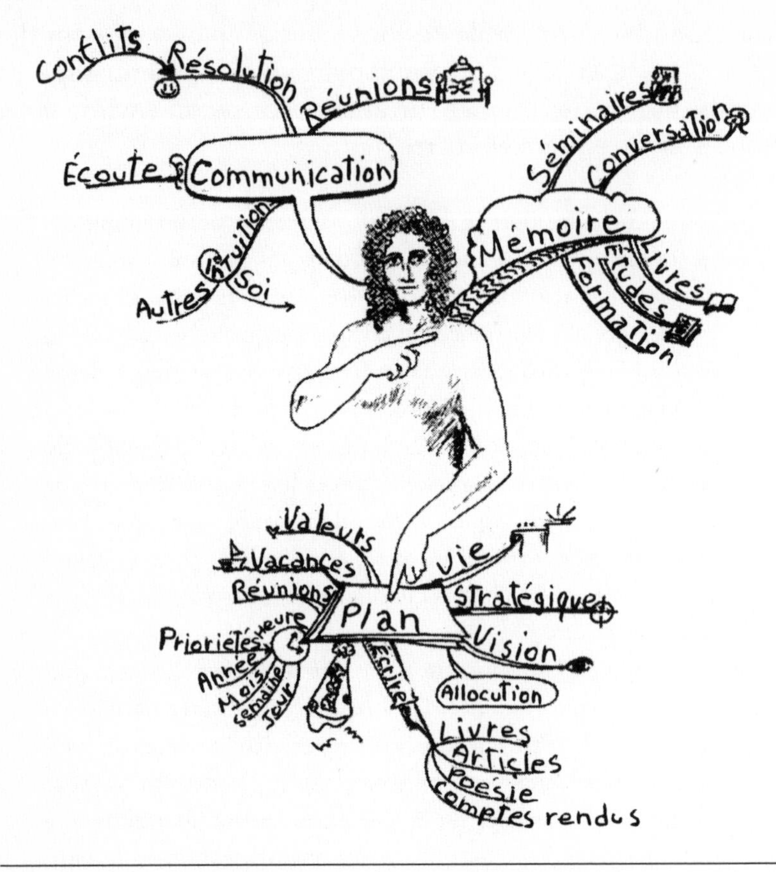

Ainsi que vous pouvez le constater, la cartographie mentale a de nombreuses applications. Les deux derniers exercices de ce chapitre vous aideront à recourir à cet outil de réflexion selon une méthode inspirée par Léonard.

DESSINEZ UNE CARTE DE L'UTILITÉ DE LA CARTOGRAPHIE MENTALE

Bon. Vous êtes réchauffé. Réalisez maintenant une carte de toutes les applications possibles de la cartographie mentale. Tracez d'abord au centre de la feuille un dessin symbolisant à vos yeux la cartographie mentale. Puis, rayonnez à partir de ce centre au moyen de mots clés, d'images, de traits que vous relierez entre eux. Efforcez-vous de trouver au moins vingt applications précises de la cartographie mentale dans votre vie personnelle et professionnelle. Quand vous aurez terminé, soulignez les utilisations qui vous paraissent les plus appropriées à votre cas. Consultez ensuite la carte de la page précédente pour y déceler les applications les plus populaires de la cartographie mentale.

RÉALISEZ UNE CARTE DE VOTRE MÉMOIRE

L'incroyable aptitude à apprendre que manifestait Léonard était due au fait qu'il développait sa mémoire en « apprenant par cœur ». Après avoir attentivement examiné un sujet sous tous ses angles, il en traçait une représentation visuelle. Puis, pendant la nuit ou tôt le matin, étendu dans son lit, il ramenait cette image à sa mémoire. Il comparait ensuite cette image mentale au meilleur dessin de son sujet jusqu'à ce que son image mentale soit le plus près possible de la perfection.

La cartographie mentale est extrêmement utile pour l'apprentissage de mémoire. L'exercice suivant, basé sur la méthode de Léonard, est un excellent outil de mémorisation.

- Choisissez un sujet que vous aimeriez apprendre par cœur : le contenu d'un livre que vous aimez ; la conférence que vous prononcerez bientôt ; la matière d'un examen scolaire ou universitaire.
- Réalisez une carte mentale de votre sujet, en mettant en relief ses points les plus importants. Tout dépendant du volume de matière à retenir, vous devrez sans doute réaliser plusieurs brouillons afin de bien organiser, intégrer et illustrer cette matière.
- Lorsque vous aurez complété votre « carte maîtresse », mettez-la de côté. Prenez une feuille vierge et, sans consulter votre première carte, efforcez-vous de la reproduire de mémoire. Refaites cet exercice jusqu'à ce que vous parveniez à reproduire votre carte originale dans ses moindres détails.
- Le soir, au lit, visualisez votre carte maîtresse. Recommencez jusqu'à ce que l'image mentale que vous vous faites de cette carte corresponde parfaitement à son modèle.
- Donnez maintenant votre conférence ou passez votre examen sans crainte : *sa matière sera gravée dans votre mémoire.*

RÉALISEZ UNE CARTE DE CRÉATIVITÉ

La cartographie mentale peut contribuer à éveiller votre créativité et, dans les mots de Léonard, à « exciter l'intellect à des inventions diverses ». Réfléchissez à une idée que vous aimeriez explorer, une interrogation ou un défi qui requiert des solutions inédites. Au centre d'une grande feuille de papier, tracez le symbole de votre sujet. Ensuite, tout comme le maître incitait ses disciples à créer de libres associations d'idées en réaction à « des murs barbouillés de taches, ou faits de pierres d'espèces différentes », laissez errer votre imagination à partir du symbole abstrait au centre de la feuille, en ramifiant vos idées. Si vous parvenez à libérer votre imagination vous y découvrirez « une infinité de choses que [vous pourrez] ramener à des formes distinctes et bien conçues ».

Si l'une de vos idées vous semble tout à fait incongrue, inscrivez-la quand même et continuez. Les associations d'idées absurdes ou inhabituelles débouchent souvent sur des solutions viables. N'oubliez pas que même le plus grand esprit de tous les temps était d'avis que son « système de spéculation nouveau [pouvait sembler] mesquin et presque risible. » Mais cela ne l'a pas arrêté, et ne devrait pas vous arrêter non plus.

- Quand vous aurez noté un grand nombre, pour ne pas dire une infinité d'associations d'idées, faites une pause et laissez-les mijoter.
- Reprenez votre carte et permettez à d'autres idées de surgir.
- Après une deuxième pause, réexaminez l'ensemble de votre carte en y recherchant des liens et des thèmes.
- Ensuite, ramenez-les « à des formes distinctes et bien conçues ». En d'autres termes, ramenez votre carte à sa plus simple expression en y retranchant tout le superflu. Réorganisez ses rameaux pour qu'ils correspondent à la nouvelle structure de vos idées.

Après avoir mis en pratique la méthode de la cartographie mentale pour apprendre « par cœur », un garçonnet de douze ans, de Soweto en Afrique du Sud, nous a écrit : « Avant, [...] je ne me trouvais pas très intelligent. Maintenant, j'ai un très beau cerveau, et l'école est beaucoup plus facile ! » Le directeur d'une

ARTE/SCIENZA ET LES PARENTS

Plusieurs de mes clients et de mes amis qui ont plus d'un enfant affirment que le style mental de chacun se démarque des autres et que, s'ils ne sont pas attentifs, ils leur transmettront les préjugés de leur propre dominance cérébrale. Ainsi que le disait un parent « gaucher » : « Vous savez, je n'ai pas été très brillant. J'ai deux enfants. L'un d'eux me ressemble tout à fait ; il excelle aux mathématiques, il est discipliné et concentré. L'autre est très différent. C'est un rêveur, très artistique mais indiscipliné. Hier soir, je me suis aperçu que je me rendais coupable de discrimination envers mon enfant droitier. Si j'étais plus disponible, plus ouvert à ses aptitudes, et si je l'encourageais davantage à nous faire partager sa vision du monde, nous serions tous gagnants. »

Au travail comme à la maison nous devons former des équipes cérébralement équilibrées. De nombreux parents transfèrent à leur insu leur préjugés cérébraux à leurs enfants. Encouragez vos enfants à développer ensemble leurs aptitudes à l'Arte et à la Scienza. Si votre enfant montre une préférence marquée pour la pensée droitière, abordez ses leçons d'histoire en mettant en scène des événements du passé. Faites-lui étudier les mathématiques en traçant des théorèmes et des équations avec des stylos de différentes couleurs. Aidez votre enfant à être ponctuel en réalisant pour lui un calendrier rempli d'images et de codes de couleur. Si votre enfant semble davantage gaucher, aidez-le à trouver son équilibre mental en l'initiant à l'art, au théâtre et à la musique. Quel que soit l'hémisphère dominant chez lui, il trouvera son équilibre si vous lui apprenez à réaliser des cartes mentales. Encouragez-le à « apprendre par cœur » en traçant des cartes mentales de ses devoirs scolaires.

entreprise japonaise de fabrication d'ordinateurs ayant eu recours à la cartographie mentale pour produire un plan stratégique a écrit : « Merci beaucoup. Vous avez enfin réveillé mon cerveau. » Un ingénieur chimiste d'une entreprise du groupe Fortune 500 a utilisé cette technique pour mettre au point une invention ; le poète lauréat de la Grande-Bretagne s'en sert dans la gestation de ses poèmes. Vous pouvez aussi avoir recours à la cartographie mentale pour renforcer votre mémoire, équilibrer votre cerveau et « exciter l'intellect à des inventions diverses ».

Corporalità

La recherche de la grâce,
de l'ambidextérité, de la bonne
forme physique, de l'élégance.

À quoi ressemble un génie, selon vous ? Vous a-t-on inculqué, comme à moi, l'image de l'éternel distrait, maigre, à lunettes ? Il est étonnant de constater que pour un très grand nombre de personnes l'intelligence supérieure est synonyme d'inaptitude physique. Pourtant, à de très rares exceptions près, les grands génies de l'histoire possédaient une grande énergie et un physique délié. Léonard de Vinci sans doute encore plus que les autres.

> Avec son beau visage et son corps magnifique, il était un modèle de perfection.
>
> — GOETHE, À PROPOS DE LÉONARD

Le physique extraordinaire de Léonard était un complément à son génie intellectuel et artistique. Selon Vasari, «[...] sa beauté physique défiait tout éloge ; dans le moindre de ses actes résidait une grâce infinie». De tous les citoyens de Florence, Léonard était le plus réputé pour son élégance, sa grâce et sa forme physique. Il était un excellent cavalier et sa force était légendaire. Selon certains témoins, il lui suffisait de s'emparer de la bride d'un cheval au galop pour l'arrêter, et il tordait un fer à cheval ou un heurtoir à mains nues. Toujours selon Vasari : « Sa force domptait les plus violentes fureurs ; de sa main droite, il tordait le crampon d'une cloche murale ou un fer à cheval comme s'ils étaient de plomb. » Ailleurs, il dit : « Sa force physique considérable était unie à l'adresse [...]. »

Pour certains érudits, la passion de Léonard pour l'anatomie était le reflet de son physique extraordinaire. Le Dr Kenneth Keel, auteur de « Leonardo da Vinci, the Anatomist », est de l'avis que Léonard était le produit d'une « exceptionnelle mutation génétique », et il affirme que « son intérêt pour l'anatomie du corps humain fut largement influencée par ses extraordinaires qualités physiques ». La marche, l'équitation, la natation et l'escrime figuraient parmi ses exercices préférés. Dans ses études d'anatomie, il stipula que l'artériosclérose est la conséquence d'un manque d'exercice et contribue à accélérer le vieillissement. Végétarien et cordon bleu accompli, Léonard croyait aux vertus d'une saine alimentation pour la santé et le bien-être. Il s'efforçait en outre à utiliser également les deux moitiés de son corps, et il peignait, dessinait et écrivait des deux mains. Il était psychophysiquement ambidextre.

> Dans la sénilité, la mort sans fièvre est causée par le tissu des veines [...] à ce point épaissi qu'elles s'obstruent et ne livrent plus passage au sang nourricier.
>
> — LÉONARD DE VINCI

Léonard disait que chaque être humain est responsable de sa santé et de son bien-être. Il était conscient des effets de l'attitude et des émotions sur la physiologie (il présageait ainsi la discipline de la psychoneuroimmunologie) et jugeait préférable de tenir à distance les médecins et les médicaments. Il préconisait une médecine holiste. Pour lui, toute maladie était causée par la «discorde des éléments infus dans un corps vivant» et la guérison était le «remède apporté à des éléments en conflit».

Léonard, qui incitait chacun à prendre soin de sa santé, rédigea les conseils suivants :

Veux-tu rester en bonne santé, suis ce régime :

- Ne mange point sans en avoir l'envie, et soupe légèrement.
- Mâche bien, et que ce que tu accueilles en toi soit bien cuit et simple (autrement dit, végétarien).
- Qui prend médecine se fait du mal.
- Garde-toi de la colère et évite l'air alourdi.
- Tiens-toi droit en sortant de table et ne cède pas au sommeil à midi.
- Sois sobre pour le vin, prends-en fréquemment en petite quantité mais pas en dehors des repas, ni l'estomac vide.
- Ni ne retarde la visite aux lieux d'aisance.
- Si tu prends de l'exercice, qu'il soit modéré.
- Ne te couche à plat ventre ni la tête basse et couvre-toi bien la nuit.
- Repose ta tête et tiens-toi l'esprit en joie.
- Fuis la luxure et observe la diète.

LA CORPORALITÀ ET VOUS

Que faites-vous pour préserver votre bien-être et pour développer la coordination du corps et de l'esprit ? Que pensez-vous de votre physique ? Vous laissez-vous influencer par des facteurs externes – articles de magazines, industrie de la mode, télévision, opinion d'autrui – quand vous évaluez votre apparence ? Quelles que soient vos forces ou vos faiblesses naturelles, vous pouvez grandement améliorer votre qualité de vie par la Corporalità. Concentrez-vous d'abord sur l'auto-évalutation de la page suivante.

Corporalità
Auto-évaluation

- ❑ Je suis en excellente forme cardiovasculaire.
- ❑ Je me renforce.
- ❑ Ma souplesse s'améliore.
- ❑ Je sais quand je suis tendu ou détendu.
- ❑ Je sais en quoi consiste une alimentation saine.
- ❑ Mes amis disent que je suis une personne gracieuse.
- ❑ Je deviens de plus en plus ambidextre.
- ❑ Je sais comment mon état physique affecte mon attitude.
- ❑ Je sais comment mon attitude affecte mon état physique.
- ❑ J'ai de bonnes notions d'anatomie pratique.
- ❑ J'ai une bonne coordination.
- ❑ J'aime bouger.

CORPORALITÀ
Mise en pratique et exercices

DÉVELOPPEZ UN RÉGIME DE CONDITIONNEMENT PHYSIQUE

Léonard était l'incarnation même de l'idéal classique *mens sana in corpore sano,* un esprit sain dans un corps sain. La science moderne confirme bon nombre des recommandations, habitudes et intuitions de Léonard. S'il est un peu difficile d'imaginer le maître dans une classe de danse aérobique, il n'en demeure pas moins qu'un programme de conditionnement physique est le fondement de la santé du corps, de l'acuité mentale et du bien-être psychologique. Pour devenir un véritable être universel, assurez-vous de suivre un régime de conditionnement physique qui développe vos capacités cardiovasculaires, votre force musculaire et votre souplesse.

Léonard était très méfiant à l'égard des médecins de son temps. Il écrivit : « Tout homme désire acquérir la fortune pour en faire profiter les docteurs, destructeurs de vie ; aussi doivent-ils être riches. » Il conseillait à ses contemporains d'«[éviter] les médecins, – car leurs drogues sont une sorte d'alchimie [...] celui qui prend des médicaments est malavisé. »

Le conditionnement cardiovasculaire : Léonard a deviné que l'artériosclérose accélérait le vieillissement et qu'un programme d'exercices pouvait l'empêcher. Le Dr Kenneth Cooper, entre autres scientifiques, a confirmé les intuitions de Léonard. Cooper, qui fut à l'origine de la notion d'exercice aérobique, a découvert que le corps et l'esprit bénéficiaient grandement d'exercices réguliers et modérés. L'exercice aérobique (qui accroît l'apport en oxygène), renforce le système cardiovasculaire, favorise la circulation du sang et l'oxygénation du cerveau et des tissus. Le cerveau a un poids moyen inférieur à trois pour cent du poids total du corps, mais il utilise plus de trente pour cent de son oxygène. En développant votre forme aérobique, vous doublez votre capacité d'oxygénation.

Un régime régulier d'exercices cardiovasculaires améliore grandement la vivacité, l'équilibre psychologique, l'acuité mentale

MÉSADAPTATION COMPENSATOIRE

Si vous avez déjà vu quelqu'un souffrir en faisant péniblement son jogging, ou si vous avez observé les contorsions de quelqu'un qui cherche à soulever des haltères trop lourds, vous savez ce que le philosophe John Dewey veut dire lorsqu'il parle de « mésadaptation compensatoire ». En d'autres termes, le conditionnement physique sans conscience du corps et sans souplesse fait plus de tort que de bien.

et l'endurance physique. Un individu qui a perdu la forme mettra environ six semaines à constater une amélioration, à raison de vingt minutes d'exercices par jour, quatre fois la semaine. (Consultez votre médecin avant d'entreprendre un programme de conditionnement physique.) Le secret d'un régime d'exercices bénéfique est le plaisir. La marche rapide, le jogging, la danse, la natation, la rame ou les arts martiaux, tout cela peut être intégré à un régime d'exercices idéal.

Le renforcement de la masse musculaire : Le fait de tordre un fer à cheval à main nue ou de freiner un cheval au galop comme le faisait Léonard n'est sans doute pas à la portée du plus ambitieux habitué des gymnases. Quoi qu'il en soit, le renforcement de la masse musculaire est un élément important d'une bonne forme physique. Les poids et haltères contribuent à maintenir le tonus et la force des muscles, favorisent l'élasticité des ligaments et la santé de la masse osseuse. Des recherches récentes ont démontré que ce type d'entraînement aide à prévenir la perte de masse musculaire et l'ostéoporose chez les personnes âgées. C'est également un excellent moyen pour brûler les calories excédentaires. Avant de commencer, consultez un entraîneur qui préparera un programme de poids et haltères correspondant à vos besoins.

Exercices d'assouplissement : Vasari nous dit que la force remarquable de Léonard « était unie à l'adresse ». Vous pouvez accroître votre adresse par des exercices d'assouplissement. Faites des exercices d'élongation avant et après chaque séance de conditionnement physique de même qu'au lever. L'élongation favorise la souplesse, prévient les blessures et renforce le système circulatoire et le système immunitaire. Le secret d'une bonne élongation est de prendre son temps, d'être pleinement conscient de chaque mouvement et de détendre chaque groupe de muscles en même temps que l'on expire. Ne sautez pas et ne forcez pas vos mouvements. La danse, les arts martiaux ou, mieux encore, le yoga, sont les meilleurs exercices d'assouplissement qui soient.

Prenez conscience de votre corps en étudiant l'anatomie de base

Une alimentation saine, un programme d'exercices cardiovasculaires, musculaires et d'assouplissement sont essentiels au maintien de la bonne forme physique. Mais pour en profiter au maximum, vous devez prendre pleinement conscience de votre corps, cultiver une posture gracieuse et développer votre ambidextérité. Ces éléments constituent le « chaînon manquant » de la plupart des programmes de conditionnement physique.

Lorsqu'ils s'engagent dans la voie du développement personnel, la plupart des gens se demandent : « Qui suis-je ? », alors qu'une question beaucoup plus simple, « Où suis-je ? », favoriserait bien davantage leur réalisation de soi. L'apparence et la conscience du corps jouent un très grand rôle dans l'opinion que l'on se fait de soi-même et dans la conscience de soi. Au chapitre sur la Sensazione, vous avez appris quelques exercices destinés à raffiner vos cinq sens : la vue, l'ouïe, l'odorat, le goût et le toucher. La conscience du corps se développe par le raffinement du sixième de nos sens, soit la kinesthésie. Le sens kinesthésique est la conscience du poids, de la posture et du mouvement. Par lui, vous savez si vous êtes détendu ou tendu, gauche ou gracieux.

Pour raffiner votre sens kinesthésique et développer une meilleure conscience de vous-même, faites les exercices ci-après.

Le miroir

Placez-vous devant un miroir en pied (si vous en avez le courage, déshabillez-vous). Ne jugez pas et n'analysez pas votre apparence. Contentez-vous d'observer votre reflet dans la glace.

L'alimentation léonardienne

Combinée à un bon conditionnement cardiovasculaire, au développement musculaire et à des exercices d'assouplissement, une alimentation saine peut nous aider à vivre plus longtemps, à demeurer en bonne santé et à préserver notre équilibre psychologique. Les modes vont et viennent, mais un certain nombre de principes de base, entérinés depuis par les recherches scientifiques, existent depuis fort longtemps.

- Recherchez des aliments frais, sains et naturels. Si Léonard n'avait pas à s'inquiéter de manger des aliments préparés et remplis d'additifs chimiques, nous n'avons pas cette chance.
- Consommez beaucoup de fibres. Léonard consommait surtout des légumes crus ou à peine cuits, des céréales, des légumineuses et d'autres aliments riches en fibres. Ces aliments nettoient et activent votre système digestif et contribuent à le garder en bonne santé.
- Évitez de trop manger. Léonard préconisait les repas légers. Apprenez à vous arrêter de manger avant d'être complètement rassasié. Vous vous sentirez mieux et vous vivrez sans doute plus longtemps. (De nombreuses expériences, menées entre autres par les Drs McCay et Masaro, ont démontré que des rats de laboratoire légèrement sous-alimentés vivent deux fois plus longtemps que des rats qui mangent tout leur soûl.)
- Buvez beaucoup d'eau. La table italienne traditionnelle comporte plusieurs bouteilles d'eau minérale. Votre corps se compose à quatre-vingts pour cent d'eau. Vous devez constamment remplacer ces réserves d'eau pour qu'il puisse éliminer ses toxines et régénérer ses cellules. Faites des aliments riches en eau, tels que les légumes et les fruits, une partie intégrante de votre alimentation. Lorsque vous avez soif, buvez de l'eau pure (eau de source ou eau distillée), ou des jus de légumes ou de fruits. Évitez les colas et les liqueurs douces qui contiennent des additifs et des calories vides.
- Réduisez au maximum votre consommation de sel et de sucre. Une alimentation équilibrée vous procurera tous les sels et tous les sucres dont vous avez besoin. Un excès de sel favorise l'hypertension et d'autres maladies ; un excès de sucre modifie le métabolisme et vous gorge de calories vides. Résistez à la tentation du surcroît d'énergie que semble vous procurer une friandise sucrée ; si vous portez attention, vous constaterez que ce surcroît d'énergie est rapidement suivi d'une baisse de vitalité. Évitez de saler ou de sucrer vos plats ou, du moins, goûtez-y avant de tendre la main vers la salière.

- Réduisez votre consommation de gras et de gras saturés. Utilisez des huiles pressées à froid, par exemple l'huile d'olive (la préférée de Léonard), l'huile de canola et l'huile de lin. Ne consommez pas de margarine.
- Consommez peu de viande, et choisissez la viande d'animaux élevés en pâturage. Le maître était végétarien. Son plat préféré était le minestrone, une soupe épaisse composée de légumes, de fèves et de riz ou de pâtes. Si vous consommez de la viande, une portion par jour est amplement suffisante. Évitez la viande d'animaux dont l'alimentation est «enrichie» d'hormones, d'antibiotiques et d'autres produits chimiques.
- Variez votre alimentation. Une alimentation variée est plus équilibrée et plus agréable.
- Buvez un peu de vin aux repas. Léonard conseillait le vin avec les repas, en modération; il s'opposait à l'abus du vin et à l'ivrognerie. Les statistiques démontrent qu'une consommation modérée d'alcool (deux verres de vin ou deux bières par jour) prolonge de deux ans l'espérance de vie. Il semble aussi qu'une consommation modérée de vin rouge avec les repas améliore la circulation sanguine et contribue à la prévention des maladies du cœur. Bien entendu, une consommation excessive produit l'effet contraire: elle réduit l'espérance de vie et détruit les cellules du cerveau. Léonard en était conscient.
- Ne vous contentez pas de manger, savourez. «Casser la croûte en vitesse» n'est pas synonyme de saine alimentation et peut même occasionner une digestion difficile. Disciplinez-vous. Prenez le temps de vous asseoir et de savourer chacun de vos repas. Comme le maître, créez une ambiance agréable: une nappe ou un napperon, des fleurs coupées, une assiette joliment présentée. Si vous mangez sans vous presser et en soignant la présentation du repas, votre digestion, votre humeur et votre qualité de vie n'en seront que meilleures.
- Écoutez votre corps avant de manger pour savoir ce dont il a envie. Léonard ne disait-il pas: «Veux-tu rester en bonne santé, suis ce régime: ne mange point sans en avoir l'envie.» Si vous ne parvenez pas à vous décider, imaginez ce que vous ressentirez après avoir consommé les aliments en question. Puis, arrêtez-vous quelques instants avant de manger et concentrez-vous sur le moment présent. Humez les arômes, savourez chaque bouchée. Que chacun de vos repas soit une occasion de Sensazione.

Votre tête penche-t-elle de côté ? Une épaule est-elle plus haute que l'autre ? Projetez-vous ou non votre bassin en avant ? Votre poids est-il également réparti sur vos deux pieds ou vous appuyez-vous davantage sur l'un d'eux ? Quelles parties du corps vous semblent particulièrement tendues ? Votre bassin, votre poitrine et votre tête sont-ils correctement alignés ? Notez ces observations dans votre carnet.

Dessinez votre corps

Réalisez un croquis de votre silhouette. Ne cherchez pas à créer un chef-d'œuvre, mais une simple ébauche rapide. Un dessin très sommaire suffit.

Cela fait, coloriez en rouge les points de tension et de stress. Puis, au moyen d'un marqueur noir, indiquez les endroits où l'énergie semble avoir cessé de circuler, c'est-à-dire vos points faibles. Ensuite, coloriez en vert les zones de votre corps qui vous paraissent les plus énergiques.

La plupart des gens ont de nombreuses zones rouges ou noires. Une bonne partie de nos tensions et de notre stress est due à l'ignorance et à un manque d'information au sujet de notre charpente et de nos fonctions corporelles. Une perception faussée du corps se traduit par des abus qui exacerbent le stress et engourdissent nos sensations.

Explorez la « carte » de votre physique

Placez-vous à nouveau devant la glace et, de l'index, pointez vers :

- le point d'équilibre entre la tête et le cou ;
- les articulations des épaules ;
- les articulations des hanches.

Équilibre de la tête : La tête est située à l'extrémité supérieure de la colonne vertébrale, à la jonction de l'atlas et de l'occiput. La plupart des gens placent trop bas le point d'équilibre de la tête, car ils ont l'habitude de raccourcir le cou à leur insu avec chaque mouvement.

L'articulation de l'épaule : La plupart des gens situent l'articulation de l'épaule au point de jonction du bras et du torse, sans tenir compte de la clavicule et du sternum, si bien qu'ils n'ont pas conscience de la véritable mobilité de cet ensemble d'articulations. Cette « cartographie » erronée provient d'un bloquage inconscient et douloureux de la ceinture scapulaire.

L'articulation de la hanche : Tout comme on doit distinguer l'articulation de l'épaule des « épaules » elles-mêmes, ainsi doit-on distinguer l'articulation de la hanche des « hanches » proprement dites. Observez un jeune enfant lorsqu'il se penche pour ramasser un jouet, et vous constaterez le mouvement naturel de l'articulation de la hanche. Observez ensuite un adulte lorsqu'il se penche pour ramasser un objet, et vous constaterez qu'il s'incline à partir de la « taille ». Le fait de plier la taille plutôt que l'articulation de la hanche entraîne des douleurs au bas du dos.

Connaissez votre colonne vertébrale

Raffinez encore davantage la carte de votre physique en examinant votre colonne vertébrale. De quelle largeur est-elle, selon vous ? Dessinez sa largeur présumée. Maintenant, songez à la courbe naturelle de la colonne vertébrale, et dessinez une colonne vertébrale saine. Assurez-vous de compléter vos deux dessins avant de poursuivre votre lecture.

Votre colonne vertébrale est plus large que vous ne le pensiez.

Le poids de vos pensées

Combien pèse votre tête ? Notez votre réponse.

La prochaine fois que vous irez au gymnase ou au supermarché, soulevez un haltère de sept kilos ou un sac de sept kilos de pommes de terre. Cela correspond au poids moyen de la tête. Ce globe de sept kilos renferme votre cerveau, vos yeux, vos oreilles, votre nez, votre bouche et tout ce qui concourt à votre équilibre. Qu'arrive-t-il de votre acuité mentale et auditive quand votre tête n'est pas bien alignée ? Savez-vous que soixante pour cent des récepteurs kinesthésiques sont situés dans votre cou ?

Qu'arrive-t-il de votre conscience de votre corps si les muscles cervicaux se contractent de façon à pouvoir supporter votre tête ?

De toute évidence, pour l'être universel en devenir, le point d'équilibre de la tête est de toute première importance. L'exercice qui suit vous sensibilisera à cette question.

***Revivez les étapes de l'évolution de l'*homo erectus**

Cet exercice se fonde sur les travaux d'un grand anatomiste et anthropologue, le professeur Raymond Dart, que j'ai eu le privilège de rencontrer à plusieurs reprises. Au fil des ans, j'ai dirigé de nombreux groupes dans la pratique de cet exercice, y compris des présidents d'entreprises, des adeptes des arts martiaux, des psychologues, des enseignants et des officiers de police. Cet exercice est très amusant à faire à plusieurs, mais vous pouvez en retirer un grand nombre de bienfaits même si vous vous y adonnez seul. Vous n'avez besoin, pour ce faire, que d'un espace propre recouvert d'un tapis, et d'une serviette.

- Étendez-vous à plat ventre par terre, pieds joints et bras de chaque côté du corps, le visage appuyé sur la serviette. Remarquez que, dans cette position, vous ne pouvez pas tomber. Restez dans cette position pendant une ou deux minutes et méditez sur l'état de conscience d'une créature qui vit un rapport similaire avec la gravité. Rampez sur le sol vers une nourriture imaginaire.
- Préparez-vous à faire un bond dans votre évolution. Vous êtes sur le point de vivre une mutation. Faites glisser vos mains vers votre tête jusqu'à ce qu'elles se retournent naturellement, paumes en bas, sur le sol devant vous. Appuyez-vous sur vos nouvelles pattes, redressez la tête et le haut du torse. Regardez autour de vous et réfléchissez à l'effet de cette évolution sur votre vision du monde et votre conscience. Avec vos pattes, explorez les alentours et partez en quête de nourriture.
- Métamorphosez-vous maintenant en quadrupède. Choisissez votre mammifère préféré : cheval, chien, cougar, gazelle, bison, etc. Placez-vous à quatre pattes et imitez la démarche, les cris et les comportements de votre animal préféré. Quels effets cette nouvelle posture a-t-elle sur votre comportement et sur votre état de conscience ?

- La prochaine étape dans votre évolution consiste à devenir un primate, dressé sur ses pattes postérieures. Devenez un chimpanzé, un orang-outang, un gorille, et déplacez-vous à la manière d'un singe. Devenez-vous plus conscient de vos alentours ? La transformation de votre rapport à la gravité affecte-t-elle vos aptitudes à la communication et à la vie sociale ?
- Devenez maintenant un *homo erectus*, et tenez-vous droit. En tant que bipède ayant maîtrisé la station debout, à quoi êtes-vous vulnérable ? Quels sont les effets de votre nouvelle posture sur le développement de votre intelligence et de votre conscience ? Dans votre vie quotidienne, remarquez-vous un lien entre la posture et la souplesse d'une personne et son degré d'éveil et de vivacité ?

Avec bon nombre de ses collègues, le professeur Dart a compris que le degré d'éveil et d'intelligence est directement relié à l'acquisition de la station debout. Mais nos habitudes de vie - sédentarité, travail à l'ordinateur, stress de l'heure de pointe - nous ont éloignés de ce merveilleux privilège génétique. Pour la plupart, nous devons retrouver un bon maintien.

RETROUVEZ UN BON MAINTIEN GRÂCE À LA TECHNIQUE ALEXANDER

Léonard était réputé pour son maintien, sa souplesse et son élégance. Les Florentins l'admiraient lorsqu'il marchait dans la rue. Vasari était enthousiaste : « dans le moindre de ses actes résidait une grâce infinie ». Comment pourrions-nous jamais imaginer Léonard les épaules courbées et traînant les pieds ?

Vous pouvez développer un maintien, un équilibre et une élégance comme ceux de Léonard en étudiant les techniques développées par un autre homme de génie, F. Matthias Alexander. Né en Tasmanie en 1869, Alexander était un acteur spécialisé dans les représentations solos d'extraits de pièces de Shakespeare. Sa carrière prometteuse fut interrompue quand il se mit à devenir aphone pendant ses spectacles.

Alexander consulta les meilleurs médecins, orthophonistes et professeurs de théâtre de son temps, et il suivit scrupuleusement leurs conseils, en vain. N'importe qui d'autre aurait sans doute capitulé et opté pour un autre métier. Mais comme Léonard, Alexander croyait à la suprématie de l'expérience. Il résolut de trouver lui-même la réponse à son problème, persuadé qu'il était d'en être responsable par son attitude ou son comportement. Mais comment faire pour découvrir ce qu'il faisait de mal ?

Alexander comprit qu'il devait être le plus objectif possible. Il entreprit de s'observer dans des glaces agencées de façon à s'y refléter tout entier. Plusieurs mois d'observation méticuleuse passèrent, puis il commença à remarquer que chaque fois qu'il se lançait dans une tirade, certaines caractéristiques revenaient :

1. il contractait les muscles du cou et, ce faisant, repoussait la tête vers l'arrière ;
2. il comprimait le larynx ; et
3. il haletait.

Poursuivant ses observations, Alexander constata que ces tensions étaient reliées à l'habitude de :

4. projeter la poitrine vers l'avant ;
5. de creuser le dos ; et
6. de contracter les principales articulations de son corps.

Alexander s'aperçut bientôt que ces réflexes se manifestaient à différents degrés dès qu'il parlait.

Quand il comprit aussi que ces mauvaises habitudes commençaient à prendre forme dès l'instant où il *envisageait* de déclamer un texte, Alexander sut qu'il lui fallait « désapprendre » ses réflexes et rééduquer globalement l'esprit et le corps. Il découvrit qu'il devait s'arrêter avant d'agir, empêcher consciemment ses contractions, puis se concentrer sur des « directives » spécifiques qu'il avait mises au point dans le but de faciliter l'élongation et l'expansion de sa posture.

Voici quelles étaient les directives d'Alexander : « Libère le cou pour permettre à la tête de se mouvoir naturellement vers l'avant et vers le haut afin que le dos puisse s'allonger et s'élargir. » Véritable adaptation d'un koan zen, ces directives devaient, selon Alexander, être exécutées « simultanément, l'une après l'autre ».

La répétition de ces pratiques produisit des résultats étonnants. Non seulement Alexander recouvra-t-il complètement la voix, il se guérit aussi de plusieurs ennuis de santé persistants et devint un acteur célèbre pour la qualité de sa voix, de sa respiration et de sa présence en scène.

Les élèves affluèrent auprès d'Alexander, dont un groupe de médecins faisant partie d'une troupe de théâtre amateur. Ces médecins commencèrent à envoyer à Alexander ceux de leurs patients qui souffraient de malaises chroniques - tension nerveuse, difficultés respiratoires, douleurs dorsales et cervicales. Alexander parvint à aider un très grand nombre de ces personnes en leur faisant perdre les mauvaises habitudes posturales qui nuisaient à leur santé.

Alexander impressionna tant et si bien les médecins qu'en 1904 ceux-ci lui offrirent des titres de transport vers l'Angleterre afin qu'il puisse faire connaître les résultats de ses travaux à la communauté scientifique mondiale. À Londres, il devint bientôt le « protecteur du théâtre britannique » et dispensa des leçons aux plus grands acteurs et actrices de son époque. Les travaux d'Alexander ont également aidé un grand nombre d'écrivains et de scientifiques.

Avant sa mort en 1955, Alexander a formé une relève, qui a poursuivi son enseignement pendant de nombreuses années à la Royal Academy of Dramatic Arts, à la Royal Academy of Music, à la Juilliard School, ainsi que dans certains des plus grands conservatoires et des plus grandes écoles de musique, de théâtre et de danse. La méthode Alexander est devenue une sorte de « secret du métier », non seulement chez les artisans du spectacle, mais aussi chez un grand nombre d'athlètes olympiques et professionnels, dans l'armée de l'air israélienne, chez certains directeurs d'entreprises et auprès d'individus en provenance de toutes les couches de la société.

ALEXANDER ET LE *SAPER VEDERE*

Le fait de « savoir voir » faisait partie intégrante du génie d'Alexander. Sa découverte procédait d'une observation minutieuse, détaillée, extraordinairement précise. Quand ses protecteurs voulurent payer ses titres de transport vers l'Angleterre en 1904, il leur manquait quelques centaines de livres. Comment Alexander pourrait-il réunir cette somme ? Comme Léonard, Alexander se passionnait pour les chevaux. En se fiant à sa connaissance pratique de l'anatomie du cheval, Alexander se rendit à l'hippodrome, misa une petite somme sur un bel outsider et... gagna.

La méthode Alexander exige une méticuleuse observation de soi. Rédigez un compte rendu quotidien de vos gestes ordinaires en notant tout effort inapproprié ou superflu : quand vous vous asseyez, quand vous vous penchez, quand vous soulevez quelque chose, quand vous marchez ou que vous conduisez la voiture, quand vous mangez ou quand vous parlez. Tendez-vous le cou en rejetant la tête vers l'arrière ? Levez-vous les épaules en rétrécissant le dos ? Bloquez-vous les genoux ? Retenez-vous votre souffle ? Faites-vous cela quand vous tendez la main vers votre brosse à dents ? Quand vous travaillez à l'ordinateur ? Quand vous parlez au téléphone ? Quand vous vous apprêtez à écrire ? Quand vous faites une nouvelle connaissance ? Quand vous parlez en public ? Quand vous frappez une balle de tennis, de golf ou de paume ? Quand vous lacez vos chaussures ? Quand vous tournez le volant de la voiture ? Quand vous vous penchez ? Quand vous portez votre fourchette à la bouche ?

Il est très difficile de remarquer et de changer ces réflexes quotidiens sans rétroaction. Une glace ou un vidéo sont alors utiles, mais le meilleur moyen consiste à s'inscrire à un cours auprès d'un maître qualifié dans l'enseignement de la technique Alexander. Ces personnes sauront, en utilisant leurs mains avec beaucoup de subtilité et de délicatesse, vous apprendre à relâcher votre cou, à redécouvrir l'alignement naturel du corps, et à développer votre acuité kinesthésique.

Entre-temps, faites l'exercice ci-après, inspiré de la technique Alexander, pour acquérir un bon maintien et un bon équilibre.

Le bon alignement en position couchée

Vous n'avez besoin, pour cet exercice d'une durée de dix à vingt minutes, que d'un lieu calme, d'un tapis et de quelques livres de poche.

- Posez les livres par terre. Placez-vous face aux livres, à une distance équivalant à peu près à votre taille, les jambes écartées, les pieds vis-à-vis des épaules, les bras le long du corps et détendus. Tournez le dos aux livres et regardez droit devant vous sans aucune tension. Restez dans cette position quelques instants.
- Dites-vous que votre cou est dégagé, que votre tête est libre de s'étirer naturellement vers l'avant et vers le haut, et que votre torse peut s'élargir et s'allonger. En respirant normalement, prenez conscience du sol sous vos pieds et notez la distance qui sépare ceux-ci du dessus de votre tête. Gardez les yeux ouverts et le regard vif, et écoutez les sons ambiants.
- Toujours dans cet état d'éveil, appuyez-vous sur un genou avec rapidité et légèreté. Puis, asseyez-vous par terre en vous soutenant avec vos mains placées derrière vous, les pieds bien à plat et les genoux repliés. Continuez à respirer normalement.
- Laissez retomber un peu votre tête vers l'avant pour vous assurer que vous ne tendez pas les muscles du cou et que vous ne rejetez pas la tête en arrière.
- Allongez-vous lentement en déroulant votre colonne vertébrale et posez la tête sur la pile de livres. Ceux-ci devraient supporter votre tête à la jonction du cou. Si votre tête n'est pas placée correctement, supportez-la d'une main tandis que vous ajusterez la pile de livres. Déplacez la pile, ajoutez-lui des livres ou retranchez-lui-en jusqu'à ce qu'en posant la tête dessus vous puissiez étirer très légèrement les muscles du cou. Gardez les pieds à plat et les genoux repliés, et croisez doucement vos mains sur votre poitrine. Le sol doit supporter tout le poids de votre corps.
- Pour profiter au maximum de cet exercice, demeurez dans cette position pendant dix à vingt minutes. Pendant ce temps, la gravité allongera votre colonne vertébrale et réalignera votre torse. Gardez les yeux ouverts afin d'éviter de vous endormir. Concentrez-vous plutôt sur le rythme de votre respiration et sur le doux

battement de votre corps tout entier. Soyez conscient du sol sous le poids de votre corps et laissez retomber vos épaules à mesure que votre dos s'élargit. Ne tendez pas le cou tandis que votre corps s'étire et s'étale.

- Au bout de dix ou vingt minutes, levez-vous très doucement en évitant toute tension et en veillant à ne pas raccourcir le corps. Pour une transition en douceur, dites-vous que vous aller changer de position, puis roulez sur le ventre sans perdre la sensation d'intégration et d'étirement que vous avez créée en vous. Ramenez vos jambes sous vous, redressez-vous d'abord à quatre pattes, puis sur un genou. En suivant le mouvement de votre tête vers le haut, levez-vous.
- Restez immobile quelques instants… écoutez, regardez. Sentez le contact de vos pieds avec le sol et remarquez la distance entre vos pieds et le dessus de votre tête. Vous serez sans doute surpris de constater que cette distance vous paraît plus longue. En reprenant vos activités habituelles, imaginez-vous bougeant avec grâce, comme un des personnages du maître.

LA CORPORALITÀ ET LES PARENTS

Posez la main sur le dos d'un bébé et sentez comme il est entier, souple, vibrant et vivant sous vos doigts. Les petits enfants ont un excellent maintien naturel. Ils bougent avec souplesse et coordination. Que se passe-t-il lorsqu'ils grandissent ? La plupart du temps, tout va bien jusqu'après la première année scolaire. Regardez vos photos de classe : vous verrez que la plupart des enfants se tiennent naturellement droits. Regardez ensuite des enfants de troisième et de quatrième année : on note un début d'affaissement, de torsions, de tensions. La plupart des adolescents ont autant de tenue que des sacs vides. Rendez-vous maintenant au centre commercial ou à l'église et observez les membres d'une même famille. En regardant marcher les parents accompagnés de leurs enfants, vous noterez d'étonnantes similitudes de posture et de mouvement. Nous ne pouvons pas protéger nos enfants contre toutes les atteintes de la vie qui les portent à s'affaisser et à se contorsionner, mais nous pouvons leur fournir un modèle d'élégance en corrigeant notre propre maintien.

L'EXPRESSION VISIBLE DE LA GRÂCE

« Pour s'exprimer dans l'art, le mouvement doit posséder une nature particulière. Il doit être l'expression visible de la grâce. Bien que les écrivains de la Renaissance n'aient pas donné de ce mot une définition formelle, tous se seraient entendus pour dire qu'il suppose une suite de transitions en souplesse. La grâce s'exprimait parfaitement dans la souplesse des gestes, les drapés, le bouclé des chevelures. Une transition abrupte est saccadée. Une transition gracieuse est fluide. Léonard hérita cette tradition du mouvement et de la grâce des parties et il en fit un tout.»

Les propos de Kenneth Clark sur la grâce dans l'art reflètent les qualités que l'on peut développer dans notre vie quotidienne par la pratique de la méthode Alexander : grâce, fluidité, globalité, raffinement des transitions souples dans les gestes quotidiens – par exemple, de la position assise à la position debout, de l'immobilité à la marche.

Pour obtenir les meilleurs résultats, faites cet exercice deux fois par jour, au lever, au retour du travail ou avant de vous mettre au lit. Cet exercice est particulièrement efficace dans les moments de grande fatigue ou de stress, et avant ou après une séance de conditionnement physique. Vous apprendrez vite à vous tenir droit avec élégance et à bouger avec souplesse et harmonie.

DÉVELOPPEZ VOTRE AMBIDEXTÉRITÉ

Lorsque Michel-Ange peignait le plafond de la chapelle Sixtine, ceux qui l'observaient s'étonnaient qu'il puisse tenir indifféremment son pinceau avec l'une ou l'autre de ses mains. Léonard, qui était gaucher, développa la même ambidextérité et changeait souvent de main lorsqu'il travaillait à *La Cène* ou à un autre de ses chefs-d'œuvre. Lorsque j'ai demandé au professeur Dart quelle était selon lui la meilleure façon de développer l'ensemble de nos aptitudes, il me répondit : « L'équilibre du corps, l'équilibre du cerveau. L'avenir appartient aux ambidextres ! » Dart nous rappelle que le cerveau droit contrôle le côté gauche du corps, que le cerveau gauche contrôle le côté droit du corps, et que la coordination parfaite des deux côtés du corps favoriserait la cohérence et l'équilibre des deux hémisphères cérébraux.

Commencez votre quête d'ambidextérité en explorant les aptitudes de votre main non dominante par les exercices suivants.

Le croisement inversé: Efforcez-vous de croiser vos mains, vos bras ou vos jambes à l'inverse de votre façon habituelle. Si vous faites normalement un clin d'œil avec l'œil gauche, essayez de l'œil droit – et vice versa. Retroussez la langue vers le haut *et repliez-la* vers le bas.

Servez-vous de votre autre main : Pendant une journée entière – ou une partie de la journée pour commencer – servez-vous de votre main gauche si vous êtes droitier et de votre main droite si vous êtes gaucher, pour allumer les lampes, vous brosser les dents, prendre votre petit déjeuner, etc. Notez vos sensations et vos observations.

Les essais d'écriture : Essayez de signer votre nom de votre *autre* main. Écrivez l'alphabet. Faites un exercice d'écriture automatique, toujours avec votre autre main, sur un sujet de votre choix (vous constaterez peut-être que cela modifie votre perception des choses et raffine votre intuition.)

Dessinez des deux mains en même temps : Quand vous aurez acquis un peu d'expérience avec votre main secondaire, essayez d'écrire et de dessiner des deux mains à la fois. Si possible, utilisez un tableau noir. Tracez des cercles, des triangles et des carrés. Puis, signez votre nom des deux mains en même temps.

Faites l'essai de l'écriture renversée : Vous serez surpris de voir à quel point c'est facile. Il suffit d'un peu de pratique. L'exemple ci-dessous peut vous servir de modèle.

Faites des mouvements croisés pour vous détendre : Pour raviver votre concentration quand vous étudiez, travaillez ou cherchez l'inspiration, placez vos mains derrière vous et tou-

Le nom de jeune fille de ma grand-mère était Tottanga et celui de ma mère était De Arpia. Je m'appelle Joan Gelb. Je peux sans difficulté écrire à l'envers depuis que je sais écrire. Sans doute est-ce pour cette raison que mon fils Michael se passionne depuis toujours pour Léonard de Vinci.

chez votre pied droit de la main gauche, puis votre pied gauche de la main droite. Répétez ce mouvement dix fois. Ou encore, levez le genou gauche vers la main droite, puis le genou droit vers la main gauche. Répétez ce mouvement dix fois.

APPRENEZ À JONGLER

Apprendre à jongler est une excellente façon de développer l'ambidextérité, l'équilibre et la coordination du corps et du cerveau. La biographe de Léonard, Antonina Vallentin, confirme que le maître savait jongler. Cette forme d'art faisait partie des pageants et des fêtes qu'il concevait pour ses protecteurs. Il y excellait autant qu'à la prestidigitation. Qui plus est, le mouvement de base que nous expliquons ci-dessous est une *fantasie dei vinci* – un nœud, ou un symbole d'infini.

Procurez-vous trois balles (par exemple, des balles de tennis) et essayez ce qui suit :

1. Lancez une balle d'une main à l'autre pour qu'elle dessine un arc un peu plus haut que votre tête.
2. Prenez maintenant une balle dans chaque main. Lancez celle que tient votre main droite ; lorsqu'elle parvient au sommet de sa trajectoire,

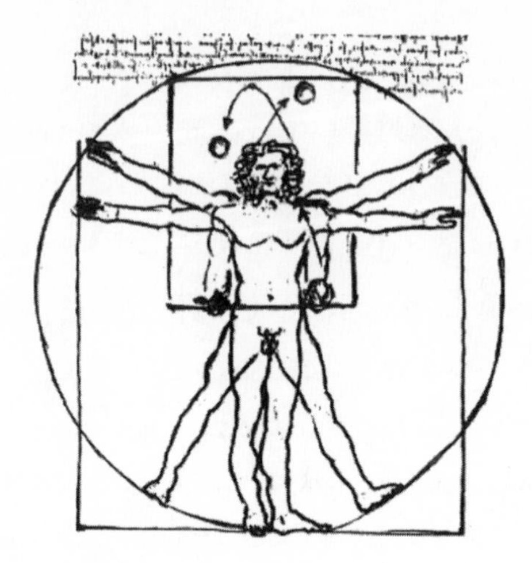

lancez la balle dans votre main gauche de la même façon. Concentrez-vous sur des lancers légers et réguliers, et laissez les deux balles tomber par terre.

3. Répétez l'étape 2, mais cette fois attrapez la première balle ; laissez tomber l'autre.
4. Répétez l'étape 3, mais cette fois, attrapez les deux balles.
5. Vous êtes prêt à jongler avec trois balles. Prenez deux balles dans une main et la troisième dans l'autre main. Lancez l'une des balles de la main qui en tient deux. Lorsqu'elle parvient au sommet de sa trajectoire, lancez la balle unique que vous tenez dans l'autre main. Lorsque cette deuxième balle atteint le sommet de sa trajectoire, lancez la troisième balle. Laisser-les tomber par terre toutes les trois.
6. Répétez l'étape 5, mais cette fois, attrapez la première balle.
7. Répétez l'étape 6 en attrapant les deux premières balles. Si vous parvenez à attraper les deux premières balles et si vous n'oubliez pas de lancer la troisième, *vous remarquerez qu'il n'y a qu'une seule balle dans les airs*. Vous savez attraper une seule balle, non ? Attrapez-la. Voilà ! Vous avez jonglé avec trois balles ! Fêtez ça !

Bien entendu, quand vous aurez réussi, vous voudrez jongler avec quatre, puis cinq, puis six balles et même plus. En vous y exerçant, concentrez-vous sur la souplesse et la direction de vos lancers, et ne vous en faites pas si les balles tombent par terre. Si vous vous concentrez sur le *lancer* et que vous continuez de respirer avec calme, vous réussirez certainement.

La Corporalità au travail

Le corps influe sur l'esprit. Si votre corps est raide et dur ou affaissé et mou, votre esprit l'imitera. Notre langue regorge d'expressions qui rappellent ce mariage. Par exemple : « Elle reste sur ses *positions* dans cette affaire » ou « Ils se sont montrés *fermes* ». La Bible dit aussi : « Ils ont raidi leur cou pour ne point entendre la parole du Seigneur. »

L'adjectif *corporatif* vient du latin *corpus*, qui signifie « corps ». La plupart des structures corporatives et des entreprises sont exagérément raides et soumises à des habitudes inconscientes. Souvent, lorsqu'un groupe de personnes se réunissent pour un remue-méninges, les participants restent assis pendant des heures sans vraiment changer de position, en s'efforçant de trouver des idées et des solutions originales. Ils se demandent : « Pourquoi n'y arrivons-nous pas ? » De plus en plus d'entreprises offrent aux employés de brefs massages, des classes de yoga et d'aïkido afin de les aider à développer une plus grande souplesse mentale et physique. Vous pouvez en outre vous adonner à l'exercice ci-après lors de votre prochaine réunion ou séance de remue-méninges (si vous êtes seul, faites-le devant une glace). L'exercice consiste à faire bouger simultanément le plus grand nombre possible de parties du corps. En vous habituant à bouger comme vous ne l'avez encore jamais fait, vous en viendrez à modifier votre posture habituelle.

Placez-vous en face de votre partenaire. Vous copierez chacun de ses mouvements. L'autre personne commence : elle lève la main droite et tapote le dessus de sa tête, puis laisse retomber son bras à son côté. Vous l'imitez et vous poursuivez ce mouvement jusqu'à ce que l'autre personne fasse autre chose. Cette fois, elle frappe son pied gauche de la main gauche. Vous l'imitez tout en continuant le mouvement précédent. Ensuite, elle secoue les épaules, et vous l'imitez, tout en poursuivant les deux mouvements précédents. Votre partenaire imite ensuite le caquètement d'une poule ou chante le thème d'une émission de télé. Faites de même, tout en continuant les autres mouvements. Ensuite, elle fait des rotations de tête, et ainsi de suite.

Efforcez-vous de faire au moins cinq mouvements simultanés et faites en sorte qu'ils soient aussi bizarres et absurdes que possible. Maintenant, renversez les rôles et proposez à votre partenaire des mouvements encore plus ridicules que ceux que vous venez de faire. Changez de partenaire et recommencez. Cet exercice se solde toujours par l'hilarité générale. Il bouleverse vos habitudes, libère votre énergie, et vous éveille à des tas de possibilités nouvelles.

Connessione

La reconnaissance et l'éloge de l'interdépendance de toutes choses et de tous phénomènes.
La pensée systémique.

Un caillou lancé dans une mare produit une série d'ondulations concentriques. Visualisez cette image en vous demandant comment ces ondulations s'influencent les unes les autres et où va l'énergie qu'elles engendrent: vous raisonnerez comme le maître. Le cercle qui se reproduit à l'infini illustre bien le principe de Connessione, si évident dans les motifs et les rapports que Léonard a observés autour de lui.

- La pierre, quand elle frappe la surface de l'eau, crée des cercles concentriques qui vont s'élargissant et finissent par mourir; et l'air aussi, frappé par une voix ou un bruit circulaire, va de même se perdant, en sorte que l'auditeur le plus rapproché entend mieux et le plus éloigné, moins.
- Observe le mouvement de l'eau à sa surface, combien il ressemble à celui de la chevelure, laquelle en a deux, l'un suivant l'ondulation de la surface, l'autre les lignes des courbures; ainsi l'eau forme des tourbillons qui suivent en partie l'impulsion du courant principal, et en partie les mouvements ascendants et incidents.
- La nage dans l'eau enseigne aux hommes comment font les oiseaux dans l'air. [...] La nage illustre la méthode du vol et démontre que le poids le plus large rencontre le plus de résistance dans l'air.
- Les courants des fleuves forment les montagnes. Les courants des fleuves sapent les montagnes.
- Toute partie tend à se réunir à son tout, pour échapper ainsi à sa propre imperfection.

Qui ne connaît pas la question de pure forme suivante, ou l'une de ses variations, conçue pour inspirer les lecteurs à réfléchir en terme de Connessione: «Si un papillon bat des ailes à Tokyo, cela affecte-t-il le temps qu'il fait à New York?» De nos jours, les théoriciens des systèmes s'entendent pour répondre à cette interrogation par un «Oui!» retentissant. Il y a cinq cents ans,

Telle un poème dont le tout est plus grand que la somme de ses parties, cette liste de « choses à faire » de Léonard évoque les principes de Curiosità et de Connessione.

Écris comment les nuages se forment et comment ils se résolvent,
quelle cause élève la vapeur aqueuse de la terre dans l'air,
et la cause des brumes et de l'épaississement de l'atmosphère,
et pourquoi elle semble tantôt plus azurée et tantôt moins.
Décris pareillement les régions de l'air,
la cause des neiges et de la grêle
et la contraction de l'eau qui durcit et forme la glace
et les figures nouvelles que la neige compose dans l'air,
et les arbres des pays froids avec les nouvelles formes des feuilles,
et les rochers de glaces,
et le givre qui dessine une flore nouvelle aux étranges feuilles...

Léonard, qui déjà pratiquait la théorie des sytèmes, nota : « Le poids d'un petit oiseau qui s'y pose suffit à déplacer la terre. »

Léonard multipliait ce genre d'annotations bizarres dans les marges de ses carnets. Au fil des ans, bon nombre d'érudits lui ont reproché l'aspect brouillon de ses observations, car ses carnets ne comportent pas de table des matières, de plan ou d'index. Il rédigeait ses notes apparemment au hasard, sautait d'un sujet à l'autre, et se répétait souvent. Mais les partisans de Léonard soulignent que, grâce à sa compréhension innée des rapprochements qui unissent tous les éléments de l'univers, les observations de Léonard demeurent tout à fait valables, quelles que soient leurs interdépendances. En d'autres termes, il ne lui était pas nécessaire de regrouper ses annotations en catégories ou d'en tracer le plan, car il en percevait d'instinct les rapprochements.

L'un des secrets de l'immense créativité de Léonard réside dans l'habitude qu'il a toujours eue de combiner et de réunir des éléments disparates de façon que ceux-ci forment de nouveaux motifs. Vasari relate une anecdote de l'enfance de Léonard à qui l'on avait demandé de peindre une rondache taillée par un fermier dans le tronc d'un figuier abattu. Se demandant ce qu'il pourrait y peindre « pour effrayer l'ennemi », le jeune Léonard « rassembla dans une pièce où il était seul à entrer lézards petits et gros, criquets, serpents, papillons, sauterelles, chauves-souris et autres animaux étranges ; en combinant cette multitude, il en tira un petit monstre horrible, épouvantable, au souffle empoisonné qui enflammait l'air autour de lui ».

Vasari ajoute que, lorsque Léonard dévoila la rondache à son père, qui la lui avait commandée, celui-ci en éprouva un tel choc et se dit si émerveillé par le talent prodigieux de son fils qu'il se procura une autre rondache chez un marchand et l'offrit au fermier reconnaissant, puis vendit cent ducats la rondache de Léonard à un marchand florentin (qui la renvendit à son tour pour trois cents ducats au duc de Milan).

Plusieurs années après, Léonard rédigea les notes suivantes : « Comment donner à un animal imaginaire une apparence naturelle. [...] Si donc tu veux donner apparence naturelle à une bête imaginaire, – supposons un dragon – prends la tête du mâtin ou du braque, les yeux du chat, les oreilles du porc-épic, le museau du lévrier, les sourcils du lion, les tempes d'un vieux coq et le col de la tortue. » Lorsqu'il logeait au Belvedere du Vatican, Léonard fit des ailes sur le dos d'un lézard, puis il lui ajouta des cornes et une barbe ; ainsi que le relate Vasari : « il le gardait dans une boîte pour faire fuir de peur tous les amis auxquels il le montrait ».

Un des dragons de Léonard.

Les dragons de Léonard sont exemplaires de sa grande aptitude à combiner et relier des éléments disparates. Étudiant l'essence de la beauté dans des milliers de figures humaines, il en rassemblait ensuite les éléments pour créer les visages parfaits de ses tableaux. Ses découvertes en acoustique lui furent inspirées par ses observations de l'eau. Dans ses carnets, Léonard compare la vitesse et la direction des rayons lumineux, la force de la percussion, la réverbération de l'écho, les trajectoires de l'aimant et les ondes d'odeurs.

La plupart de ses inventions et de ses dessins procèdent de combinaisons imaginaires et ludiques de différentes formes naturelles. On ne saurait minimiser le sérieux et l'intensité des recherches de Léonard, mais il se révèle tout de même très enjoué, comme le démontrent son goût de la plaisanterie, des énigmes et des dragons enfermés dans des boîtes. Freud affirme : « En effet, le grand Léonard fut un grand enfant tout au long de sa vie. [...] Même adulte, il n'avait pas perdu le goût du jeu, et c'est là une autre des raisons pour lesquelles ses contemporains le jugeaient bizarre et incompréhensible. » Le sérieux de Léonard l'incita à pénétrer l'essence des choses ; son sens du jeu lui permit de réaliser des rapprochements originaux et sans précédent.

La Connessione de Léonard prit naissance dans son amour de la nature et se développa tout au long de ses recherches sur l'anatomie humaine et animale. Dans ses travaux d'anatomie comparée, il a disséqué des chevaux, des vaches, des porcs, et bien d'autres animaux. Il a noté les dissemblances et les similitudes entre la langue d'un pivert et la mâchoire d'un crocodile. Il a relevé les rapprochements entre les pattes de la grenouille, les pieds de l'ours, les yeux du lion et les pupilles du hibou, et ces mêmes parties du corps humain. De toute évidence, ses études le portaient bien au-delà de ce qui lui était nécessaire pour bien représenter la figure humaine. Léonard étudia le corps humain dans sa globalité ; il y vit un système, un ensemble d'éléments coordonnés et interdépendants. Ne dit-il pas : «[...] je définirai les fonctions des parties de chaque côté, plaçant sous tes yeux la représentation de toute la figure et puissance de l'homme [...]».

Ses études anatomiques étaient pour lui une *«cosmografica del minor mondo»*, une « cosmographie du microcosme ». Son amour de la proportion naturelle du corps humain se reflétait dans ses travaux d'architecture et d'urbanisme. Sa compréhension de l'anatomie lui permit de comprendre que la terre était un système organique. Il dit :

> Les anciens ont appelé l'homme un microcosme, et en vérité cette épithète s'applique bien à lui. Car si l'homme est composé d'eau, d'air et de feu, il en va de même pour le corps de la terre ; et si l'homme a en lui une armature d'os pour sa chair, le monde a ses rochers, supports de la terre ; si l'homme recèle un lac de sang où les poumons, quand il respire, se dilatent et se contractent, le corps terrestre a son océan, qui croît et décroît toutes les six heures, avec la respiration de l'univers ; si de ce lac de sang partent les veines qui se ramifient à travers le corps humain, l'Océan emplit le corps de la terre, par une infinité de veines aqueuses.

LÉONARD ET LES PHILOSOPHIES ORIENTALES

Si, en dépit des hypothèses posées par bon nombre d'érudits selon lesquelles Léonard se serait rendu jusqu'en Orient, rien ne prouve qu'il ait jamais effectué un tel voyage ; il est certain cependant que le maître a formulé des concepts qui se retrouvent au cœur de la sagesse asiatique. Bramly compare certains des écrits de Léonard à des koans zen. *La Joconde* est l'affirmation suprême du principe du yin et du yang. Il a été le premier peintre occidental à faire du paysage le thème central d'un tableau, comme cela se faisait couramment en Orient. Le végétarisme de Léonard et son détachement des biens matériels rappellent l'hindouisme, et ils ne faisaient certes pas partie des mœurs de la Florence ou du Milan de la Renaissance. Léonard a également exprimé, à sa façon occidentale, la doctrine bouddhique du néant : « Le néant n'a point de centre, et ses limites sont le néant. » Il ajoute : « Des grandes choses qui se trouvent parmi nous, l'existence du néant est la plus grande. [...] Dans le domaine du temps, il se trouve, par essence, entre le passé et le futur, sans rien posséder du présent. Les parties de ce néant sont égales au tout et le tout est égal aux parties, le divisible à l'indivisible ; et que nous le divisions ou le multiplions ou l'additionnions ou y opérions une soustraction, tout cela revient au même [...]. »

Présageant la théorie de l'univers holographique que développera cinq cents ans plus tard David Bohm (théorie selon laquelle chaque atome renferme le «code génétique» de l'univers, tout comme l'A.D.N. renferme le code génétique d'un individu), Léonard écrivit que «[...] se déploie en cercles tout corps placé dans l'air lumineux, en emplissant les parties (d'air) environnantes d'une infinité de ses images; et il apparaît tout entier dans le tout et tout entier en chacune des *moindres* parties». Il ajouta: «Voilà les miracles... [...] Ici les figures, ici les couleurs, ici toutes les images de toutes les parties de l'univers sont concentrées en un point.» La théorie de Bohm inclut la notion d' «ordre implicite», de «structure profonde» reliant tous les éléments de l'univers. En 1980, Brohm affirma: «Tout est compris dans tout.» Cinq siècles auparavant, Léonard avait noté: «Toute chose naît de toute chose, et toute chose se fait de toute chose, et toute chose redevient toute chose [...].»

Muni de ses visions, de sa logique, de son imagination et d'un désir inlassable de connaître la vérité et la beauté, Léonard a su explorer les infinies nuances de la nature. Pourtant, plus ses expériences enrichissaient son savoir, plus ces mystères lui révélaient leur profondeur jusqu'à ce qu'il en tire la conclusion suivante: «La nature est pleine de causes infinies que l'expérience n'a jamais démontrées.» «Là où la science atteignait ses limites, l'art prenait la relève», dit Bramly, ajoutant que Léonard était «si profondément émerveillé et abasourdi par les mystères qu'il pouvait contempler sans parvenir à les élucider [... qu'] il mettait de côté ses scalpels, son compas et sa plume et il reprenait ses pinceaux».

Ainsi, c'est vers les tableaux et les dessins du maître que nous devons nous tourner pour découvrir sa suprême expression de la Connessione. Un œil perspicace y découvrira les rapports qui relient l'ensemble de son œuvre. Par exemple, son intuition d'un «ordre implicite» peut être décelée dans des œuvres aussi différentes que le *Baptême du Christ* de Verrocchio (dans les cheveux de l'ange), *La Sainte Vierge, l'Enfant Jésus et Sainte Anne* (dans la disposition des personnages), *La Joconde* (dans le paysage), et ses représentations du Déluge (dans les trombes d'eau).

De nombreux érudits ont souligné les rapports entre la philosophie spontanée de Léonard et son art, mais il est préférable que

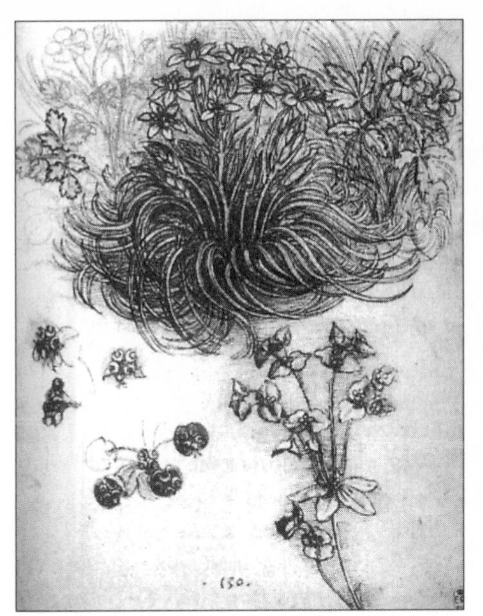

L'étoile de Bethléem.

Étude pour Le Déluge.

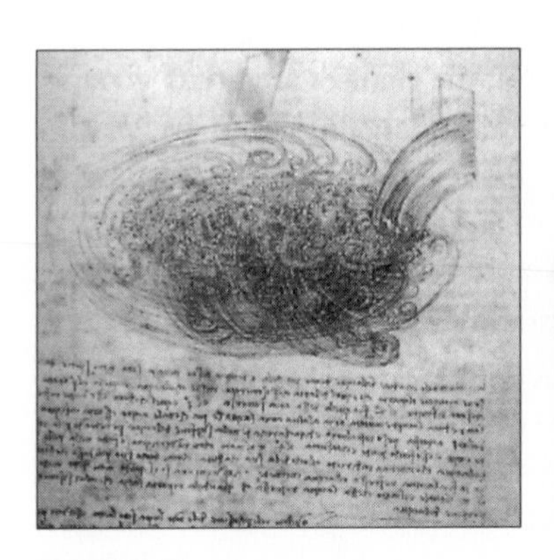

Tourbillon.

Cheveux.

vous découvriez ces rapprochement par vous-même. Que cette pensée de Platon vous y inspire :

> Il faut, sache-le, quand on va droitement à cette fin, que, dès la jeunesse, on commence par aller à la beauté physique [...] et par engendrer à cette occasion de beaux discours. Mais ensuite il lui faut comprendre que la beauté résidant en tel ou tel corps est sœur de la beauté qui réside en un autre, et que, si l'on doit poursuivre le beau dans une forme sensible, ce serait une insigne déraison de ne pas juger une et la même la beauté qui réside en tous les corps [...]1.

LA CONNESSIONE ET VOUS

Puisque vous avez poursuivi jusqu'ici votre lecture, il se peut que, tel Léonard, vous recherchiez les rapprochements. Sur le plan physique, nous désirons connaître en même temps la santé, l'affection et l'extase de l'union sexuelle. Sur le plan psychologique, nous désirons éprouver des sentiments d'appartenance, d'intimité et d'amour. Sur le plan intellectuel, nous recherchons des motifs et des rapports et nous aspirons à comprendre les systèmes. Sur le plan spirituel, nous prions pour nous unifier au divin.

Le présent chapitre vise à vous procurer les outils nécessaires à la création d'un interminable tissu de Connessione dans votre univers quotidien. Avant de vous adonner aux exercices, procédez à l'auto-évalutation de la page suivante.

---

1. Platon, *Le Banquet ou De l'amour,* traduit du grec par Léon Robin et M. J. Moreau, préface de François Châtelet, Paris, Gallimard, 1950, pour le texte principal et les notes, et 1973, pour la préface.

Connessione
Auto-évaluation

- ❑ Je possède une conscience écologique.
- ❑ J'aime les comparaisons, les analogies, les métaphores.
- ❑ Je perçois souvent des liens que d'autres ne voient pas.
- ❑ Lorsque je voyage, je suis plus sensible aux similitudes qu'aux différences.
- ❑ J'envisage l'alimentation, la santé et la guérison d'un point de vue holiste.
- ❑ J'ai un excellent sens des proportions.
- ❑ Je puis facilement décrire la dynamique (schémas, rapports, réseaux) de ma famille et de ma vie professionnelle.
- ❑ Je formule clairement mes objectifs et mes priorités et je sais les fondre à mes valeurs et à ma vision de l'existence.
- ❑ Je suis parfois profondément conscient de ma relation avec l'ensemble de la création.

> Pour Léonard, le paysage, comme l'être humain, faisait partie d'un grand ensemble dont il fallait comprendre chaque élément en même temps que le tout. Les rochers n'étaient pas que des silhouettes décoratives : ils faisaient partie intégrante de l'ossature de la terre, ils possédaient une anatomie en propre, procédant de quelque séisme ancien. Les nuages n'étaient pas que des coups de pinceau donnés au hasard par quelque artiste céleste, mais un amas de fines gouttelettes formées par l'évaporation des océans, qui se déverseraient à nouveau en pluie dans les rivières.
>
> — Kenneth Clark

CONNESSIONE
Mise en pratique et exercices

Méditation sur la globalité

Que signifie pour vous la globalité ? Exprimez votre notion de la globalité par un dessin, des gestes, une danse. Faites-vous l'expérience de la globalité dans votre vie quotidienne ? L'expérience de la déconnexion ? Décrivez la différence entre ces deux notions. Quelles sont les différentes parties ou les différents éléments de votre personnalité ? Ces éléments entrent-ils parfois en conflit ? En d'autres termes, arrive-t-il que vos émotions, votre intellect et votre corps soient en désaccord ? Dans l'affirmative, lequel de ces éléments domine les autres ? Décrivez quelques-unes des dynamiques de votre cerveau, de votre cœur et de votre corps, et efforcez-vous d'en tracer le diagramme.

Faites une séance d'écriture automatique sur l'observation de Léonard selon laquelle « toute partie tend à se réunir à son tout, pour échapper ainsi à sa propre imperfection ». En quoi cette observation vous concerne-t-elle ?

La dynamique familiale

La psychologie contemporaine insiste sur l'importance de bien connaître la dynamique familiale pour bien se comprendre soi-même. En répondant aux questions suivantes sur votre famille, vous pouvez recueillir des données importantes pour votre quête de globalité et de connaissance de soi :

- Quel est le rôle de chacun des membres de votre famille ?
- Comment ces rôles sont-ils interdépendants ?
- Quels sont les avantages d'une bonne répartition des rôles familiaux ?
- Quels en sont les inconvénients ?
- Quelle influence le stress a-t-il sur la dynamique familiale ?
- Quels schémas familiaux ont été transmis de génération en génération ?
- Quelles principales forces extérieures influent sur la dynamique familiale ?
- Quelle était cette dynamique familiale l'an dernier ? Il y a sept ans ? En quoi a-t-elle changé ? Que sera-t-elle dans un an ? Dans sept ans ?
- Comment les façons d'agir que vous avez développées dans votre famille affectent-elles votre comportement dans d'autres groupes sociaux ?
- En réfléchissant aux questions qui précèdent, efforcez-vous de tracer un diagramme de votre famille en tant que système.

La métaphore du corps

Recourez à la métaphore préférée de Léonard – le corps humain – pour explorer encore davantage votre schéma familial. Posez-vous les questions suivantes :

- Qui représente la tête de ma famille ?
- Qui en représente le cœur ?
- La tête et le cœur sont-ils en harmonie ?
- Quelle est la qualité de notre nourriture ?
- Quelle est la qualité de notre digestion et de notre assimilation ?
- Éliminons-nous les déchets correctement ?
- Quel est l'état de notre circulation ? Nos artères sont-elles bloquées ?
- À quoi ressemble notre colonne vertébrale ?
- Lesquels de nos sens sont les plus développés ? Les moins développés ?
- La main droite sait-elle ce que fait la main gauche ?
- Quel est notre état de santé ? Souffrons-nous d'affections chroniques, de douleurs de croissance, d'une maladie mortelle ?

- Nous efforçons-nous d'acquérir un meilleur maintien, plus de force, de souplesse et d'élégance ?

CRÉEZ DES DRAGONS

L'aptitude à déceler les rapports et les motifs, puis à créer des rapprochements et des liens incongrus est le fondement de la créativité. Les merveilleux dragons de Léonard, ainsi que bon nombre de ses inventions et de ses dessins, procédaient des rapprochements imaginatifs qu'il créait entre éléments apparemment disparates. Vous pouvez développer vos dons léonardiens en observant des éléments disparates en apparence, puis à découvrir des façons de les apparenter.

LA CONNESSIONE AU TRAVAIL

La tendance actuelle qui pousse les entreprises à créer des « réseaux d'apprentissage » et à rechercher la « qualité totale » est une tentative d'intégrer la Connessione à leur façon de voir. Peter Senge, auteur de *The Fifth Discipline : The Art and Practice of the Learning Organization,* souligne que l'évolution rapide et la complexité des réseaux nous force à développer « [...] une discipline qui nous permet de voir le tout [...], un état d'esprit qui facilite la perception non pas des éléments mais de ce qui les relie, des schémas plutôt que des instantanés ». Senge ajoute cette formule tout à fait léonardienne : « La réalité se compose de circonférences, mais nous n'y voyons que des lignes droites. »

Vous pouvez rehausser votre perception des circonférences et votre aptitude à mettre sur pied un « réseau d'apprentissage » en mettant en pratique le principe de Connessione dans les entreprises et les organismes dont vous faites partie. Choisissez un organisme et posez-vous les questions conçues pour mieux comprendre la « dynamique familiale » (vous pouvez remplacer le mot « personne » par les mots « département », « groupe de travail » ou « équipe »). Tracez ensuite un diagramme qui illustre la dynamique de cet organisme. Enfin, examinez cet organisme ou cette entreprise à la lumière du questionnaire sur la métaphore du corps.

Par exemple, quels rapports voyez-vous entre :

Une araignée et le réseau Internet ?
L'araignée tisse sa toile ; le réseau Internet vous permet de naviguer sur la toile du World Wide Web.

Un tapis oriental et la psychothérapie ?
Les tapis orientaux sont formés par la répétition de motifs compliqués ; il en va de même de votre psyché.

Comprenez-vous ? Efforcez-vous de relier de trois façons chacun des binômes suivants. Cet exercice constitue une excellente préparation à des séances de remue-méninges individuelles ou de groupe. Amusez-vous.
Tissez des liens entre les éléments suivants :

- Une feuille de chêne et une main humaine
- Un rire et un nœud
- Un bol de minestrone et les États-Unis
- Les mathématiques et *La Cène*
- Une queue de porc et une bouteille de vin
- Une girafe et une salade de chou
- Des croquis du *Déluge* et l'heure de pointe
- Un porc-épic et un ordinateur
- Des samourais et un jeu d'échecs
- « Rhapsody in Blue », de Gershwin, et la pluie
- Une tornade et des cheveux bouclés
- L'économie mondiale et un cèpe
- La jonglerie et votre carrière
- L'étoile de Bethléem et le principe de Connessione

Pour bien comprendre les schémas de votre univers personnel, réfléchissez à la façon dont ils réagissent à des circonstances extrêmes. Un mariage, une maladie grave, une naissance ou un décès vous éclaireront beaucoup sur votre dynamique familiale. Les objectifs et la valeur réelle d'une entreprise ne deviennent apparents qu'à la suite d'un trimestre décevant, d'un problème d'éthique ou d'un changement inattendu dans le profil du marché.

DIALOGUES IMAGINAIRES

Il y a quelques années, la presse a ridiculisé Hillary Clinton pour ses conversations imaginaires avec Eleanor Roosevelt. Mais ces « conversations » que nous avons avec un modèle imaginaire sont depuis longtemps réputées pouvoir nous procurer le recul dont nous avons besoin. Le grand poète italien Pétrarque les conseillait, et l'on s'y adonnait avec enthousiasme à l'Académie de Laurent de Médicis.

Choisissez un problème que vous désirez résoudre ou une question que vous aimeriez approfondir. En plus de réfléchir au point de vue qu'en aurait le maître, imaginez l'opinion de n'importe lequel de vos modèles ou « anti-modèles », ou celle d'un quelconque grand personnage de l'histoire. Vous vous amuserez et vous stimulerez encore plus votre créativité en imaginant que deux personnages, passés ou présents, réels ou imaginaires, débattent de cette question. Imaginez un dialogue au sujet de votre problème entre les couples de personnages ci-dessous :

- Le David de Michel-Ange et le saint Jean-Baptiste de Léonard
- Winona Ryder et Margaret Thatcher
- L'homme de « La proportion du corps humain » et Jane Austen
- Mohammed Ali et la Joconde
- Céline Dion et Nicolas Machiavel
- Miles Davis et Verrocchio
- Le Christ et Bouddha
- Bill Gates et Laurent le Magnifique
- Tout autre duo de votre choix

RÉFLEXION RADIANTE SUR L'ORIGINE

Dans le chapitre sur la Sensazione, je conseille aux lecteurs de faire une pause avant d'entamer leur repas et de se concentrer sur le moment présent. En plus de raffiner votre sens du goût, cette habitude vous aide à vous harmoniser périodiquement avec le principe de Connessione. Avant de

Tous les moyens sont bons quand il s'agit de faire des rapprochements

Quel rapport y a-t-il entre *La Cène* et les études pour le Déluge, de Léonard ? Un jour, il réconforta un mourant au moment de son passage serein dans l'autre monde. Quelques minutes après que le vieillard eut rendu son dernier soupir, Léonard entreprit une autopsie du cadavre, car une mort aussi paisible le fascinait. Dans sa quête de vérité, dans son désir de comprendre l'essence même de la nature, Léonard n'hésitait pas à recourir à des moyens extrêmes. Ses études anatomiques du coït, le banquet auquel il invita des personnages difformes et grotesques, son remarquable croquis de la pendaison de Bandinelli, ses machines de guerre fantasmagoriques, tout cela prouve qu'il savait d'instinct que, pour bien comprendre le fonctionnement de quelque chose, il faut l'explorer ou l'imaginer dans des conditions inhabituelles. Sa *Cène* se démarque de toutes celles qui l'ont précédée dans l'histoire de la peinture, car l'ensemble de cette fresque s'élabore autour du moment précis où le Christ affirme : « L'un de vous me trahira. » Ses études du Déluge, de l'inondation de la fin du monde, montrent les forces de la nature dans leur acharnement à tout détruire.

porter à la bouche votre première bouchée, réfléchissez aux origines du repas que vous vous apprêtez à savourer. Par exemple, hier soir, une amie et moi avons partagé un plat de linguine avec de l'ail, des olives, du poivre noir et du fromage pecorino, et une salade de laitue romaine, de tomates, de persil et de poivrons rouges grillés avec une vinaigrette composée d'huile d'olive, de jus de citron, d'ail et de pecorino. Pour accompagner ce repas typique du mardi soir, nous avons débouché une bouteille de Falesco Montiano 1995, un succulent merlot italien importé par Leonardo LoCasio. Avant de savourer ce repas, nous avons réfléchi à l'origine du bienfait qui nous était ainsi offert. La carte mentale de la page suivante illustre certaines des réflexions que nous avons formulées.

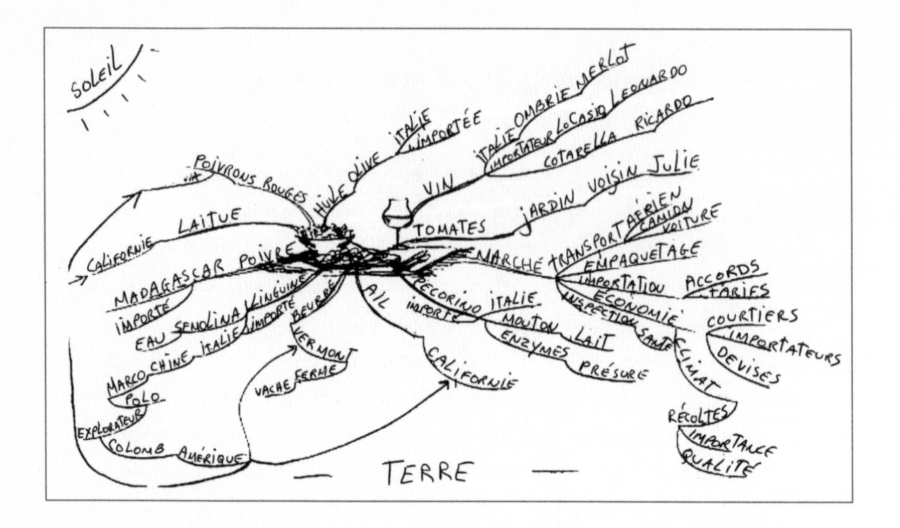

En réfléchissant à l'origine des choses, vous pénétrerez davantage le principe de Connessione. Le grand esprit moderne Buckminster Fuller avait la réputation de subjuguer son auditoire avec ses improvisations. Au lieu de préparer une conférence, Fuller demandait aux personnes venues l'entendre de lui suggérer un thème - n'importe quoi. Un jour, un étudiant d'université lui demanda de parler d'un verre en mousse de polyuréthane. Pendant deux heures, Fuller captiva son auditoire en discourant sur les origines de cette mousse : les progrès de la chimie qui permirent l'invention du polyuréthane, les aspects socio-économiques de sa production, ses conséquences culturelles et environnementales.

Ne vous contentez pas de réfléchir à l'origine du repas que vous allez prendre, mais choisissez l'un des objets suivants et réfléchissez à tous les aspects de sa création :

- Ce livre
- Les vêtements que vous portez aujourd'hui
- Votre montre
- Votre ordinateur
- Votre porte-monnaie ou votre sac à main
- N'importe quoi d'autre. Si vous faites cet exercice de temps à autre et que vous continuez à explorer l'origine des choses, vous constaterez inévitablement que le maître avait raison quand il disait que « toute chose naît de toute chose ».

MÉDITATION SUR LA RELATION ENTRE MICROCOSME ET MACROCOSME

En explorant l'origine des choses, Léonard en est venu à une compréhension profonde de la relation entre microcosme et macrocosme. Cette relation, perçue intuitivement et exprimée par de nombreuses sociétés, intéresse énormément la science contemporaine. Heisenberg, Mandelbrot, Prigogine, Pribram, Sheldrake, Bohm, Chopra et Pert, entre autres, ont posé les jalons de l'interprétation scientifique moderne de l'ancien dicton voulant que « Ce qui est en haut est comme ce qui est en bas ». Cette interprétation va de pair avec une expérience profonde de la Connessione. Ainsi que le souligne la neurobiologiste Candace Pert : « Ce qui est en haut est comme ce qui est en bas. Quiconque ne partage pas cette opinion souffre et subit les conséquences de sa séparation d'avec son origine, d'avec ce qui le fond à l'univers. »

En vous recentrant et en concentrant votre attention sur votre respiration, arrêtez-vous et méditez sur votre relation avec le microcosme et le macrocosme. Commencez par réfléchir au fonctionnement harmonieux de vos systèmes digestif, endocrinien, épithélial (peau), musculo-osseux, nerveux, circulatoire et immunitaire. Imaginez ensuite l'activité harmonieuse des tissus et des organes dont ces systèmes se composent : les os, les intestins, les muscles, l'estomac, le sang, les nerfs, le pancréas, le foie, le cœur et les reins. Pénétrez ensuite jusqu'au niveau cellulaire et réfléchissez aux milliards de cellules dont sont faits vos organes et vos tissus. Entrez encore plus profondément en vous-même, pénétrez jusqu'au niveau moléculaire ; imaginez les innombrables réseaux de molécules dont sont formées vos cellules. Pénétrez ensuite jusqu'au niveau subatomique, qui se compose d'environ 0,001 pour 100 de matière et de 99,999 pour 100 d'espace.

Tous ces sous-systèmes vous permettent d'exister. Vous-même êtes le sous-système d'une famille, d'un réseau social, d'un réseau professionnel et d'un réseau économique. Visualisez votre participation à ces différents systèmes. Imaginez le rôle que vous jouez dans l'éventail des réseaux de communication :

les câbles, les satellites, les fibres optiques, les circuits informatiques qui contribuent à vous relier à des millions d'autres cerveaux par téléphone, télécopieur, ordinateur, appareil de télévision ou de radio, ainsi que par les livres, journaux et périodiques. Imaginez-vous au cœur d'un réseau géopolitique, en tant que citoyen de votre municipalité, d'un État, d'une province ou d'une région, qui sont eux-mêmes les sous-systèmes d'une nation. Puis, visualisez votre rôle dans l'écosystème de votre région et de votre planète. Regardez cette planète par les yeux des astronautes, observez le rang qu'elle occupe au sein du système solaire et de la galaxie, dans un univers en expansion et en contraction composé d'environ un millième pour cent de matière et de quatre-vingt-dix-neuf pour cent d'espace.

MÉDITATION SUR LA CONNESSIONE

En raison du rythme effréné de la vie moderne, nous en venons à nous détacher du microcosme et du macrocosme. Il n'est pas facile de se remémorer les grandes vérités cosmiques

LA CONNESSIONE ET LES PARENTS

À mesure que les exercices sur la Dynamique familiale et la Métaphore du corps vous aideront à mieux comprendre le fonctionnement de votre cellule familiale, posez-vous les questions suivantes : Comment puis-je m'inspirer de ma plus grande perception des mécanismes familiaux pour devenir une mère ou un père plus aimant ? Comment puis-je éviter de transmettre à mes enfants les problèmes irrésolus et les vestiges de la dynamique familiale qui m'ont été légués par mes parents ?

Dans une optique plus amusante, les exercices « Créez des dragons » et « Dialogues imaginaires » peuvent facilement être adaptés aux besoins des enfants ; ils stimuleront leur créativité. L'exercice sur la « Réflexion radiante » est particulièrement enrichissant et inculquera à votre enfant la notion selon laquelle « toute chose vient de toute chose ».

lorsqu'on se hâte de venir à bout d'une tâche, que l'on s'occupe des enfants, ou qu'on affronte la circulation de l'heure de pointe. La méditation que nous vous proposons ci-après a pour but de ramener la Connessione dans votre vie de tous les jours.

Installez-vous dans une pièce calme. Posez les pieds à plat au sol, redressez et étirez votre colonne vertébrale. Fermez les yeux et concentrez-vous sur votre respiration. Soyez conscient du passage de l'air dans vos narines lorsque vous inspirez. Expirez par le nez et portez attention à l'expulsion de l'air. Continuez à vous concentrer sur votre respiration sans en changer le rythme, pendant dix à vingt minutes. Si vous êtes distrait, concentrez-vous sur la sensation que vous procure l'air que vous inspirez et expirez.

> Il a trouvé [...] Dieu dans la miraculeuse beauté de la lumière, dans le mouvement harmonieux des planètes, dans la disposition complexe des muscles et des nerf du corps humain, et dans ce chef-d'œuvre inexprimable qu'est l'âme humaine.
>
> — SERGE BRAMLY, À PROPOS DE LA SPIRITUALITÉ DE LÉONARD

Cette méditation se traduit chez la plupart des gens par une sensation de calme et de bien-être. Nous respirons toujours maintenant, tandis que nous associons nos inquiétudes et nos anxiétés au passé ou à l'avenir. Qui plus est, le rythme respiratoire vous harmonise aux rythmes de la création, au mouvement des marées, au passage du jour à la nuit. Vous partagez l'air que vous respirez avec toutes les créatures vivantes. Vos êtres chers, votre chien ou votre chat, les Républicains, les Démocrates, les Libéraux ou les Péquistes - tous respirent le même air. Le vieillard qui soupire en Azerbaijan, le bébé qui hurle à Myanmar, les magnats de la finance qui ricanent dans leurs bureaux de Wall Street, les adolescents qui s'agitent sur une plage de Malibu, les amants qui crient de plaisir dans leur chambre et les mendiants qui se lamentent dans les rues de Calcutta - tous respirent le même air.

Une méditation de vingt minutes vous procurera d'énormes bienfaits. Mais il n'est pas toujours facile de trouver vingt minutes de liberté. Par conséquent, efforcez-vous plusieurs fois par jour de vous concentrer sur votre respiration. Quand vous êtes très occupé, projetez une ou deux pauses brèves au cours desquelles vous vous concentrerez sur sept inspirations/expirations. Quand vous êtes extrêmement occupé, assurez-vous de vous concentrer sur une respiration profonde au moins. Ces petites oasis de concentration vous aideront à vous brancher sur vous-même, sur la nature et sur l'univers tout entier.

LE FLEUVE DE LA VIE ET DU TEMPS

Les livres d'histoire comportent souvent une chronologie des grands événements d'une époque, en les mettant parfois en parallèle avec la vie d'un personnage important. Une chronologie personnelle vous donnera une vue d'ensemble de votre propre vie. Rédigez votre propre chronologie en y indiquant tous les événements personnels et mondiaux qui vous ont marqué.

Ensuite, visualisez votre vie comme si elle était un fleuve. Imaginez sa source, peut-être aussi la cime enneigée d'une montagne. Votre destination, dans cette vie, c'est l'océan.

Décrivez les barrages de votre fleuve-vie, ses digues, ses remous, ses tourbillons, ses rapides et ses chutes. Où ses affluents le rejoignent-ils, où se déverse-t-il dans un lac ? Votre fleuve-vie est-il profond ? Son eau est-elle pure ? Gèle-t-il ? S'assèche-t-il ? Déborde-t-il ? S'écoule-t-il aussi sous terre ? Est-il poissonneux? Les habitants de ses rives y trouvent-ils leur subsistance ? Observez le courant de votre vie. Léonard a dit : « Dans les fleuves, l'eau que tu touches est la dernière des ondes écoulées et la première des ondes qui arrivent : ainsi du temps présent. »

Exercez votre liberté de choix, en ce moment précis, pour modifier le cours et la qualité du fleuve de votre existence.

«PENSE BIEN À LA FIN»

Il n'est pas facile de croire Vasari lorsqu'il affirme que, sur son lit de mort, Léonard éprouvait du repentir et déclara

« avoir offensé Dieu et les hommes en ne travaillant pas dans son art comme il aurait dû». Nous savons, toutefois, qu'en ses moments de désespoir, le maître a écrit : «*Dimmi se mai fu fatto alcuna cosa...*» - « Dis-moi si jamais rien fut fait... » Léonard a abandonné de nombreux projets en cours de réalisation, mais quand il s'est éteint dans les bras du roi de France, lui-même n'aurait pu imaginer la richesse de ce qu'il nous léguait.

Léonard fut le suprême « homme d'idées ». Bien sûr, ses aptitudes et ses talents demeurent inégalés dans tous les domaines, mais sa plus grande force ne résidait pas dans la réalisation. Avec l'âge, comme il prenait conscience de sa propre finitude, il insista de plus en plus souvent sur l'importance de se fixer des objectifs clairs et de s'efforcer de les réaliser. Dans ses dernières années, il écrivit plusieurs fois « Pense bien à la fin » et « Considère en premier lieu la fin ». Il a même dessiné ses objectifs personnels.

Vous réaliserez plus facilement vos objectifs avec l'aide d'un simple acronyme - CROIRE à vos objectifs.

C – Chronologie : Rédigez une chronologie claire de la réalisation de vos objectifs.

R – Réalisme : Fixez-vous des objectifs ambitieux mais réalistes. Ainsi que le disait Léonard, il convient de : « Ne point désirer l'impossible. »

O – Opportunité : Assurez-vous que vos objectifs sont opportuns et qu'ils s'accordent à votre vision du monde et à votre sens des valeurs.

I – Itinéraire : Décidez comment vous mesurerez votre progrès et, ce qui est plus important encore, comment vous saurez que vous êtes parvenu au bout de votre itinéraire.

R – Responsabilité : Engagez-vous pleinement ; affirmez votre responsabilité dans la poursuite de vos objectifs. Lorsque vous établissez des objectifs communs, veillez à ce que chacun assume sa part de responsabilité.

E – Exactitude : Définissez exactement et en détail ce que vous souhaitez accomplir.

Avant d'entreprendre le dernier exercice, qui a, entre autres buts, celui de vous guider dans la formulation d'objectifs auxquels vous pourrez CROIRE, préparez le terrain en «[pensant] bien à la fin». Songez à ce que vous aimeriez léguer aux générations futures. Écrivez votre propre homélie; adoptez le point de vue des membres de votre famille, de vos amis, de vos collègues de travail, et de votre groupe social. Comment aimeriez-vous que l'on se souvienne de vous?

RÉALISEZ LA CARTE MAÎTRESSE DE VOTRE VIE

L'un des buts de *Pensez comme Léonard de Vinci* est de vous procurer les moyens de faire de votre vie une œuvre d'art. Pour y parvenir, réalisez d'abord une œuvre d'art inspirée de votre vie en vous adonnant à l'exercice qui suit.

Vous observerez votre vie - vos objectifs, vos valeurs, vos priorités et votre vision du monde - dans une optique de Connessione. Il est trop facile de traverser l'existence sans savoir *exactement* ce que nous voulons. Bien sûr, nous réfléchissons tous de temps à autre à notre carrière, à nos relations personnelles et à notre situation financière. Un grand nombre de personnes se consacrent au travail, à l'élaboration d'idées, d'objectifs et de stratégies. Mais rarement, sinon jamais, avons-nous une vue d'ensemble de nos aspirations et de leur interdépendance.

Une carte maîtresse de votre vie vous procurera les avantages suivants:

- En regroupant sur une seule feuille de papier vos aspirations et vos valeurs, vous prenez conscience de la présence - ou de l'absence - de Connessione dans votre vie.
- En comprenant la façon dont tout ce qui compose votre vie est en relation avec tout le reste, vous êtes mieux en mesure de surmonter l'incoordination, les conflits et les zones d'ombre qui vous empêchent de réaliser vos objectifs et vos rêves.
- En vous représentant vos aspirations et vos priorités au moyen de mots clés et de symboles, vous unifiez en vous l'Arte et la Scienza et vous stimulez votre créativité.

Pour profiter au maximum de cet exercice transformateur, il conviendrait que vous lui consacriez une heure par jour au moins pendant sept jours - pas forcément consécutifs, mais répartis sur une période maximale de trois semaines. Installez-vous dans votre propre version de l'atelier du maître : au lieu de toiles et de pinceaux, utilisez des feutres de couleur et de grandes feuilles de papier blanc. Écoutez de la musique et agrémentez cette ambiance de vos parfums favoris.

Première journée : faites le portrait de vos rêves

- *Créez votre «impresa» personnelle* (*impresa*: emblème) - L'impresa était le logo personnalisé des érudits, des nobles et des princes de la Renaissance. Créez votre logo, ou impresa personnelle. Prenez votre temps, afin qu'émerge un symbole très représentatif. Cette impresa deviendra l'image centrale de votre carte de vie.
- *Créez une «sprezzatura» de vos aspirations* (*sprezzatura* : littéralement, négligence, ou brouillon) - Tracez votre impresa au centre de la feuille. Faites rayonner des lignes à partir de ce symbole ; au-dessus de chacune, tracez un mot clé en lettres moulées ou une image représentant les points saillants de votre vie : entourage, carrière, finances, domicile, biens matériels, spiritualité, loisirs, santé, service, voyages, apprentissage, soi. (Illustrez ces différents domaines de la façon la plus personnelle possible ; n'hésitez pas à ajouter des catégories à celles que nous venons d'énumérer, à en retrancher ou à les modifier.) Cette première version est une *sprezzatura*, un croquis spontané et brouillon de la «vue d'ensemble» de votre vie. Pour chacune de ces catégories, posez-vous la question suivante : «Qu'est-ce que je veux ?»

Examinez ce brouillon et posez-vous la question suivante : «Ai-je illustré tous les points saillants de ma vie ? Si je pouvais avoir, faire ou être quoi que ce soit, de quoi s'agirait-il ?»

Deuxième journée : explorez vos aspirations

Dessinez votre impresa au centre d'une feuille vierge. Tracez maintenant une carte mieux ordonnée de vos aspirations, en illustrant chacun des domaines importants de votre vie par des symboles de couleurs vives. De chacun des rameaux qui représentent ces catégories principales (finances, santé, etc.), faites rayonner des radicelles au-dessus desquelles vous écrirez des mots ou dessinerez des symboles pour exprimer plus en détail les aspirations qui correspondent à chacun de ces domaines. Explorez chaque rameau en profondeur.

- Entourage - Quelles personnes comptent le plus pour moi ? Quelles seraient pour moi les qualités d'une relation idéale ?
- Carrière - Quel est mon plus grand objectif professionnel ? Quelles sont mes aspirations professionnelles à court et à moyen terme ? Quelle serait ma profession idéale ?
- Finances - Quel est le revenu dont j'ai besoin pour réaliser toutes mes aspirations ?
- Domicile - Quel serait mon milieu de vie idéal ?
- Biens matériels - Quels sont les biens auxquels j'accorde le plus d'importance ?
- Spiritualité - Quel type de relation aimerais-je avoir avec Dieu ? Comment puis-je attirer sur moi sa grâce ?
- Santé - Quels sont mes objectifs de bonne forme physique ? De quelle sorte d'énergie pourrais-je profiter le mieux ?
- Plaisir - Qu'est-ce qui m'occasionnerait le plus de joie ?
- Service - Qu'aimerais-je faire pour aider mon prochain ?
- Voyages - Où aimerais-je aller ?
- Apprentissage - Si je pouvais apprendre n'importe quoi, de quoi s'agirait-il ?
- Soi - Quel genre de personne aimerais-je être ? Quelles qualités aimerais-je développer ?

En mettant tous vos sens à contribution, visualisez ce que vous aimeriez réaliser dans chacune de ces catégories. Vous pourriez aussi tracer une carte spécifique pour chacune de vos aspirations, puis les combiner pour en faire votre carte maîtresse.

Troisième journée : clarifiez vos valeurs personnelles

Vos aspirations répondent à la question « Qu'est-ce que je veux ? » L'analyse de vos valeurs répond à la question « Pourquoi est-ce cela que je veux ? » Réfléchissez à chacune de vos

Début d'une carte de vie.

aspirations en vous demandant « pourquoi » elles sont importantes. Pour chacune, posez-vous aussi la question suivante : « Que m'apportera la réalisation de cet objectif ? »

Demandez-vous : « Jusqu'à quel point mes aspirations me sont-elles dictées par le conditionnement que m'ont inculqué mes parents, ma formation religieuse, les experts ? Dans quelle mesure mes souhaits sont-ils une réaction à, ou une révolte contre ce conditionnement ? Dans quelle mesure mes aspirations sont-elles issues de ma nature profonde et sans rapport avec mon conditionnement ou mes réactions à ce conditionnement ? »

En méditant les motivations qui sous-tendent vos aspirations, vous mettez en perspective vos valeurs profondes. Cet exercice a pour but de les clarifier. Vous trouverez ci-dessous une liste de valeurs personnelles. (N'hésitez pas à l'enrichir.) Lisez cette liste et notez la réaction que vous inspire chacun de ces mots clés. Quels sont ceux qui vous frappent le plus ? Choisissez les dix mots qui vous touchent le plus profondément et rangez-les par ordre d'importance.

amabilité	discipline	intuition	respect
amitié	diversité	justice	responsabilité
amour	divertissement	liberté	sagesse
apprentissage	écologie	loyauté	sécurité
argent	enjouement	mode	sensibilité
authenticité	enseignement	nature	sérénité
autorité	enthousiasme	nouveauté	spiritualité
aventure	excellence	ordre	spontanéité
beauté	expression	originalité	stabilité
charité	famille	passion	statut
communauté	générosité	patriotisme	subtilité
compassion	honnêteté	perfection	temps
concurrence	humeur	plaisir	tradition
connaissance	humilité	pouvoir	travail
conscience	imagination	reconnaissance	vérité
créativité	indépendance	réalisation	victoire
croissance	intégrité	religion	

VALEURS ET CONSEILS DE LÉONARD

Outre sa sagesse artistique et scientifique, Léonard a partagé avec nous ses observations, ses intuitions et ses conseils dans un grand éventail de domaines dont l'éthique, les relations humaines et la plénitude spirituelle. En mettant au point votre carte de vie, méditez quelques-unes de ses exhortations.

Sur le matérialisme et l'ambition

« Ne te promets ni ne fais aucune chose dont la privation entraînerait pour toi une souffrance matérielle. »

« Heureux le domaine qui est sous l'œil de son maître. »

« Aux ambitieux que ni le don de la vie ni la beauté du monde ne suffisent à satisfaire, il est imposé comme châtiment qu'ils gaspillent la vie et ne possèdent ni les avantages ni la beauté du monde. »

« Qui possède plus de biens doit avoir plus grande peur de les perdre. »

Sur l'éthique et la responsabilité personnelle

« La justice requiert de la puissance, de l'intelligence et de la volonté. »

« Point de seigneurie plus grande ou moindre que sur soi-même. »

« Qui néglige de punir le mal, le sanctionne. »

« Qui marche droit tombe rarement. »

« L'homme mérite la louange ou le blâme uniquement en raison des actions qu'il est en son pouvoir de faire ou de ne pas faire. » (Sentence empruntée à Aristote)

Sur les relations avec les autres

« Prends conseil de qui se gouverne bien. »

« La mémoire des bienfaits est fragile au regard de l'ingratitude. »

« Reprends un ami en secret, mais loue-le devant autrui. »

« La Patience sert de défense contre les injures, comme les vêtements contre le froid. »

Sur l'amour

« Jouissance – aimer l'objet pour lui-même et pour nul autre motif. »

« L'amour de quoi que ce soit est issu de la connaissance et (il est) d'autant plus fervent qu'elle est plus certaine. »

Léonard aimait à citer le vieux diction latin « *Amor vincit omnia* », « L'amour triomphe de tout ».

Réfléchissez à vos dix valeurs fondamentales. Vos aspirations reflètent-elles vos valeurs ? Dans quels domaines de votre vie s'expriment-elles le mieux? Quels domaines vous en éloignent ?

Créez ensuite une image ou un symbole pour représenter chacune de vos valeurs fondamentales.

Quatrième journée : méditez sur le but de votre existence

Certaines personnes semblent être venues au monde avec une conscience parfaite du but de leur existence. Par exemple, Léonard a toujours placé la quête de vérité et de beauté au centre de sa vie. Mais dans la plupart des cas, nous devons beaucoup réfléchir avant de connaître notre raison de vivre. Pour connaître votre raison de vivre, méditez la question « Quel est le but de mon existence ? » jusqu'à ce que la réponse vous soit donnée. En attendant, faites l'exercice suivant ; il rendra cet éclairement possible.

- Faites une séance d'écriture automatique sur le thème « Ce que n'est pas mon but dans la vie ». En éliminant ainsi le négatif, vous découvrirez plus facilement votre but véritable.
- Formulez, en vingt-cinq mots ou moins, votre raison de vivre présente, au meilleur de votre connaissance. Modifiez cette « Déclaration » une fois par mois tant que vous ne ressentirez pas un frisson d'énergie s'emparer de vous à sa lecture.
- Vous saurez quels sont la raison et le but de votre existence quand toutes vos cellules vous diront : « Oui ! »

Cinquième journée : évaluez votre vie présente

Relisez la liste des différents secteurs de votre vie en évaluant vos réalisations avec le plus d'objectivité possible. Demandez aussi à une personne de confiance qu'elle vous fasse part de son point de vue. Posez-vous les questions suivantes.

- Entourage – Quelle est la qualité présente de mes relations avec mon entourage ?
- Carrière – Où en suis-je dans ma carrière ?

- Finances - Quelle est ma situation financière ? Quelle est ma valeur nette, quelles sont mes dettes, quel est mon revenu, quel revenu suis-je en mesure de produire ?
- Domicile - Quel est mon milieu de vie présent ?
- Biens matériels - Qu'est-ce que je possède ?
- Spiritualité - Quelle est ma relation avec Dieu ?
- Santé - Dans quelle forme suis-je ? Quelle est la qualité de mon énergie présente ?
- Plaisir - Est-ce que j'aime la vie ?
- Service - Qu'est-ce que je fais pour les autres ?
- Voyages - Où suis-je allé ?
- Apprentissage - Quelles sont les plus grandes lacunes de mon éducation ?
- Soi - Quel genre de personne suis-je présentement ? Quelles sont mes forces et mes faiblesses ?
- Valeurs - Quelle est la différence entre les valeurs auxquelles j'aspire et celles que je possède actuellement à en juger d'après mes actes et mes comportements ?

Sixième journée : cherchez les rapprochements

Dessinez une nouvelle carte mentale qui englobe toutes vos aspirations, et n'oubliez pas les rameaux représentant vos valeurs et le but de votre existence. Soignez le tracé de votre *impresa* et de vos autres symboles. Assurez-vous que ceux-ci sont colorés et vivants. Après avoir illustré vos aspirations, vos valeurs et le but de votre existence sur une grande feuille de papier, fixez votre chef-d'œuvre au mur, chez vous ou au travail. Réfléchissez ensuite aux questions suivantes.

- Certains mots clés reviennent-ils souvent dans ma carte mentale ? Suggèrent-ils un thème récurrent ?
- Mes aspirations reflètent-elles mes valeurs et le but de mon existence ?
- Ma vie est-elle équilibrée - mes aspirations, mes valeurs et ma raison de vivre s'harmonisent-elles et se soutiennent-elles les unes les autres ? Le maître a écrit : « La proportion ne se trouve pas seulement dans les nombres et mesures, mais aussi dans les sons, poids, temps, positions et en quelque puissance qui existe. »

Réglez votre course sur une étoile

Les stratégies les mieux élaborées se déroulent rarement comme prévu. Mais contrairement à ce que l'on pourrait croire, les meilleurs improvisateurs n'y vont pas « au pif » ; ils préparent un plan consciencieux qu'ils adaptent ensuite au gré des circonstances.

Vous êtes seul maître à bord de votre navire, mais vous n'avez aucun pouvoir sur le temps qu'il fait. Parfois, la mer est calme ; en d'autres temps, nous affrontons des grains, des ouragans et des tsunamis. Léonard disait : « Qui règle sa course sur une étoile, ne change pas. » Réglez votre course sur une étoile, et apprêtez-vous à affronter les éléments et à contourner des écueils imprévus.

Depuis 1975, j'ai vu des milliers de personnes partout dans le monde recourir à la cartographie mentale pour clarifier et réaliser leurs aspirations. Au fil des ans, j'ai raffiné ma méthode et je l'ai bien sûr mise en pratique dans ma propre vie. En 1987, à l'âge de trente-cinq ans, j'ai consacré beaucoup d'énergie à la réalisation de ma carte mentale maîtresse, en insistant sur ce que je voulais accomplir avant mon quarantième anniversaire. La grâce m'a souri. Presque tout ce que j'avais visualisé à cette époque – sur les plans professionnel, financier et personnel – s'est accompli. À quarante ans, j'ai refait le même exercice en me concentrant sur les cinq années suivantes, et la plupart de mes rêves se sont réalisés encore une fois. J'ai maintenant quarante-cinq ans, et je refais une fois de plus le même exercice.

Bien entendu, ma carte mentale maîtresse ne m'a pas protégé comme par magie des déceptions, des angoisses et des chagrins qui sont le lot de chacun de nous. J'ai eu ma part de grains, d'ouragans, et même de tsunamis. Mais ce processus m'a été d'un inestimable secours dans ma course aux étoiles. J'espère sincèrement qu'il en sera de même pour vous.

Posez-vous les questions suivantes: Comment ma carrière influence-t-elle ma santé et mon dynamisme ? Comment ma santé et mon dynamisme influencent-ils mes relations ? Comment mes relations reflètent-elles ma spiritualité ? Quelle est l'interdépendance entre ma spiritualité, ma situation financière et mes biens matériels ? Comment ma situation financière influence-t-elle mon attitude face à l'apprentissage et au voyage ? Suis-je à la recherche d'un équilibre entre altruisme et plaisir ?

- Quelles sont mes priorités ?
- Est-ce que ma façon de travailler, de communiquer avec les autres, d'apprendre, d'aimer, de me détendre et de gérer mon temps et mon argent contribuent à me rapprocher de mes aspirations et du but de mon existence ?

Quand vous aurez terminé l'examen des liens et de l'harmonie qui unissent vos aspirations à votre vie présente, recherchez les réponses aux questions suivantes : « Où se situent les plus grands écarts entre ce que je veux et ce que je possède ? Ai-je bien « mis le cap » sur mes aspirations les plus importantes ? Quels « changements de cap » dois-je faire pour rééquilibrer ma vie ?

Et voici enfin la question la plus importante que doivent se poser les artistes de la vie : Suis-je disposé à préserver la tension créatrice qui sépare mes idéaux de ma réalité présente ? Bien entendu, il est beaucoup plus facile de préserver cette tension si vous disposez d'une stratégie qui vous permettra de combler l'écart entre les deux.

Septième journée : élaborez une stratégie de changement

Vous définissez vos aspirations et votre raison de vivre en méditant sur la question : « Qu'est-ce que je veux ? »

Vous clarifiez vos valeurs et le but de votre existence en méditant sur la question : « Pourquoi est-ce là ce que je veux ? »

Vous élaborez une stratégie en répondant à la question : « Comment atteindrai-je mes buts ? »

Revenez à votre idéal d'homélie, puis réfléchissez à chacune de vos aspirations et déterminez les ressources et les investissements qui seront nécessaires à leur réalisation.

- Traduisez votre carte mentale d'abord en plan quinquennal, puis réduisez celui-ci à une version réalisable en un an.
- Lorsque vous aurez complété votre carte annuelle, revoyez la liste de vos aspirations pour vous assurer que vous pourrez y CROIRE. Formulez ensuite une affirmation se rapportant à chacun des grands secteurs de votre vie.
- Décidez ensuite des étapes à franchir cette semaine vers la réalisation de vos objectifs.
- Au début de chaque semaine, consacrez de vingt à trente minutes à la création d'une carte hebdomadaire de vos priorités et de vos projets. Assignez un code de couleur à chacun des domaines de votre vie. Vos priorités vous apparaîtront alors avec beaucoup plus de netteté.
- Observez le tableau de vos objectifs hebdomadaires. Votre semaine ressemble-t-elle à un arc-en-ciel ou à une masse monochrome ? Avez-vous prévu des plages de temps suffisantes pour le maintien de votre santé et pour votre développement personnel et spirituel ?
- En examinant votre carte hebdomadaire, demandez-vous de quelle façon chacune des activités prévues contribuera à la réalisation de vos aspirations.
- Enfin, chaque jour, tracez une carte quotidienne de votre vie. Si vous pouvez consacrer chaque matin dix ou quinze minutes à la préparation de la carte de vos aspirations et priorités quotidiennes, vous serez mieux en mesure d'aborder les défis de chaque jour dans une optique de Connessione.

Révision léonardienne

Examinez votre carte de vie en tenant compte des sept principes léonardiens.

Curiosità – Est-ce que je pose les bonnes questions ?

Dimostrazione – Comment puis-je mieux profiter de mes erreurs et de mes expériences ? Comment puis-je développer mon indépendance d'esprit ?

Sensazione – Qu'est-ce que je compte faire pour raffiner mes sens en vieillissant ?

Sfumato – Comment puis-je mieux préserver en moi la tension créatrice et embrasser les grands paradoxes de l'existence ?

Arte/Scienza – À la maison et au travail, l'Arte et la Scienza sont-ils bien répartis ?

Corporalità – Comment puis-je mieux équilibrer mon esprit et mon corps ?

Connessione – Comment puis-je relier tout ce qui précède ? Quelle est la relation entre chaque chose et tout le reste ?

Révisez vos réponses aux différents questionnaires d'auto-évaluation des chapitres précédents et demandez-vous si vos réponses ont changé depuis que vous avez entrepris la lecture de ce livre.

Conclusion

Le legs de Léonard.

Dans l'un des rares écrits de Léonard où il témoigne de ses émotions personnelles, un témoignage qui évoque la métaphore platonicienne de la caverne, il écrivit un jour :

> Poussé par un désir ardent, anxieux de voir l'abondance des formes variées et étranges que crée l'artificieuse nature, ayant cheminé sur une certaine distance entre les rocs surplombants, j'arrivai à l'orifice d'une grande caverne, et m'y arrêtai un moment, frappé de stupeur, car je ne m'étais pas douté de son existence ; le dos arqué, la main gauche étreignant mon genou tandis que de la droite j'ombrageais mes sourcils abaissés et froncés, je me penchais continuellement, de côté et d'autre, pour voir si je ne pouvais rien discerner à l'intérieur, malgré l'intensité des ténèbres qui y régnaient. Après être resté ainsi un temps, deux émotions s'éveillèrent soudain en moi : crainte et désir ; crainte de la sombre caverne menaçante, désir de voir si elle recelait quelque merveille.

Dans son essence, l'héritage de Léonard est cette certitude instinctive que la sagesse et la lumière triompheront de la peur et des ténèbres. Dans son inépuisable quête de vérité et de beauté, l'expérience et la perception ont présidé au mariage de l'art et de la science. Sa fusion exceptionnelle de la logique et de l'imagination, de la raison et du romantisme, a défié, inspiré et ébahi les érudits de toutes les époques. Le plus grand homme de science et le plus grand artiste de l'histoire a atteint une grandeur mythique. En notre époque de spécialisation et de fragmentation, l'entièreté de Léonard de Vinci nous guide tel un phare et nous rappelle ce que signifie pour l'être humain d'avoir été façonné à l'image de notre Créateur.

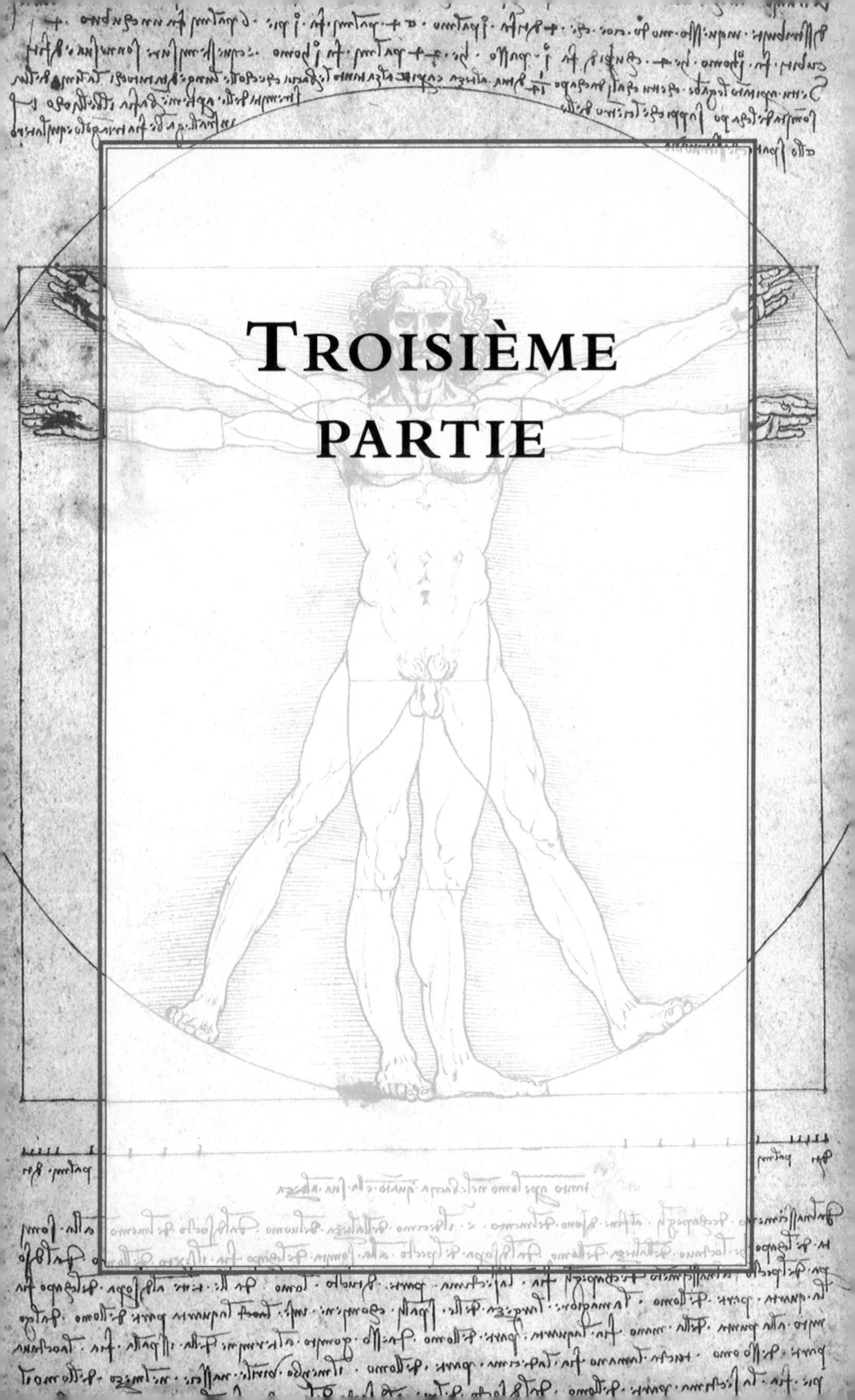

Troisième partie

Cours de dessin léonardien pour débutants

Léonard affirmait que le dessin était le fondement de la peinture et de l'observation. Pour le maître, le dessin était beaucoup plus que de la simple illustration ; c'était la clé qui permettait de comprendre l'univers et la créativité. Pour quiconque aspire à imiter Léonard, l'apprentissage du dessin est le meilleur moyen de raffiner son sens de l'observation et son aptitude créatrice.

Ô miraculeuse, ô stupéfiante Nécessité [...] Ô phénomène insigne ! Quel talent peut se vanter de pénétrer ainsi la nature ? Quelle langue pourra exposer un si grand prodige ? Aucune, en vérité. Voilà ce qui guide le discours humain vers la considération des choses divines.

— LÉONARD, SUR LE MIRACLE DE L'ŒIL HUMAIN

De nombreuses personnes hésitent à dessiner, car elles sont convaincues de n'avoir « aucun talent ». Je le sais, car c'était aussi mon cas. À l'école élémentaire, nous avions des « classes de dessin » deux fois la semaine. Je détestais cela. Je n'avais aucun talent particulier et je me renfrognais chaque fois que mon professeur critiquait mes maladroites représentations d'avions ou de maisons. J'ai grandi avec cette certitude : « Je ne peux pas dessiner. Je n'ai pas de talent », et pendant de nombreuses années, je m'en suis donné la preuve. Par la suite, quand je me suis intéressé à la Renaissance, j'ai décidé de prendre des leçons de dessin. J'ai découvert, comme vous le découvrirez aussi j'espère, que dessiner est amusant et contribue à élargir notre vision du monde.

Les sept affirmations qui suivent vous aideront à trouver du plaisir à dessiner et à faire des progrès rapides.

1. *Vous savez dessiner.* Si vous savez regarder, vous savez dessiner. Le dessin est facile, naturel et amusant. Comme tout le reste, le dessin requiert de la pratique, un réel désir d'apprendre et de la concentration.

2. *Le but du dessin est la découverte*. Les dessins de Léonard reflètent ses observations. Ils rendent compte de ses découvertes de la nature des choses. Abordez le dessin dans cet esprit ; il vous ouvrira les portes de l'inconnu.
3. *On dessine pour soi*. Léonard ne dessinait pas pour plaire aux autres. Il dessinait par amour du dessin. Si l'on en juge par la quantité de dessins que renferment ses volumineux carnets inédits, l'acte de dessiner lui importait beaucoup plus que le produit fini. En apprenant à dessiner pour votre propre plaisir, vous raffinerez vos intuitions et vous vous y plairez davantage.
4. *Il se peut que vous ne sachiez pas voir les choses telles qu'elles sont*. On ne découvre jamais rien de neuf sans d'abord relâcher notre emprise sur le passé. La manie de la comparaison que nous avons développée est sans doute ce qui met le plus un frein à notre aptitude au dessin. L'expression anglaise « Je connais cela comme le dos de ma main » (dont l'équivalent français est « Je connais cela comme le fond de ma poche ») est synonyme de « je n'observe plus cela, car j'en ai créé une image mentale qui me suffit ». Mais si vous prenez le temps d'observer votre main dominante, celle qui *agit*, vous remarquerez sans doute des détails qui vous avaient échappé jusqu'ici : les fines lignes qui se rejoignent pour former un réseau asymétrique, une légère cicatrice, un grain de beauté ou les veines apparentes et la façon dont elles contournent les jointures quand vous bougez les doigts. Vous verrez peut-être de légères variations de couleur que vous n'aviez pas remarquées. Examinez maintenant votre autre main. Constatez-vous des différences ? Tels sont les éléments qui nous échappent quand nous nous appuyons sur des poncifs au lieu de faire nos propres expériences, comme Léonard.
5. *Faites taire votre « critique d'art » intégré*. Votre critique d'art intégré est très utile lorsqu'il s'agit de choisir les œuvres de votre prochaine exposition, mais dans le cas d'un débutant, ses jugements sont prématurés. Qui plus est, les artistes chevronnés savent que l'esprit critique doit être mis en veilleuse pour permettre l'éclosion de la créativité. En faisant les exercices ci-après, ne portez pas de jugements sur la qualité de vos dessins. Oubliez les étiquettes « bon » ou « mauvais » et contentez-vous de dessiner.
6. *La formation ne nuit pas*. Quand avez-vous eu votre dernière leçon de dessin ? À moins d'avoir fait preuve d'un talent particulier, vous deviez être âgé de dix ou onze ans. Que se passerait-il si nous abordions de la sorte les autres disciplines scolaires ? « Désolé ; vous n'êtes pas très doué

pour l'histoire, si bien que votre apprentissage s'arrêtera au Moyen Âge.» La plupart des techniques de dessin sont simples et faciles à apprendre, mais elles exigent tout de même un soupçon de formation. La recette pour réussir votre cours de dessin léonardien est donc la suivante: adoptez d'abord une attitude positive; ajoutez-y de la concentration, de la pratique, et l'originalité de votre expression. Le présent chapitre vous propose une série d'instructions simples et détaillées qui vous aideront à raffiner votre talent et votre plaisir.

7. *Dessiner, c'est toujours poser sur l'univers un regard neuf.* Les artistes «chevronnés» sont toujours en quête de nouveauté et d'un regard «de débutant». Si vous n'avez pas dessiné depuis un certain temps, l'« artiste» en vous est encore jeune, naïf, enthousiaste. Votre «regard de débutant» trouvera dans cette exploration encore plus de plaisir. Soyez patient, et souvenez-vous que le dessin d'aujourd'hui n'est qu'une étape vers votre progrès de demain.

LES INSTRUMENTS DU MÉTIER

Vous possédez sans doute déjà beaucoup de ces fournitures nécessaires. Dans la négative, faites une petite excursion à votre magasin local de fournitures pour artistes et procurez-vous ce qui suit.

Papier

1. Le *papier journal* convient parfaitement aux croquis rapides.
2. Une *grande tablette à dessin* vous permettra de faire tous les exercices. Choisissez le plus grand des formats disponibles.
3. Un *carnet*. Léonard savait que l'inspiration peut surgir n'importe quand; il avait donc toujours à portée de la main un carnet de feuilles vierges. Beaucoup des exercices qui suivent vous appelleront à l'extérieur. On ne sait jamais quand l'inspiration frappera. Mais plus vous dessinerez, plus elle vous frappera souvent. Comme Léonard, ayez toujours un carnet sur vous.

Crayons etc.

♦ *Mine de plomb:* La dureté de la mine est variable et produira des traits plus fins ou plus gras. Optez pour trois gradations: 2B, 3B, et une troisième au choix. Essayez ces crayons et voyez ceux que vous préférez.

- *Contés* ou *craies:* Ils se composent de graphite ou de pigments, d'argile et d'eau dont on tire une pâte qui est ensuite formée en bâtonnets, puis cuite. Ils comprennent quatre couleurs principales : sanguine (quatre nuances de rouge), bistre (sépia), blanc et noir (doux, moyen et foncé). Ces Contés peuvent être utilisés avec n'importe quelle sorte de papier. Ils produisent des nuances riches et des lignes douces. L'effet est similaire à celui de l'autoportrait de Léonard.
- *Fusain:* Le fusain, ou charbon de bois, produit des traits riches et sombres qui permettent des dégradés intéressants très utiles dans les représentations atmosphériques.
- *Plumes:* Stylo bille, stylo feutre, plumes métalliques, plumes à réservoir, etc. Faites l'essai de plusieurs : les marqueurs de feutre sont amusants à utiliser et très utiles pour les croquis rapides (assurez-vous que leur encre est volatile et peut donc être diluée). Optez pour un stylo bille de votre choix. Dénichez une plume à réservoir ou une plume à dessin (de type sergent major) avec deux ou trois pointes métalliques différentes. La plume à dessin est ce qui se rapproche le plus de l'instrument qu'utilisait Léonard. (Vous aurez besoin d'encre ; demandez au vendeur de vous conseiller.)
- *Pinceau:* Normalement, le pinceau n'est pas utile au débutant, mais la sensation qu'il procure est irrésistible. Ayez un ou deux bons pinceaux à portée de la main (ainsi que de l'eau et de l'encre). N'oubliez pas : tout ce qui peut tracer une ligne est utile - rouge à lèvres sur un miroir, gros orteil dans le sable, sillage d'un avion dans le ciel ; ce sont là des « instruments du métier ».

- *Vos préférés:* Faites l'essai de crayons, de craies, de fusain, de cires, de pastels, de marqueurs, de plumes métalliques. Essayez différents médiums pour connaître ceux qui vous conviennent le mieux.

Pour effacer

- *Gommes:* Une gomme à effacer blanche est efficace et propre. Ne comptez pas trop vous en servir. La gomme rose au bout de votre crayon permet d'adoucir certains traits trop violents. Expérimentez.

- *Correcteur liquide :* Parfaitement inutile.
- *Votre doigt :* Un autre instrument très utile pour produire des dégradés.

Règles

- Une règle droite vous aidera dans les exercices de perspective.
- Une équerre permet de tracer proprement des angles droits.

PRÉPARATION

LA CRÉATION D'UNE AMBIANCE STIMULANTE

L'atelier de Léonard était un lieu magique et sensuel rempli de musique, de fleurs et de parfums. Comme lui, aménagez un refuge calme, esthétique et bien éclairé pour vous adonner au dessin.

DESSINER AVEC LE CERVEAU ET LE CORPS

Dessiner est une activité à laquelle participent le cerveau et le corps. Vous apprendrez plus vite et vos progrès seront plus rapides si vous faites quelques exercices de réchauffement physique et mental avant de commencer. Tous les exercices que vous avez appris dans le chapitre de la Corporalità conviennent. La jonglerie et les autres exercices d'ambidextérité, de même que le repos équilibré sont particulièrement utiles lorsqu'il s'agit de préparer votre cerveau et votre corps au dessin. Poser les paumes sur les yeux, regarder de près et au loin et adoucir le regard, ainsi que nous l'avons vu au chapitre sur la Sensazione, et la méditation du chapitre sur la Connessione, sont aussi des exercices préparatoires très efficaces.

Essayez également les exercices de réchauffement ci-dessous. Remarquez comment chacun vous « ouvre » à une nouvelle perspective du dessin.

Réchauffement 1 : Arcs-en-ciel corporels

Avec quelle partie de votre corps dessinez-vous ?

Vous regardez votre main et vous dites « avec ma main ». Mais cela ne représente qu'une partie de la vérité, car c'est grâce à la participation du corps tout entier que le dessin peut devenir une expérience satisfaisante et créatrice. La main est fixée au bras, le bras au torse, et vos jambes supportent le poids de votre corps. Pour stimuler la participation de votre corps tout entier, faites l'exercice suivant.

- Tracez de tout petits cercles dans le vide avec chacun de vos doigts.
- Tracez des cercles plus grands avec votre poignet.
- Tracez des cercles encore plus grands avec l'avant-bras.
- Faites maintenant des cercles géants avec le bras tout entier.
- Recommencez du début en imaginant cette fois que des traits de couleur montent du sol et vous pénètrent, puis vont de votre poitrine au bout de vos doigts. Remplissez l'univers de magnifiques arcs-en-ciel.

Réchauffement 2 : Auto-massage

Prenez place dans un bon fauteuil et respirez calmement. Massez votre main dominante : les doigts, les jointures, la paume, le poignet. Remontez le long de l'avant-bras, puis jusqu'au coude, au bras à l'épaule. Explorez la structure osseuse, musculaire, tendinique. Recommencez avec votre autre main. Terminez par un massage doux du visage, du cou et du cuir chevelu en détendant le plus possible le front et les mâchoires.

Réchauffement 3 : Gribouillis

Il n'est pas dit que l'on doive réussir du premier coup. Nous en sommes convaincus dans notre tête. Les gribouillis nous aident à l'être aussi dans notre corps.

- Sur une feuille vierge, gribouillez la forme, les traits et la texture de ce que vous ressentez en ce moment précis. Si vous êtes anxieux, traduisez librement cette sensation. Continuez jusqu'à ce que toutes vos tensions recouvrent la feuille et que votre corps soit détendu.
- Gribouillez en écoutant votre musique préférée.

LE DESSIN

POINT DE DÉPART FACILE : DES MOTIFS CONNUS

Observez d'abord ce qui vous entoure : ce livre, un tableau au mur, le paysage que vous voyez de la fenêtre. Efforcez-vous de voir des triangles, des cercles, des parallélogrammes, des lignes, des courbes, des points. Existe-t-il des formes que l'on ne peut réduire à ces éléments de base ?

Voici un secret qui vous aidera à admettre que dessiner est facile. Tout se compose de cercles, de triangles, de parallélogrammes, de lignes, de courbes et de points (pas forcément dans cet ordre). Le spécialiste de Léonard, Martin Kemp, affirme que, pour Léonard : « [...] la complexité organique de la nature se fonde, jusque dans ses moindres détails, sur l'inépuisable mariage des motifs géométriques qui obéissent aux lois naturelles. »

Pendant une journée, recherchez des triangles, des cercles et des parallélogrammes dans tout ce qui vous entoure. Le lendemain, recherchez des lignes, des courbes et des points. Remarquez comment ces formes se combinent dans les visages, l'architecture, le mobilier, l'art et la nature. Notez vos observations pas écrit.

Entre-temps, tracez rapidement les formes suivantes sur une feuille de papier :

Remarquez l'absence de perfection... Ceci n'est pas un dessin industriel ; nos formes seront organiques.

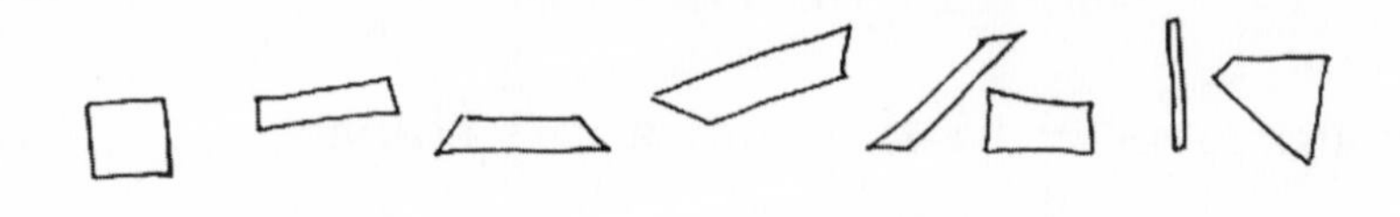

Toute forme qui présente quatre angles est un « parallélogramme ».

Le dessin est avant tout le produit de la combinaison de ces éléments de base.

UNE NOUVELLE FAÇON DE VOIR

Nous pensons que nous savons voir, mais Léonard nous rappelle que les gens « regardent sans voir ».

Regarder pour dessiner signifie poser sur tout un regard neuf. Plutôt que de se fier à sa mémoire ou à sa rationalité (par exemple, « ceci est une pomme »), l'artiste suspend provisoirement la notion de « pomme » afin d'observer son sujet sous ses aspects essentiels : formes, nuances, textures.

Voici quelques exercices qui vous aideront à développer cette nouvelle façon de voir.

Façon de voir 1 : Dessiner à l'envers

En dessinant à l'envers, nous nous libérons de nos perceptions habituelles. Regardez les traits et les formes ci-dessous. Copiez ces traits et ces formes tels qu'ils vous apparaissent.

Les règles sont :

a) Dites-vous toujours que vous ne savez pas ce que vous dessinez.

b) Ne retournez pas le livre tant que vous n'aurez pas terminé.

c) Vous n'avez pas encore fini.

d) Faites une pause et étirez-vous pour vous détendre et poser autour de vous un regard « adouci ».

e) Quand vous aurez copié tout ce que vous voyez, retournez votre feuille et admirez votre œuvre.

Façon de voir 2 : Dessiner de l'autre main

De la main gauche si vous êtes droitier, de la main droite si vous êtes gaucher, refaites le portrait de Léonard de Vinci. Remarquez l'effet qu'a sur votre perception, votre sens de l'observation et votre sensibilité le fait de dessiner à l'envers et/ou de l'autre main. Si vous ressentez une émotion quelque peu inhabituelle, dites-vous que c'est parce que vous pénétrez dans l'univers de l'artiste.

Quelles différences avez-vous remarquées entre le premier et le deuxième exercice ?

Reproduisez le dessin ci-dessus en vous servant de votre main non dominante.

Les règles sont :

a) En dessinant, dites à voix haute ce que vous voyez/dessinez.

b) Ne changez pas de main.

Façon de voir 3 : Ombre et lumière

L'une des plus grandes contributions de Léonard à l'art visuel est le développement du *chiaroscuro*, c'est-à-dire le recours au contraste entre l'ombre et la lumière pour créer des effets dramatiques.

Avant la Renaissance, les artistes mettaient l'accent sur la lumière au détriment de l'ombre. Chez le débutant, cette tendance est fréquente. Dans l'art comme dans la vie, il ne faut pas hésiter à plonger dans l'ombre. Une figure acquiert forme, dimension et profondeur grâce à la richesse de ses ombres et de l'obscurité qui l'entoure. Le maître ne disait-il pas : « Les ombres ont leurs limites à certains degrés et celui qui les ignore produira des œuvres dépourvues de ce relief qui est l'importance et l'âme de la peinture. »

Ces exercices faciles approfondiront votre compréhension du *chiaroscuro* dans la vie de tous les jours.

- **Cherchez les ombres.** Faites de l'ombre votre thème du jour. Remarquez comment la qualité de l'ombre se transforme au fil des heures avec le mouvement du soleil. Notez vos observations par écrit.
- **Remarquez le contraste entre l'ombre et la lumière.** Promenez-vous au parc, ou asseyez-vous à une terrasse de café pour regarder passer les gens. En observant les passants, plissez les yeux de façon à créer une image « impressioniste ». Efforcez-vous de tout regarder en termes d'ombre et de lumière, comme si vos yeux étaient une caméra et que vous tourniez un film en noir et blanc.

Pour bien percevoir le contraste entre l'ombre et la lumière, recherchez l'ombre. Tandis que vous vous demandez « Qu'est-ce qui est sombre ? », la lumière montre son relief. Avec un peu de pratique, vous vous habituerez à observer le monde qui vous entoure de cette façon.

Façon de voir 4 : Configurations kaléidoscopiques

Comme pour l'exercice sur l'ombre et la lumière, recherchez un décor intéressant et regardez autour de vous en plissant les yeux. Cette fois, posez-vous les questions suivantes : « Quelles formes prend la couleur rouge ici ? », « Et le bleu ? », « Et le vert ? », et ainsi de suite...

Pendant cette quête de couleurs et de formes, ce qui vous entoure acquerra une apparence agréablement sculpturale, colorée et kaléidoscopique. Amusez-vous.

Façon de voir 5 : Le cadre de l'artiste

L'univers semble infini, mais la page a ses limites et ce fait peut se révéler frustrant. En tant qu'artiste, vous apprendrez à utiliser ces limites à votre avantage.

Formez un angle droit avec le pouce et l'index de chaque main et réunissez ces deux angles pour former un cadre imaginaire. Lorsque vous trouvez un sujet de dessin intéressant, encadrez-le avec les mains.

Amusez-vous à agrandir ou à rapetisser ce cadre, à le déplacer vers la droite, la gauche, le haut ou le bas. Réjouissez-vous de cette aptitude à choisir et à encadrer votre sujet.

Façon de voir 6 : Correction et mise en évidence

L'ambiguïté, dont Léonard jouait comme d'un instrument, contribue à attirer le regard sur un point précis du tableau. Plus tard, Cézanne a produit le même résultat en recourant au flou pour les éléments secondaires de ses toiles. Cette technique confère plus de force à l'artiste : il peut choisir ce qu'il veut mettre en évidence, corriger, obscurcir ou minimiser tous les détails qu'il désire.

« Encadrez » votre sujet, cette fois sans le secours des mains. Ce faisant, estompez tout ce qui ne convient pas à votre sujet ; voilez les couleurs et les formes environnantes. Atténuez tout ce qui n'est pas au centre de votre attention.

Adoucissez votre regard. En « gommant » l'entourage de votre sujet principal, vous créez avec lui une nouvelle intimité.

Le dessin linéaire ; dessiner du dehors au dedans

Le dessin linéaire est le tracé de la forme extérieure du sujet, sa « topographie ».

Dessin linéaire 1 : dessin tactile

Observez un objet, par exemple, une plante, un livre, une tasse, une chaise.

- Du bout de l'index, parcourez la forme de cet objet.
- Allongez le bras en *imaginant* que vous parcourez la forme de l'objet.
- *Imaginez* maintenant que votre regard est votre index et que ce regard tactile parcourt la forme de l'objet. L'objet étant tridimensionnel, vous faites plus qu'en tracer la forme ; du regard, vous en reproduisez la topographie (ses surfaces extérieures en sont les *contours*).
- Vous êtes prêt à dessiner du doigt. Tracez de nouveau la forme extérieure de l'objet, mais cette fois avec votre crayon : votre crayon est un « prolongement » de votre regard tactile.

Observez les règles ci-dessous :

a) Ne quittez pas l'objet des yeux pendant que vous en tracez les contours.
b) Suivez ce contour des yeux très lentement.
c) Synchronisez le mouvement du crayon et le mouvement des yeux.
d) Concentrez toute votre attention sur le segment que vous dessinez, sans penser à ce que vous venez de dessiner ou à ce que vous vous apprêtez à dessiner.
e) Convainquez-vous que vous touchez vraiment cet objet avec vos yeux.
f) Ne soulevez pas votre crayon de la feuille tant que vous n'aurez pas terminé.

Votre dessin ne ressemblera sans doute pas au modèle, mais il vous révélera ses textures et sa profondeur cachées. Cet exercice constitue une excellente introduction kinesthésique au *dessin linéaire*.

Dessin linéaire 2 : Souvenez-vous de votre main

Nous avons évoqué précédemment la connaissance que nous avons de notre propre main. Nous avons ensuite exploré cette main, si bien que, maintenant, vous connaissez celle-ci parfaitement, n'est-ce pas ? Bien. Sans regarder votre main, recréez-la en pensée, les yeux fermés. Puis, sur une feuille vierge, dessinez votre main de mémoire.

> Ainsi que le suggère le maître, interrompez-vous de temps à autre et reculez pour voir votre dessin depuis une certaine distance. Regardez ce que vous avez dessiné dans une glace ou sous un autre angle. Notez comment ces points de vue affectent votre perception, puis recommencez à dessiner.

Quand vous aurez terminé, comparez votre dessin à votre main. Ne jugez pas la qualité de votre travail. Demandez-vous seulement quels sont les points de ressemblance, et quelles sont les différences entre votre dessin et votre main.

Dessin linéaire 3 : Dessin tactile de la main

Examinez votre main gauche si vous êtes droitier, et votre main droite si vous êtes gaucher. Imaginez que vos yeux sont vos doigts. N'oubliez pas que le dessin tactile est un processus de cartographie sensorielle en trois dimensions (c'est plus que le simple dessin linéaire). Ne vous laissez pas distraire par les ombrages. Lorsque vous « touchez » votre sujet, vous ne percevrez aucune différence entre la lumière et l'ombre. Observez les règles énoncées pour le dessin linéaire de l'exercice 1.

Dessin linéaire 4 : Contours de la main

Vous êtes prêt à tracer les contours de votre main. Cet exercice ressemble au dessin tactile, mais cette fois, votre regard va et vient entre le modèle et le papier. Vous procédez aussi par à-coups en soulevant votre crayon du papier.

Redessinez de la même façon le sujet de l'exercice 1.

DESSINER DES OBJETS EN MOUVEMENT

En explorant les mystères de la nature, Léonard constata que toute chose a un mouvement. Ses dessins traduisent un dynamisme intérieur exceptionnel qui exprime cet aspect fondamental du mouvement, même lorsque l'objet dessiné semble parfaitement immobile.

La plupart des exercices précédents requièrent une approche lente, réfléchie et méditative. Dessiner des objets en mouvement requiert une approche dynamique et rapide.

Mouvement 1 : Chute d'un objet

- Dans cet exercice, observez le « mouvement principal » d'un objet en chute libre. Laissez tomber un mouchoir de papier, un foulard, une serviette de table, une feuille, une plume... et observez leur mouvement. Vous pourriez aussi vous asseoir quelques heures aux abords d'une chute d'eau ou simplement ouvrir le robinet de la baignoire et regarder l'eau s'en écouler. Efforcez-vous de remarquer trois aspects particuliers d'un corps en chute libre et notez ceux-ci par écrit.
- Dessinez les « traces » que font ces objets en tombant. Imaginez que votre corps ressent ces traces. Suivez les conseils du maître : « Fabrique demain des silhouettes en carton de toutes formes qui, lancées du haut de notre jetée, tomberont à travers l'air ; puis dessine les figures et les mouvements de chacune, aux divers stades de sa descente. » Le *Nu descendant un escalier* de Marcel Duchamp s'inspire de cet exercice de perception léonardien.

Mouvement 2 : Mouvement immobile

Avec des gestes très libres, dessinez l'essence même du mouvement immobile d'un objet : un ruban noué, un rideau, un chien endormi, une vieille chaussure.

Croquis de la sonnerie du téléphone.

Mouvement 3 : Le mouvement humain

Installez-vous dans un lieu public – idéalement, une gare ou un aéroport – et observez les badauds. Faites l'exercice suivant, conçu par le maître : « [...] on imaginera des compositions avec des personnages étudiés d'après nature selon l'occasion ; et l'on se tiendra aux aguets, sur les places et à la campagne, en notant rapidement les traits ; c'est-à-dire en mettant un o pour une tête, une ligne droite ou courbe pour le bras, et de même pour les jambes et le tronc ».

Dessin de mouvement : l'auteur raconte une histoire.

Figures en mouvement : lignes principales.

RELIEFS ET VOLUMES: MASSES D'OMBRES ET DE LUMIÈRE

Un tracé est un phénomène bidimensionnel. L'artiste doit transformer ces deux dimensions en trois dimensions ou plus. Les ombrages et les valeurs sont les clés de cette transformation.

Reliefs 1 : Illuminez une sphère

Tracez quelques cercles sur une feuille vierge et faites des essais d'ombre et de lumière comme dans l'exemple ci-dessous.

Reliefs 2 : Une pomme au soleil

Prenez une pomme, ou n'importe quel autre objet similaire.

Pour représenter un objet avec réalisme, il faut que ses ombres rendent l'effet de la lumière qui tombe sur lui. Dans l'exercice de perception de la lumière et de l'obscurité, vous avez plissé les yeux pour distinguer les masses sombres et les masses claires. Le moment est venu de mettre cette perception en pratique.

Posez la pomme sur une surface lisse à proximité de vous (une assiette de couleur unie, une feuille de papier, une table, un morceau de tissu - rien qui ne vous distraie). En laissant votre regard aller et venir entre le modèle et la feuille, dessinez les coutours de la pomme. (Vous remarquerez que, même s'il s'agit de la même pomme, son aspect change en fonction de l'angle et de la lumière ; on ne saurait donc dessiner deux fois exactement la même chose.)

Quelle est la principale source de lumière ? D'où provient-elle ? (Il arrive qu'il y en ait plus d'une ; dans ce cas, optez pour la source principale et, si possible, éteignez ou masquez les autres.) Encore une fois, plissez les yeux pour bien séparer les masses d'ombre et de lumière sur la pomme. Ça va ? Sa partie ombragée devrait être à l'opposé de la provenance de la lumière. Le voyez-vous ? Sinon, regardez bien.

♦ Sur le papier, marquez l'emplacement de la source de lumière par un mini-soleil. Au moyen d'un crayon gras, ombragez les parties sombres de la pomme. L'effet de dégradé s'obtient par la superposition de traits légers, ainsi que le faisait Léonard.

En ombrageant la pomme, continuez de plisser les yeux de temps en temps pour bien discerner l'intensité des ombres.

Reliefs 4 : Échelle de valeurs

En dessin, les valeurs n'ont rien à voir avec l'argent. On appelle « valeurs » les différentes intensités des masses d'ombre et de lumière.

CLAIR	LÉGÈREMENT OMBRÉ	MOYENNEMENT OMBRÉ	SOMBRE

Au bas de la page, créez une échelle de valeurs comme celle qui est représentée ci-dessus.

Reliefs 5 : Valeurs d'une sphère

Réexaminez votre dessin de sphère ombragée, puis votre échelle de valeurs. En plissant les yeux pour observer l'une et l'autre, voyez si les masses d'ombre et de lumière de la sphère correspondent aux valeurs de l'échelle : Clair, Légèrement ombragé, Moyennement ombragé, Sombre. Par exemple, dans le dessin ci-dessous, les différentes « intensités » d'ombre correspondent à peu près à ces quatre catégories. Cet exercice vous habituera à discerner les valeurs et à limiter les masses d'ombres à quelques tonalités simples. Quand vous aurez acquis davantage d'expérience, vous pourrez ajouter des nuances complémentaires.

Reliefs 6 : Encore des fruits

Prenez quelques pommes et quelques poires. (La texture lisse de ces fruits vous permettra de vous concentrer plus facilement sur les masses d'ombre et de lumière plutôt que sur les variations de surface.) Disposez-les sur une assiette. Choisissez la source de lumière et indiquez celle-ci par un mini-soleil au bord de la feuille. Observez le groupement des fruits. Se superposent-ils par endroits ? Lorsque vous plissez les yeux, lequel de ces fruits est mis en évidence ? Quelles sont les formes des différentes valeurs ?

« Encadrez » votre nature morte. Puis, faites-en un dessin linéaire que vous ombragerez ensuite. (N'oubliez pas de vous interrompre de temps en temps et de reculer un peu pour examiner votre dessin.)

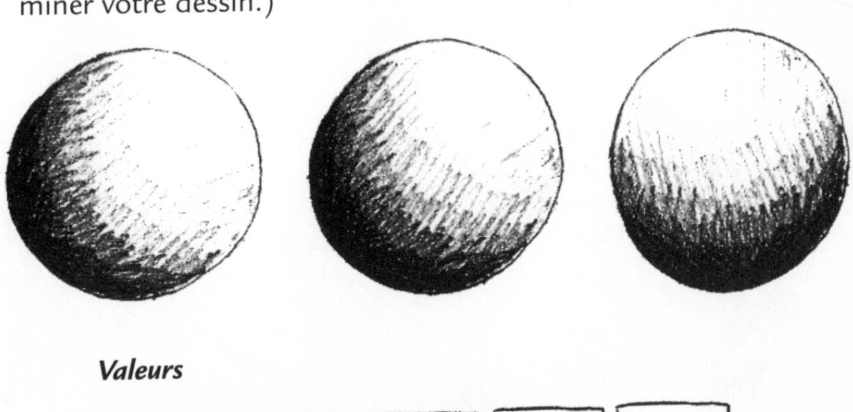

Valeurs

LE MODELAGE DES VOLUMES

Les techniques que vous venez d'apprendre pour ombrager un sujet sont très efficaces, mais pour traduire correctement le volume d'un objet, soit l'espace qu'il occupe du dedans au dehors, il faut lui conférer de la profondeur. Le secret de la profondeur réside dans le modelage du volume, de la « masse ». Sans lui, la profondeur du dessin ressemble à un « maquillage » de surface et l'objet n'a pas de substance réelle.

Modelage des volumes 1 : Une pomme très rouge

Pour profiter au maximum de cet exercice, feignez d'être un jeune enfant qui vient de mettre la main sur un crayon rouge.

Prenez maintenant une belle pomme rouge et placez-la à distance en face de vous, sur une surface bien éclairée. Imaginez que vous remplissez votre encrier imaginaire de belle encre rouge... voyez-le se remplir de couleur jusqu'à ce qu'il déborde de vitalité. Prenez un feutre ou un crayon rouge et dessinez un point sur la feuille.

La pomme est une substance organique ; avec votre feutre rouge, vous en cherchez le cœur. « Remplissez » la pomme de couleur, du dedans au dehors. Que ses parties rouges soient très rouges, et que ses bordures, qui ne semblent pas « contenir » un rouge aussi soutenu, reflètent cette absence de couleur. Cet exercice est la base du modelage des volumes.

Nature morte simple.

Modelage des volumes 2 : Sculpture

Cet exercice doit nous procurer la sensation qu'éprouve le sculpteur lorsqu'il modèle l'argile. Imaginez que vous êtes ce sculpteur et que vous disposez d'une quantité idéale d'argile pour modeler votre sujet. Vous modelez maintenant votre sculpture en pressant l'argile là où la forme présente des creux, et en créant des masses là où cette forme se soulève.

Choisissez un modèle, vivant de préférence (par exemple un chien, un chat, votre mari, votre femme, votre enfant, un ami). Dessinez la forme du sujet au moyen du côté plat d'un Conté (craie) plutôt qu'avec la pointe ou le bout, comme nous l'avons fait jusqu'ici.

Là où le contour se creuse, appuyez davantage avec votre Conté (pour créer une ligne plus sombre) ; là où la forme s'arrondit, soit au plus près de vous, ayez la main légère, appuyez à peine. Imaginez que vous « modelez » votre dessin.

Modelage des volumes d'un chien endormi.

Modelage des volumes 3 : Anatomie d'une pomme

Ceci est un exercice léonardien avancé qui a pour but de nous renseigner sur le cœur même de la pomme, et sur la façon dont sa structure s'organise afin de produire la forme d'une pomme.

Choisissez trois belles pommes. Soupesez chacune dans votre main ; sentez son poids, sa texture, son équilibre. Examinez-en la couleur comme si vous l'observiez à travers un verre grossissant. Remarquez les motifs de sa surface. Quelles différences remarquez-vous entre ces trois pommes ? Notez vos observations par écrit. Puis, remarquez les contours de chaque pomme et les variations subtiles qui font de chacune un objet unique, contrairement à l'image statique qui vous vient à l'esprit chaque fois que vous pensez au mot « pomme ».

Maintenant que vous avez une connaissance intime de ces pommes, vous êtes prêt à en faire l'autopsie. Disséquez-les (autrement dit, tranchez-les) afin d'examiner leur structure interne. Pour avoir trois vues différentes de ces pommes, coupez la première en deux horizontalement, la deuxième verticalement, et la troisième diagonalement.

Disposez ces quartiers de pomme sur une assiette et posez cette assiette sur une surface plane, puis dessinez-les. Notez bien d'où provient la lumière. Plissez les yeux pour distinguer les valeurs. Remarquez comment chaque surface reçoit différemment la lumière. Vous êtes prêt à dessiner votre nature morte.

Quand vous aurez terminé, dessinez une pomme entière. Efforcez-vous de faire en sorte que votre dessin reflète votre connaissance intime de la pomme.

La perspective

Les valeurs et le modelage des volumes donnent profondeur et dimension au dessin ; la perspective lui donne son contexte.

Perspective 1 : Horizon lointain

Le maître a consacré de nombreuses heures à l'observation de l'horizon lointain. Il a noté ce qui suit :

- Parmi les choses d'égale grandeur, la plus éloignée des yeux semblera plus petite.
- Entre des objets de même grandeur placés à égale distance de l'œil, le plus lumineux semblera plus grand.
- La chose sombre semblera plus azurée si une plus grande quantité d'air lumineux s'interpose entre elle et l'œil, comme on le voit par la couleur du ciel.

Avant Léonard, les objets éloignés ou proches étaient représentés avec la même dimension, la même valeur et la même couleur. Commencez votre étude de la perspective en observant l'horizon lointain, puis rapprochez-vous. Faites de la perspective le thème du jour et notez vos observations.

Perspective 2 : Chevauchement

Que voit-on en premier ? Ce qui est placé devant. L'objet qui en chevauche un autre semble placé devant. Ce principe est si

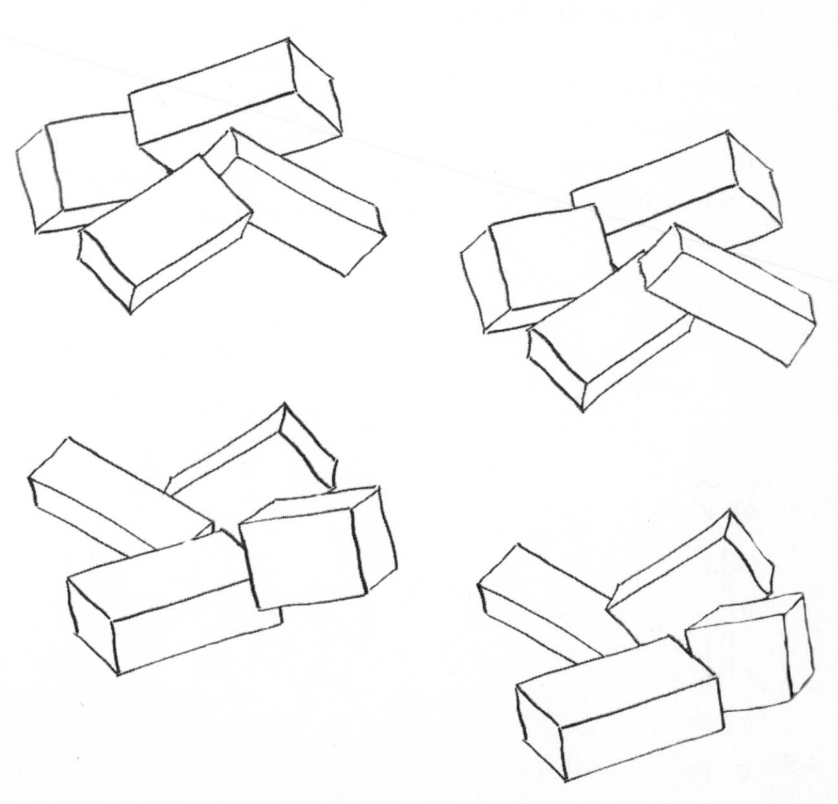

élémentaire que nous pourrions l'oublier. Cette simple observation nous permet de percevoir clairement la relation entre différents objets. Par exemple, chacun des quatre segments de la page précédente contient les quatre mêmes boîtes. Celles-ci pourraient occuper n'importe quelle position les unes par rapport aux autres. Mais leur chevauchement fait en sorte que certaines paraissent plus lointaines tandis que d'autres semblent se rapprocher.

Tracez les contours d'une boîte. Puis, tracez les contours d'une deuxième boîte (en omettant tous les traits que cache la première boîte). Puis, dessinez de la même façon une troisième et une dernière boîte.

Dans les segments suivants, changez la boîte qui se trouve en avant-plan. Remarquez que le chevauchement dicte la dimension. Peu importe qu'une boîte soit plus petite ou plus grande ; selon son emplacement, elle paraîtra plus éloignée ou plus proche.

Perspective 3 : Ma feuille cache mon sujet

Il pourra vous sembler difficile, quand vous aurez « encadré » votre sujet, d'en respecter la perspective à mesure que vous dessinez, surtout si votre surface de travail est horizontale (une table) ou inclinée (un chevalet). Oubliez où se trouve votre papier ou votre toile. En revanche, imaginez *toujours* que le papier ou la toile

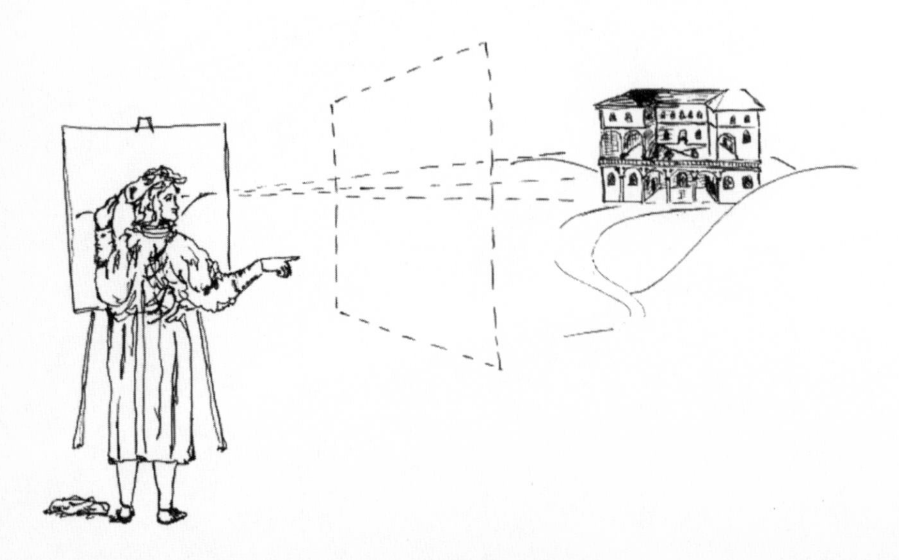

est placé à la verticale entre vous et le sujet que vous dessinez. Imaginez que vous regardez et dessinez *à travers* le papier ou la toile. Chaque fois que vous dessinerez quelque chose, songez à ce papier ou à cette toile imaginaire entre vous et votre sujet.

Pespective 4 : Petit = distance ... Gros = proximité

Lorsque nous observons des personnages au loin, ils paraissent petits. Nous avons tous pu constater ce fait. Leur dimension nous permet d'évaluer la distance à laquelle ils se trouvent. Dans l'exercice de chevauchement, nous avons appris que la position relative d'un objet nous transmet une grande quantité d'informations. Après la séquence, la dimension est l'élément qui nous renseigne le plus. Par exemple, dans le dessin ci-dessous, que se passe-t-il à mesure que les arbres rapetissent ?

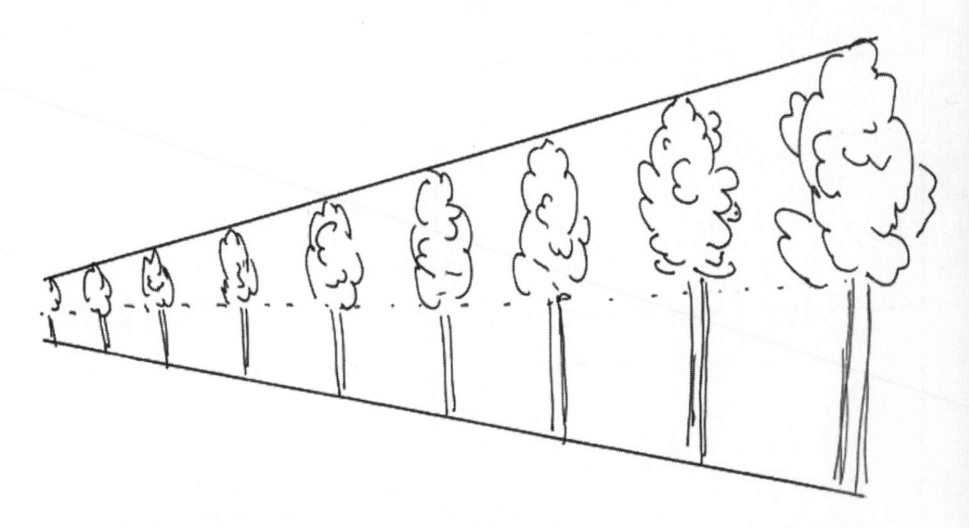

Les exercices ci-dessous ont pour but de vous initier aux lois de base de la perspective : la ligne d'horizon (le niveau des yeux) et le point de fuite.

Perspective 5 : Horizon – Niveau des yeux

Avec une règle, tracez une ligne horizontale sur toute la largeur de votre feuille et inscrivez-y « niveau des yeux ». Sur des feuilles différentes, tracez cette ligne d'horizon à différentes hauteurs.

Il est essentiel de déterminer le niveau des yeux, car dans un dessin complexe, des montagnes, des édifices ou des arbres peuvent masquer la ligne d'horizon. Cependant, tout les éléments d'un dessin sont en rapport avec le niveau des yeux.

Perspective 6 : Point de fuite

Revenez à chaque ligne d'horizon et, avec un Conté, tracez un point près du milieu de la ligne. C'est le PF, ou point de fuite.

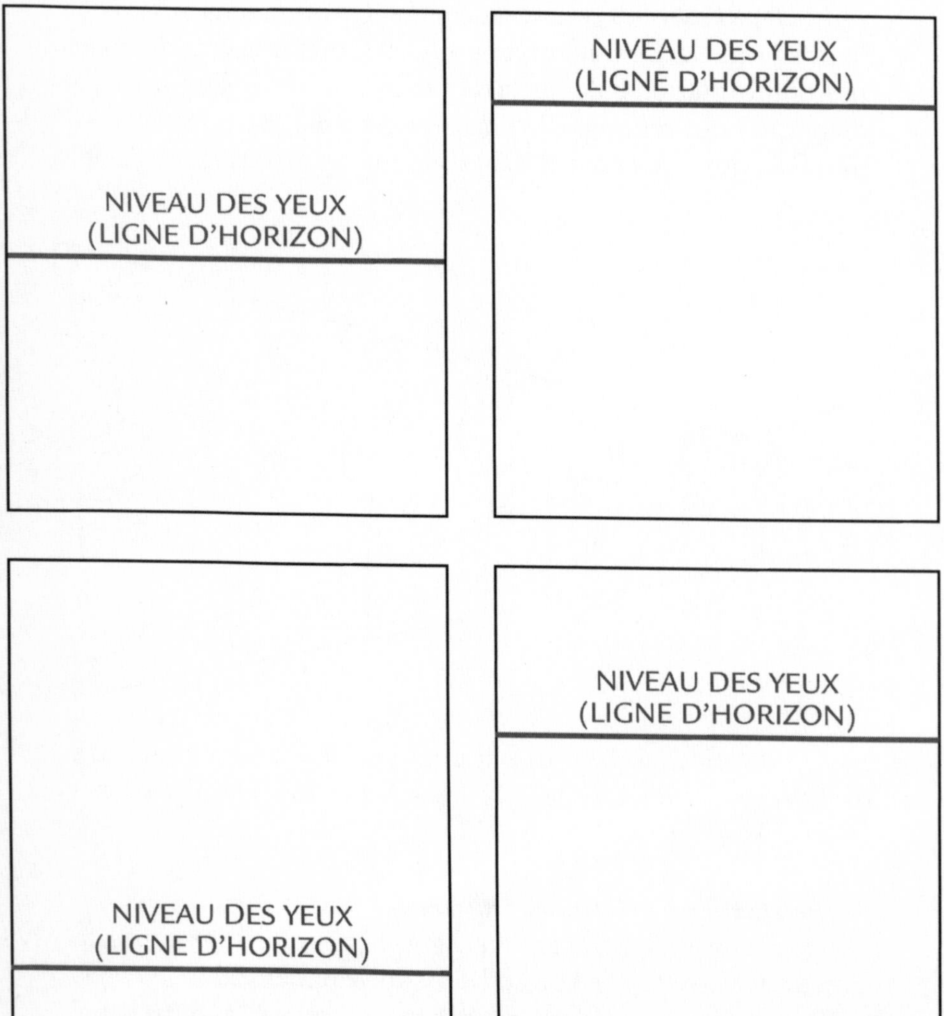

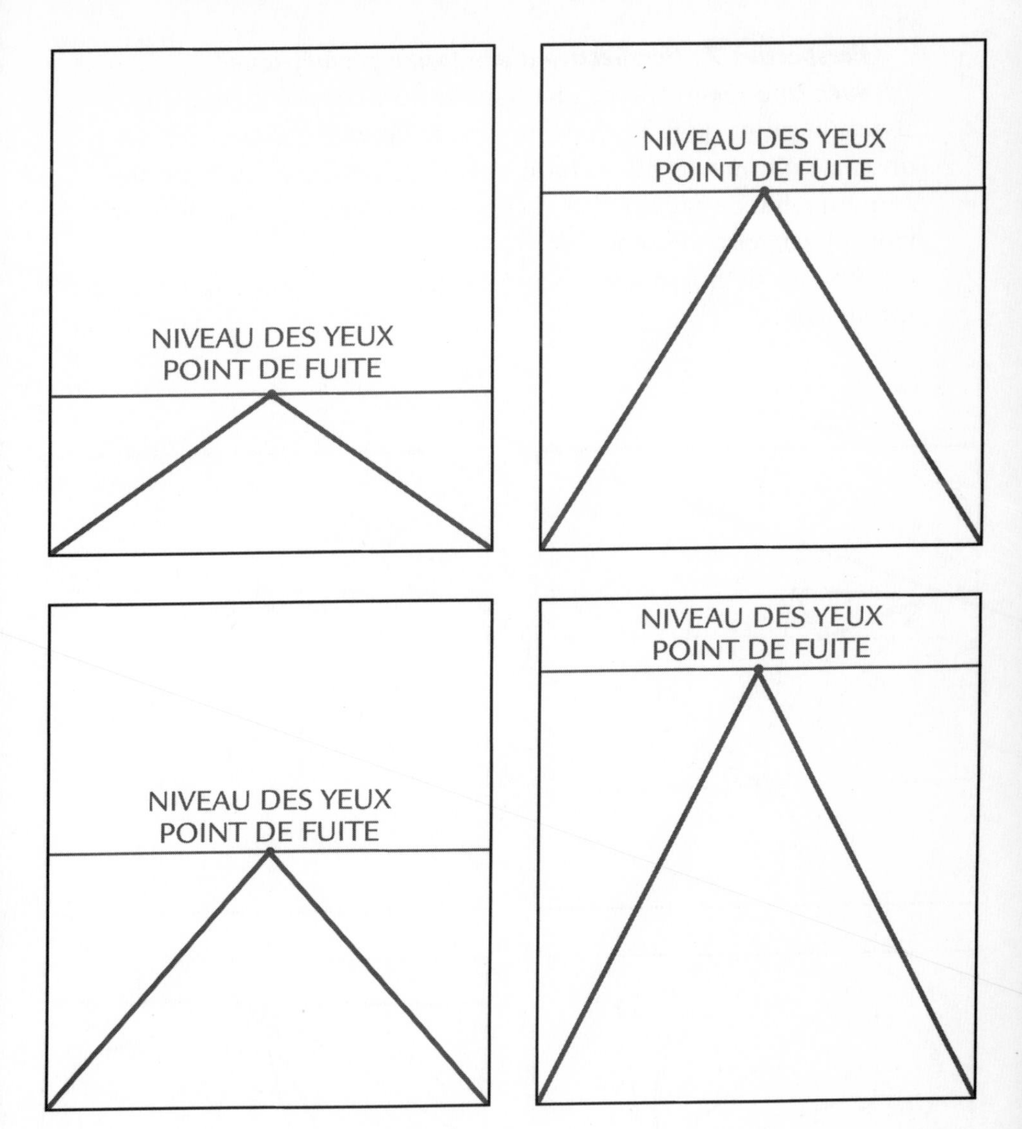

En partant de ce point, tracez deux lignes droites vers chacun des deux angles inférieurs de la feuille. Vous aurez l'impression d'un route qui s'élargit à sa base. Remarquez les différences que produisent ces traits en fonction de l'emplacement de chaque point de fuite.

Perspective 7 : Perspective d'une forme géométrique

Avec une règle, tracez une ligne d'horizon pointillée. Choisissez un point de fuite. Ensuite, tracez un triangle, un cercle et un carré n'importe où en haut et en bas de cette ligne d'horizon. En reliant chacune de ces figures au point de fuite, donnez leur un aspect tridimensionnel.

Reculez de quelques pas afin de voir si vos figures sont harmonieuses.

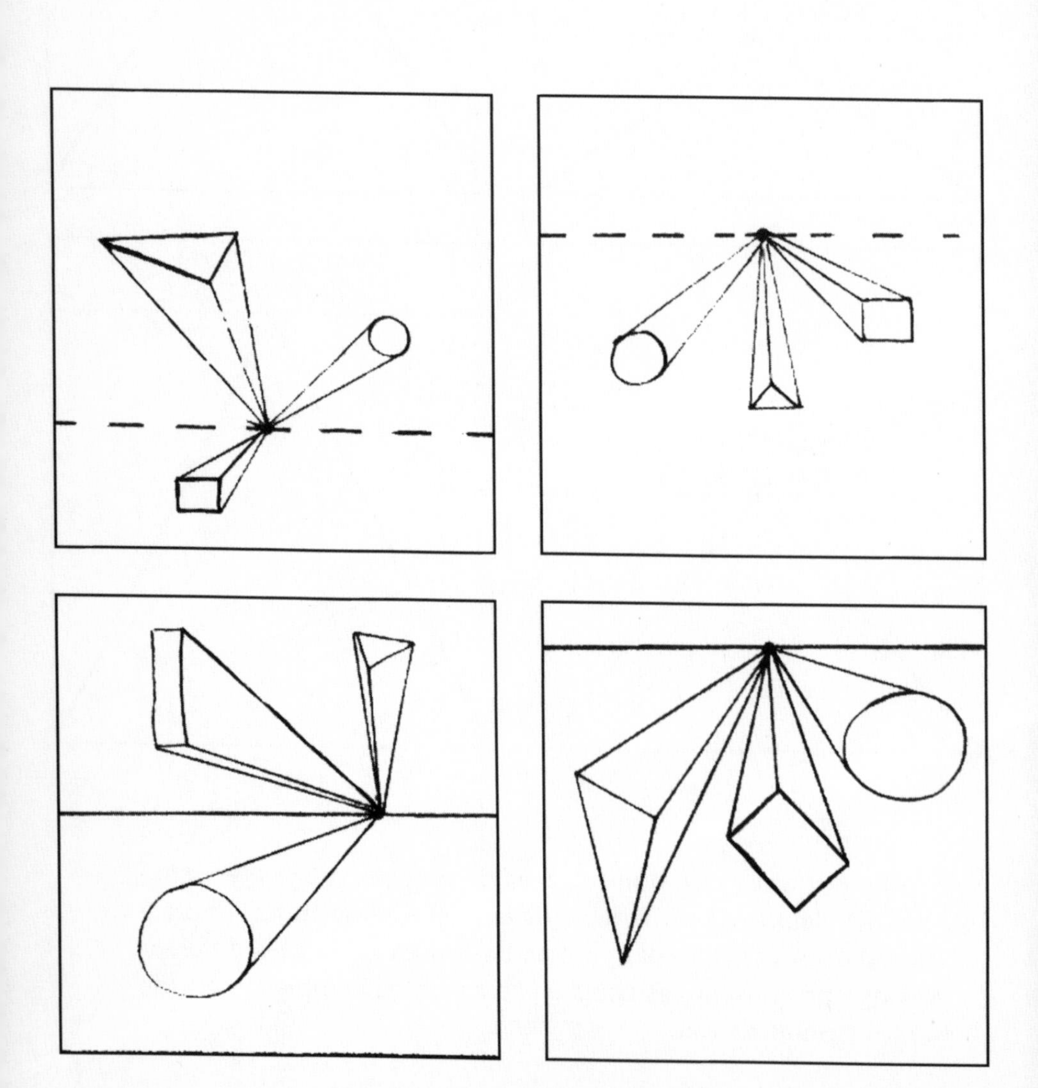

Choisissez le meilleur de vos quatre dessins, déterminez la provenance de la lumière et indiquez celle-ci par un mini-soleil. Prenez quelques secondes pour « ressentir » la direction de la lumière comme si vous étiez vous-même l'objet à ombrager. Avec un crayon gras, ombragez chaque figure en disposant l'ombre du côté opposé à la source de lumière (n'oubliez pas de superposer de légères couches d'ombre).

Quand vous vous sentirez prêt, refaites le même exercice avec d'autres formes.

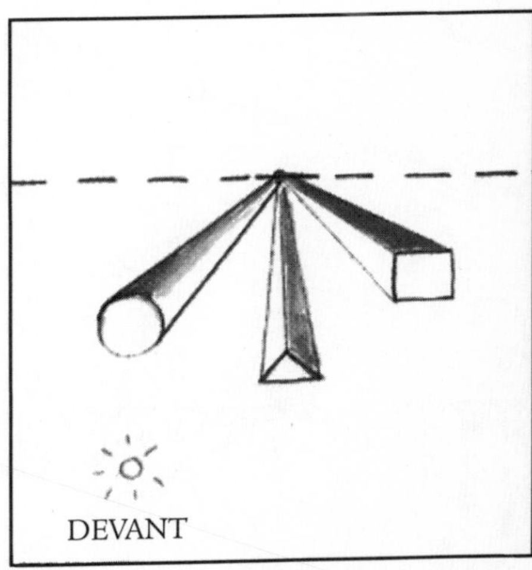

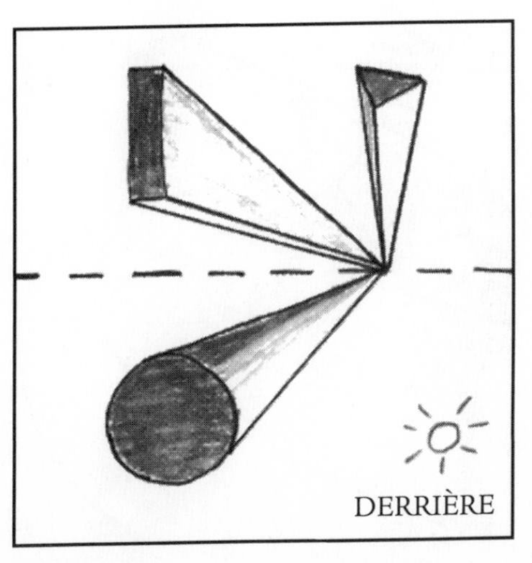

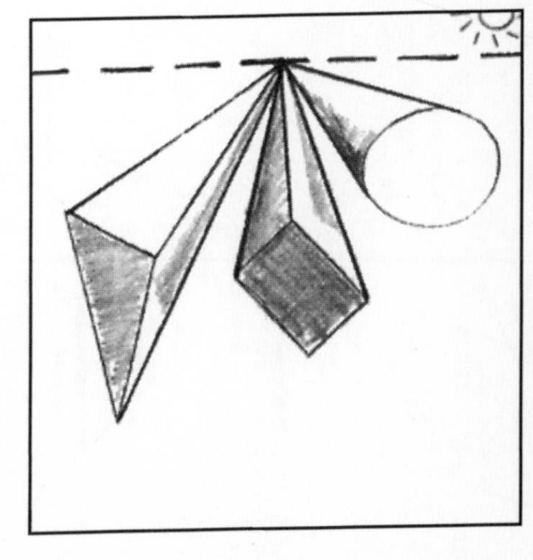

Perspective 8 : Une rue intéressante

Tracez une ligne d'horizon avec la règle et indiquez-y un point de fuite. Tracez des lignes reliant ce point de fuite aux coins inférieurs et aux coins supérieurs de la feuille.

D'un côté de la « rue » que vous avez ainsi tracée, dessinez une rangée d'arbres, en commençant par le plus petit.

De l'autre côté de la rue, en vous inspirant de l'exercice sur les formes géométriques, dessinez un ou deux édifices « carrés ». N'oubliez pas que toutes les lignes verticales, tant au-dessus qu'au-dessous de la ligne d'horizon, doivent être parfaitement parallèles. Une ligne imaginaire vers le point de fuite représentera l'alignement des toitures. Cette ligne vous guidera dans le tracé des lignes verticales.

Perspective 9 : Paysage

Observez un grand nombre de paysages pour vous habituer à en évaluer la perspective. Faites des croquis.

PLANS SELON LA DISTANCE

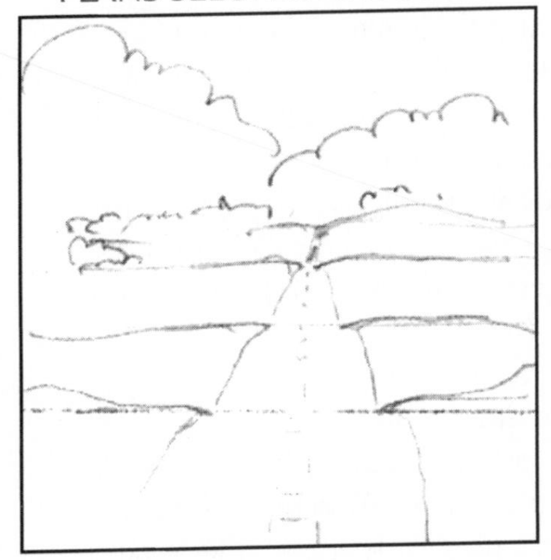

VALEURS SELON LA DISTANCE

DESSINER PAR CŒUR

Dessiner par cœur 1 : Mémoire d'un visage – le vôtre

Sans vous regarder dans une glace, faites votre portrait de mémoire. Signez-le. Datez-le. Souriez.

Dessiner par cœur 2 : Mémoire d'un visage – celui d'un ami

Songez à une personne qui vous est proche. Visualisez son visage et posez sur cette image un regard d'artiste. Remarquez sa forme générale et l'ensemble de ses traits. Lesquels de ces traits ressortent le plus ? Quelles en sont les symétries et les asymétries ?

Pensez en termes de contours. Les pommettes sont-elles proéminentes ? Aplaties ? Les yeux sont-ils globuleux ou non ? Où se situent les points creux et les points saillants du visage ? Imaginez que vous le touchez des yeux et suivez ses contours. N'oubliez pas de parcourir tout le visage avec votre regard tactile, sans vous laisser distraire par un trait en particulier.

Dessinez maintenant ce visage de mémoire.

Dès que possible, observez de visu le visage de votre ami. Notez tout ce qui a « échappé » à votre souvenir. Chaque fois que vous dessinerez ainsi par cœur, vous raffinerez votre sens de l'observation.

Dessiner par cœur 3 : Étude de nez

Léonard a conçu l'exercice suivant pour « apprendre à voir » : « [...] Apprends d'abord par cœur différentes sortes de têtes, yeux, nez, bouches, mentons, gorges, les cous et les épaules. Prends par exemple les nez : ils comportent dix types : droit, bulbeux, concave, proéminent soit au-dessus soit au-dessous du milieu, aquilin, régulier, camus, rond, pointu. Ces divisions valent en ce qui concerne les profils. Vus de face, les nez sont de douze sortes : gros en leur milieu, minces en leur milieu, le bout épais et fin à la base, ou inversement ; les narines larges ou étroites, hautes ou basses, à trous soit apparents, soit cachés par la pointe. Tu trouveras la même diversité dans les autres traits : toutes choses que tu devras étudier d'après nature et fixer ainsi dans ton esprit. »

En suivant les conseils du maître, faites des visages votre thème du jour. Une autre fois, prenez plutôt les nez pour thème. Dessinez-les de face et de profil. Dessinez aussi des yeux, des bouches, etc.

Dessiner par cœur 4 : Étude de visage

Quand vous aurez observé pendant quelque temps des visages et des traits, étudiez le visage d'un ami en choisissant si possible la même personne dont vous avez déjà fait le portrait de mémoire. Procédez par étapes :

Regardez votre ami comme si vous le voyiez pour la première fois.

Recherchez ses aspects géométriques : triangles, cercles, carrés. Notez ses lignes, ses courbes, ses points.

Avec sa permission, parcourez le visage de votre ami du bout du doigt afin d'en explorer les contours et les textures.

Études de profils de Léonard ; Collection Windsor.

Étude du visage de Francesco Sforza.

Reculez et faites-en un dessin tactile.

Observez maintenant les masses d'ombre et de lumière. Faites un croquis rapide qui reflète les valeurs que vous avez observées.

Ensuite, avec un Conté, faites un croquis « sculpté » du visage de votre ami. Rendez la profondeur et la richesse de ce que vous voyez.

Faites ensuite un croquis du visage de votre ami en utilisant votre autre main.

Enfin, dessinez un portrait qui rassemble tout ce que vous avez appris jusqu'ici dans cette étude de visage.

Dessiner par cœur 5 : Autoportrait

Refaites chaque étape de l'exercice 4 en observant votre propre visage dans une glace.

Le cours de dessin léonardien pour débutants a pour but de vous faire aimer l'art de « savoir voir ». Dessiner à la manière du maître, c'est faire des yeux l'amour avec l'univers. Laissez-vous séduire par la couleur, la luxuriance des masses, le romantisme de l'ombre et de la lumière. Travaillez, osez, abandonnez-vous, respirez, amusez-vous. Pour profiter le plus possible de votre apprentissage, signez, datez et conservez chacun de vos dessins. Ils rendront merveilleusement compte de votre vision du monde en constante évolution.

Il Cavallo

La renaissance d'un rêve.

En 1977, la revue *National Geographic* publiait un article intitulé «The Horse That Never Was» (Le cheval qui n'a jamais vu le jour). On y décrivait le monument équestre des Sforza dont Léonard caressait le projet, et les circonstances qui conduisirent à la destruction de son modèle en 1499. Charles Dent, un pilote et collectionneur d'art, en lisant cet article, échafauda un rêve : réaliser le cheval de Léonard – *Il Cavallo* – et l'offrir au peuple italien en reconnaissance des trésors que la Renaissance a légués à l'univers tout entier.

Dent rassembla une impressionnante équipe de spécialistes de la Renaissance, de sculpteurs, de métallurgistes et de mécènes, et entreprit de concrétiser son rêve. Il fit appel à ses propres ressources, allant jusqu'à vendre certaines des pièces de sa collection afin d'assurer le «fourrage» du cheval, comme il se plaisait à dire. Ce projet finit par attirer l'attention des médias du monde entier et, en août 1992, la fonderie Tallix Art parvint à créer un modèle de dimensions réelles du *Cavallo*. Par un curieux hasard, Charles Dent mourut alors que ce second cheval en était exactement au même stade de production que le premier, lorsque celui-ci fut détruit par les archers gascons : le modèle achevé, il ne restait plus qu'à couler le bronze. Mais avant son décès, un petit groupe de ses amis et de protecteurs lui promirent de mener son projet à bien.

Ces visionnaires, regroupés autour d'un organisme sans but lucratif que Dent mit sur pied en 1982, la LDVHI (Leonardo da Vinci's Horse, Inc.), assurent la survie du cheval. *Il Cavallo* sera dévoilé à Milan le 10 septembre 1999, cinq cents ans jour pour jour après la destruction du cheval original. Le communiqué suivant, émis par la LDVHI, résume la situation :

> Ce projet a pour but d'honorer le génie de Léonard et de lui rendre hommage par la réalisation d'un cheval gigantesque inspiré de ses dessins, et d'offrir *Le Cheval* au peuple italien afin d'exprimer la reconnaissance du

peuple américain à tous les Italiens pour leur contribution à la culture universelle. Ce présent reconnaîtra l'immense héritage culturel, artistique et scientifique que la Renaissance italienne a légué au monde et qui, dans l'Amérique d'aujourd'hui, continue de stimuler la curiosité, l'imagination et la créativité.

Le Cheval reproduit fidèlement les dessins originaux de Léonard, déposés dans des fonds d'archives en Angleterre, en Espagne, en Italie et en France, et respecte en tous points l'esprit de Léonard et celui de la Renaissance.

Plus généralement, le symbolisme du *Cheval* comme celui de la statue de la Liberté, dépasse les frontières. *Il cavallo* se dressera pendant des millénaires comme défenseur de la permanence contre l'effet destructeur de la guerre, et comme symbole de l'amitié entre les nations.

Re-création du modèle du cheval des Sforza, d'après les dessins de Léonard de Vinci.

Chronologie de Léonard de Vinci
Sa vie et son temps

1452	15 avril	Naissance de Léonard
1453		Chute de Byzance
1469		Naissance de Machiavel/Décès de Pierre de Médicis – Laurent le Magnifique et Julien de Médicis prennent le pouvoir à Florence
1473		Naissance de Copernic/Léonard entre dans la guilde des peintres, sculpteurs et orfèvres
1475		Naissance de Michel-Ange
1480		Naissance de Magellan
1481		Léonard travaille à *L'Adoration des Mages*
1483		Naissance de Raphaël
1488		Naissance de Titien
1490		Léonard inaugure son atelier
1492		Découverte de l'Amérique par Colomb
1497		Léonard peint *La Cène*
1498		
1499		Destruction du cheval des Sforza
1500		
1504		Michel-Ange termine son *David* et consulte Léonard quant au meilleur emplacement à lui donner
	9 juillet	Décès du père de Léonard ; dix fils et deux filles lui survivent
1506		Léonard termine *La Joconde*
1507		
1508		
1512		Michel-Ange termine le plafond de la chapelle Sixtine
1516		Léonard quitte l'Italie pour Amboise
1519	23 avril	Testament de Léonard
	2 mai	Décès de Léonard

SUGGESTIONS DE LECTURE

Curiosità

Adams, Kathleen, *Journal to the Self,* New York, Warner Books, 1990. Contient de fabuleux exercices pour développer la connaissance de soi.

Fuller, Buckminster, *Critical Path,* New York, St.Martin's Press, 1981. Pensées d'un *uomo universale* moderne.

Goldberg, Merrilee, *The Art of the Question : A Guide to Short-Term Question-Centered Therapy,* New York, John Wiley & Sons, 1998. La mise en pratique de la Curiosità par une éminente psychothérapeute.

Gross, Ron, *Peak Learning,* Los Angeles, Jeremy P. Tarcher, 1991. Petit manuel pour étudiants perpétuels.

Progroff, Ira, *At a Journal Workshop,* New York, Dialogue House, 1975. Progroff est un pionnier dans le recours au journal intime à des fins de développement personnel.

Dimostrazione

Alexander, F. M. *The Use of the Self,* New York, Dutton, 1932. Enrichissant témoignage de l'importance de l'empirisme dans l'apprentissage.

McCormack, Mark H., *Tout ce que vous n'apprendrez jamais à Harvard : notes d'un homme de terrain,* Marseille, Éditions Rivages, 1985. La Dimostrazione dans le monde des affaires.

Seligman, Martin, *Learned Optimism,* New York, Knopf, 1991. Comment acquérir du ressort devant l'adversité.

Shah, Idries, *Sagesse des idiots,* traduction de Jean Néaumet, Paris, Courrier du livre, 1984. Un livre sur les soufis, les « disciples de l'expérience ».

SENSAZIONE

Ackerman, Diane, *Le livre des sens,* traduction d'Alexandre Kalda, Paris, Grasset, 1991. Un «aphrodisiaque pour les récepteurs sensitifs», selon le *Chicago Tribune.*

Campbell, Don, *L'effet Mozart,* Montréal, Le Jour, 1998.

Collins, Terah Kathryn, *The Western Guide to Fên Shui,* Carlsbad, Cal., Hay House, Inc., 1996.

Cytowic, Richard, *The Man Who Tasted Shapes,* New York, Putnam, 1993. Les recherches en synesthésie d'un neurologue créateur.

Gregory, R. L., *Eye and Brain : The Psychology of Seeing* (quatrième édition), New York, Oxford University Press, 1990.

Rossbach, Sarah, *Feng Shui : l'Art de mieux vivre dans sa maison,* traduction de Dominic Kugler, préface et calligraphie de Lin Yun, Paris, Souffle, 1988.

SFUMATO

Agor, Weston, *The Logic of Intuitive Decision Making,* Westport, Con., Greenwood Press, 1986. Agor démontre l'importance de l'intuition dans la gestion des problèmes complexes.

Gelb, Michael J., *Thinking for a Change : Discovering the Power to Create, Communicate, and Lead,* New York, Harmony Books, 1996. Introduction à la notion de «pensée synévergente»; une approche du développement grâce au Sfumato.

Johnson, Barry, *Polarity Management : Identifying and Managing Unsolvable Problems,* Amherst, Mass., Human Resource Development Press, 1992. La notion de gestion polarisée de Johnson est un brillant exemple de recours au Sfumato.

May, Rollo, *The Courage to Create,* New York, Bantam, 1976. Brillant exposé du rôle central de la tension créatrice dans la créativité.

ARTE/SCIENZA

Buzan, Tony, *Une tête bien faite : exploitez vos ressources intellectuelles,* traduction d'Hélène Trocmé et Paul Sager, Paris, Éditions d'Organisation, 1984. Un guide essentiel pour quiconque est à la recherche d'un équilibre entre l'Arte et la Scienza.

Buzan, Tony et Barry Buzan, *Dessine-moi l'intelligence,* Paris, Éditions d'Organisation, 1995. La bible de la cartographie mentale.

Wonder, Jacqueline, *Whole Brain Thinking,* New York, Ballantine, 1985. Penchez-vous plus du côté de l'Arte ou du côté de la Scienza ? Wonder vous propose de découvrir votre hémisphère dominant.

CORPORALITÀ

Anderson, Bob, *Le stretching : grâce à la technique américaine de l'étirement, gardez la forme et pratiquez sans risque vos sports favoris,* traduction et adaptation de Chantal Jayat, Paris, Solar, 1983.

Conable, Barbara et William, *How to Learn the Alexander Technique,* Columbus, Ohio, Andover Road Press, 1991. Les Conable ont introduit le concept de « cartographie corporelle ».

Cooper, Kenneth, *New Aerobics,* New York, Bantam, 1970.

Fincher, Jack, *Lefties : The Origin and Consequences of Being Left-Handed,* New York, Putnam, 1977. Un survol amusant et bien documenté sur la relation entre la main et le cerveau.

Gelb, Michael J., *Body Learning : An Introduction to the Alexander Technique*, New York, Henry Holt & Company, 1987, 1995. Un guide pour le développement des vertus léonardiennes du maintien, de la présence et de la grâce.

Gelb, Michael J. et Tony Buzan, *Lessons from the Art of Juggling : How to Achieve Your Full Potential in Business, Learning and Life,* New York, Harmony Books, 1994. Une approche originale de l'ambidextérité appliquée.

CONNESSIONE

Kodish, Susan et Bruce, *Drive Yourself Sane : Using the Uncommon Sense of General Semantics,* Englewood, N.J., Institute of General Semantics, 1993. Un livre accessible sur la pensée systémique et la sémantique.

Lao Tseu, *Tao tö King,* traduction de Liou Kia-Hway, préface d'Étiemble, Paris, Gallimard, 1990. Le taoïsme reflète de nombreuses intuitions de Léonard.

Russell, Peter, *The Awakening Earth : Our Next Evolutionary Leap,* Londres, Routledge & Kegan Paul, 1982. La Connessione dans l'univers et l'évolution humaine.

Senge, Peter M., *The Fifth Discipline : The Art & Practice of the Learning Organization,* New York, Doubleday, 1990. Un ouvrage qui aide le lecteur à comprendre les schémas, les interdépendances et les systèmes en affaire et dans la vie quotidienne.

Wheatley, Margaret, *Leadership and the New Science,* San Francisco, Berret-Koehler Publishers, 1992. L'application de la physique moderne dans la compréhension des structures organisationnelles.

COURS DE DESSIN LÉONARDIEN POUR DÉBUTANTS

Edwards, Betty, *Dessiner grâce au cerveau droit,* traduction de M. Scheffeniels-Jeunehomme, Bruxelles, Mardaga, 1987. Un classique dans le domaine de l'apprentissage global.

Nicolaides, Kimon, *The Natural Way to Draw,* Boston, Houghton Mifflin, 1941. Le meilleur manuel de dessin qui soit.

LA RENAISSANCE ET L'HISTOIRE DE L'ART ET DES IDÉES

Burke, Peter, *La Renaissance en Italie : art, culture, société,* traduction de Patrick Wotling, Paris, Hazan, 1991.

Burkhardt, Jacob, *The Civilization of the Renaissance in Italy,* New York, Boni, 1935.

Durant, Will et Ariel, *Histoire de la civilisation,* Lausanne, Rencontre, 1966.

Gombrich, E. H., *Histoire de l'art,* traduction de J. Combe et C. Lauriol, Paris, Gallimard, 1997. Si vous ne lisez qu'un seul livre sur l'histoire de l'art, lisez celui-ci.

Hibbert, Christopher, *The House of Medici : Its Rise and Fall,* New York, William Morrow, 1974.

Janson, H. W., *History of Art,* Englewood Cliffs, N.J., Prentice Hall, 1982.

Jardine, Lisa, *Wordly Goods : A New History of the Renaissance,* New York, Doubleday, 1996. Le rôle de la « culture matérielle » à la Renaissance.

Manchester, William, *A World Lit Only by Fire : The Medieval Mind and the Renaissance,* Boston, Little, Brown & Co., 1992. L'un des ouvrages d'histoire les plus vivants et les plus enrichissants qui soient.

Pater, Walter, *La Renaissance,* traduction de F. Roger Cornaz, Paris, Payot, 1917.

Schwartz, Lillian (en collaboration avec Laurens Schwartz), *The Computer Artist's Handbook,* New York, Norton, 1992. Un livre sur l'art pour l'ère de l'informatique. On y trouve les extraordinaires recherches de l'auteur sur *La Joconde* et *La Cène.*

Tarnas, Richard, *The Passion of the Western Mind : Understanding the Ideas That Have Shaped Our World View,* New York, Ballantine Books, 1991. Tarnas affirme que l'esprit occidental est sur le point de connaître une transformation sans précédent : « une réconciliation [...] triomphante et régénératrice entre deux polarités, une union des contraires ; un mariage sacré entre l'ancienne domination masculine maintenant révolue et la nouvelle domination féminine depuis longtemps opprimée ».

Tuchman, Barbara, *Un lointain miroir : Le XIVe siècle de calamités,* traduction de Denise Meunier, Paris, Fayard, 1979.

Vasari, Giorgio, *Les vies des meilleurs peintres, sculpteurs et architectes,* traduction et édition commentée sous la direction d'André Chastel, 11 volumes, Paris, Berger-Levrault, 1981-1987.

LÉONARD DE VINCI

Beck, James, *Leonardo's Rules of Painting: An Unconventional Approach to Modern Art,* New York, The Viking Press, 1979.

Bramly, Serge, *Léonard de Vinci,* Paris, J.-C. Lattès, 1979. La meilleure biographie de Léonard.

Clark, Kenneth, *Léonard de Vinci,* traduction de Eleanor Levieux et Françoise Marie-Rosset, Paris, Le Livre de poche, 1967. Un fascinant compte rendu de l'évolution de l'artiste.

Costantino, Maria et Aileen Reid, *Léonard de Vinci*, traduction Textra, Lyon, PML, 1992. Les plus belles illustrations.

Freud, Sigmund, *Un souvenir d'enfance de Léonard de Vinci,* traduction de Janine Altounian, préface de J.-B. Pentalis, Paris, Gallimard, 1987. Dans un passage célèbre de ses carnets, Léonard interrompt ses observations sur le vol du vautour pour relater un souvenir personnel: «Il semble que ce soit mon destin d'écrire ainsi sur le milan, car parmi mes plus lointaines impressions d'enfance, il me souvient que du temps où j'étais au berceau, un milan vint m'ouvrir la bouche de sa queue, et à plusieurs reprises me frappa de sa queue sur les lèvres.» En prenant ce souvenir et quelques faits confirmés de la vie de Léonard comme point de départ, Freud propose une analyse qui constitue une lecture essentielle pour tous ceux qui aspirent à comprendre Léonard (et Freud). L'analyse de Freud n'a pas pour but de réduire le génie de Léonard à une réalité pathologique, comme on le croit souvent. Il s'agit plutôt de la tentative d'un homme de génie respectueux et sensible pour comprendre et approfondir le génie de quelqu'un d'autre.

Merezhkovsky, Dmitry, *The Romance of Leonardo da Vinci,* New York, Garden City Publishing Co., 1928.

Philipson, Morris, *Leonardo da Vinci: Aspects of a Renaissance Genius,* New York, George Braziller, Inc., 1996. Trente érudits écrivent sur Léonard. La brève introduction de Brazilier intitulée «The Fascination of Leonardo da Vinci» constitue un résumé raffiné de l'héritage de Léonard.

Les Carnets de Léonard de Vinci, introduction, classement et notes par Edward MacCurdy, traduit de l'anglais et de l'italien par

Louise Servicen, préface de Paul Valéry, 2 volumes, Paris, Gallimard, 1942 ; collection Tel, Paris, Gallimard, 1987. L'intégrale des *Carnets* dans une admirable traduction.

Stites, Raymond, *The Sublimations of Leonardo da Vinci,* Washington, D.C., Smithsonian Institution Press, 1970.

Vallentin, Antonina, *Léonard de Vinci,* 7e édition revue et augmentée, Paris, Gallimard, 1950.

LA NATURE DE L'INTELLIGENCE ET DU GÉNIE

Boorstin, Daniel, *Les créateurs,* traduction de Béatrice Vierne, Paris, Seghers, 1995.

Briggs, John, *Fire in the Crucible,* Los Angeles, Jeremy P. Tarcher, Inc., 1990. Les recherches exceptionnelles d'un esthéticien sur les subtilités du génie.

Buzan, Tony et Raymond Keene, *Buzan's Book of Genius (And How You Can Become One),* Londres, Stanley Paul, 1994. Un examen systématique de l'essence du génie, comprenant des exercices pratiques pour le développement de l'intelligence.

Dilts, Robert, *Strategies of Genius,* 3 volumes, Capitola, Cal., Meta Publications, 1995. Dilts, un pionnier de la programmation neurolinguistique, nous propose une fascinante exploration du cerveau d'Aristote, de Walt Disney, de Sigmund Freud et d'autres, dont Léonard de Vinci.

Gardner, Howard, *Les formes de l'intelligence,* traduction de Jean-Paul Mourlon, avec la collaboration de Sylvie Taussig, Paris, O. Jacob, 1997.

Gardner, Howard, *Creating Minds : An Anatomy of Creativity Seen Through the Lives of Freud, Einstein, Picasso, Stravinsky, Eliot, Graham and Gandhi,* New York, Basic Books, 1983.

Pert, Candace, *Molecules of Emotion,* New York, Scribner, 1997. Le bouleversant compte rendu d'une spécialiste des sciences neurologiques sur ses recherches concernant le caractère indivisible du cerveau, des émotions et de l'esprit.

Restak, Richard M., *The Brain : The Last Frontier,* New York, Warner Books, 1979. Un ouvrage exhaustif et facile d'accès sur la science du cerveau.

Von Oech, Roger, *A Whack of the Side of the Head* (édition revue), New York, Warner Books, 1990. Le classique moderne sur la pensée créatrice.

TABLE DES ILLUSTRATIONS

DEUXIÈME PARTIE

Curiosità

Léonard de Vinci: *Étude de fleurs*. Académie, Venise, Italie. Photo: Alinari/Art Resource, NY.

Léonard de Vinci: *Machine volante. Codex Atlanticus*. Bibliothèque Ambrosiana, Milan, Italie. Photo: Art Resource, NY.

Léonard de Vinci: *Étude d'oiseaux en vol. E-fol 22-V 23-R*. Bibliothèque de l'Institut de France, Paris, France. Photo: Giraudon/Art Resource, NY.

Page extraite des Carnets de Léonard de Vinci. The Royal Collection. © Sa Majesté la Reine Élisabeth II.

Sfumato

Léonard de Vinci: *La Joconde*. c. 15003-1006. Huile sur panneau, 97 x 53 cm. Musée du Louvre, Paris, France. Photo: Giraudon/Art Resource, NY.

Lillian Schwartz: *Superposition de l'autoportrait de Léonard et de La Joconde*. Copyright © 1998 Computer Creations Corporation. Tous droits réservés. Reproduction autorisée.

Arte/Scienza

Hémisphères. Illustration: Nusa Maal.

Carte mentale des règles de la cartographie mentale. Illustration: Nusa Maal.

Utilité de la cartographie mentale. Illustration: Nusa Maal.

Corporalità

Léonard de Vinci, jongleur. Illustration: Nusa Maal.

Connessione

Léonard de Vinci: *Dragon*. The Royal Collection © Sa Majesté la Reine Élisabeth II.

Léonard de Vinci: *Étude de fleurs,* probablement pour *La Vierge aux Rochers*. (Fac-similé de l'original au Château de Windsor, Bibliothèque Royale). Galerie des Offices, Cabinet des Dessins et Estampes, Florence, Italie. Photo: Scala/Art Resource, NY.

TROISIÈME PARTIE

Cours de dessin léonardien pour débutants

Il Cavallo : La renaissance d'un rêve

TABLE DES MATIÈRES

Affaires publiques, vie culturelle, histoire

L'affiche au Québec — Des origines à nos jours, Marc H. Choko
Aller-retour au pays de la folie, S. Cailloux-Cohen et Luc Vigneault
* **Antiquités du Québec — Objets anciens,** Michel Lessard
* **Apprécier l'œuvre d'art,** Francine Girard
* **Autopsie d'un meurtre,** Rick Boychuk
* **Avec un sourire,** Gilles Latulippe
* **La baie d'Hudson,** Peter C. Newman
* **Banque Royale,** Duncan McDowall
* **Boum Boum Geoffrion,** Bernard Geoffrion et Stan Fischler
Le cercle de mort, Guy Fournier
* **Claude Léveillée,** Daniel Guérard
* **Les conquérants des grands espaces,** Peter C. Newman
* **Dans la fosse aux lions,** Jean Chrétien
* **Dans les coulisses du crime organisé,** A. Nicaso et L. Lamothe
* **Le déclin de l'empire Reichmann,** Peter Foster
* **De Dallas à Montréal,** Maurice Philipps
* **Deux verdicts, une vérité,** Gilles Perron et Daniel Daignault
* **Les écoles de rang au Québec,** Jacques Dorion
* **Enquête sur les services secrets,** Normand Lester
* **Étoiles et molécules,** Élizabeth Teissier et Henri Laborit
La généalogie, Marthe F. Beauregard et Ève B. Malak
Gilles Villeneuve, Gerald Donaldson
Gretzky — Mon histoire, Wayne Gretzky et Rick Reilly
* **Les insolences du frère Untel,** Jean-Paul Desbiens
* **Jacques Normand,** Robert Gauthier
* **Jacques Parizeau, un bâtisseur,** Laurence Richard
* **Les liens du sang,** Antonio Nicaso et Lee Lamothe
* **La maison au Québec,** Yves Laframboise
* **Marcel Tessier raconte…,** Marcel Tessier
* **Maurice Duplessis,** Conrad Black
Meubles anciens du Québec, Michel Lessard
* **Moi, Mike Frost, espion canadien…,** Mike Frost et Michel Gratton
* **Montréal au XXe siècle — regards de photographes,** Collectif dirigé par Michel Lessard
Montréal — les lumières de ma ville, Yves Marcoux et Jacques Pharand
Montreal, the lights of my city, Jacques Pharand et Yves Marcoux
Montréal, métropole du Québec, Michel Lessard
* **Les mots de la faim et de la soif,** Hélène Matteau
* **Notre Clémence,** Hélène Pedneault
* **Objets anciens du Québec — La vie domestique,** Michel Lessard
* **Option Québec,** René Lévesque
Parce que je crois aux enfants, Andrée Ruffo
Paul-Émile Léger tome 1. Le Prince de l'Église, Micheline Lachance
Paul-Émile Léger tome 2. Le dernier voyage, Micheline Lachance
Paul-Émile Léger - coffret 2 volumes, Micheline Lachance
* **Pierre Daignault, d'IXE-13 au père Ovide,** Luc Bertrand
* **Plamondon — Un cœur de rockeur,** Jacques Godbout
* **Pleins feux sur les… services secrets canadiens,** Richard Cléroux
* **Pleurires,** Jean Lapointe
Prisonnier à Bangkok, Alain Olivier et Normand Lester
Quebec, city of light, Michel Lessard et Claudel Huot
Québec from the air, Pierre Lahoud et Henri Dorion
Québec, ville de lumière, Michel Lessard et Claudel Huot
Québec, ville du Patrimoine mondial, Michel Lessard
Le Québec vu du ciel, Pierre Lahoud et Henri Dorion
* **Les Quilico,** Ruby Mercer
René Lévesque, portrait d'un homme seul, Claude Fournier
Riopelle, Robert Bernier
Sauvez votre planète !, Marjorie Lamb
* **Saveurs des campagnes du Québec,** Jacques Dorion
* **La sculpture ancienne au Québec,** John R. Porter et Jean Bélisle
Sir Wilfrid Laurier, Laurier L. Lapierre
La stratégie du dauphin, Dudley Lynch et Paul L. Kordis
Syrie terre de civilisations, Michel Fortin
* **Le temps des fêtes au Québec,** Raymond Montpetit
* **Trudeau le Québécois,** Michel Vastel
* **Un amour de ville,** Louis-Guy Lemieux

* **Un siècle de peinture au Québec,** Robert Bernier
Villages pittoresques du Québec, Yves Laframboise

Psychologie, vie affective, vie professionnelle, sexualité

20 minutes de répit, Ernest Lawrence Rossi et David Nimmons
101 conseils pour élever un enfant heureux, Lisa McCourt
1001 stratégies amoureuses, Marie Papillon
À dix kilos du bonheur, Danielle Bourque
L'adultère est un péché qu'on pardonne, Bonnie Eaker Weil et Ruth Winter
* **Aider mon patron à m'aider,** Eugène Houde
Aimer et se le dire, Jacques Salomé et Sylvie Galland
Aimer un homme sans se laisser dominer, Harrison Forrest
À la découverte de mon corps — Guide pour les adolescentes, Lynda Madaras
À la découverte de mon corps — Guide pour les adolescents, Lynda Madaras
L'amour comme solution, Susan Jeffers
* **L'amour, de l'exigence à la préférence,** Lucien Auger
* **L'amour en guerre,** Guy Corneau
L'amour entre elles, Claudette Savard
Les anges, mystérieux messagers, Collectif
Apprendre à dire non, Marcelle Lamarche et Pol Danheux
Apprenez à votre enfant à réfléchir, John Langrehr
L'apprentissage de la parole, R. Michnik Golinkoff et K. Hirsh-Pasek
L'approche émotivo-rationnelle, Albert Ellis et Robert A. Harper
Arrête de bouder!, Marie-France Cyr
Arrosez les fleurs pas les mauvaises herbes, Fletcher Peacock
L'art de discuter sans se disputer, Robert V. Gerard
L'art de parler en public, Ed Woblmuth
L'art d'être parents, Dr Benjamin Spock
* **Astrologie 2000,** Andrée d'Amour
Attention, parents !, Carol Soret Cope
Au cœur de l'année monastique, Victor-Antoine d'Avila-Latourrette
Balance en amour, Linda Goodman
Bébé joue et apprend, Penny Warner
Bélier en amour, Linda Goodman
Bientôt maman, Janet Whalley, Penny Simkin et Ann Keppler
* **Le bonheur au travail,** Alan Carson et Robert Dunlop
Le bonheur si je veux, Florence Rollot
Cancer en amour, Linda Goodman
Capricorne en amour, Linda Goodman
Ces chers parents !..., Christina Crawford
Ces gens qui remettent tout à demain, Rita Emmett
Ces gens qui vous empoisonnent l'existence, Lillian Glass
* **Ces hommes qui méprisent les femmes... et les femmes qui les aiment,** Dr Susan Forward et Joan Torres
Ces pères qui ne savent pas aimer, Monique Brillon
Cessez d'être gentil, soyez vrai, Thomas d'Ansembourg
Ces visages qui en disent long, Jeanne-Élise Alazard
Changer en douceur, Alain Rochon
Changer ensemble — Les étapes du couple, Susan M. Campbell
Changer, oui, c'est possible, Martin E. P. Seligman
Les clés du succès, Napoleon Hill
Comment aider mon enfant à ne pas décrocher, Lucien Auger
Comment communiquer avec votre adolescent, E. Weinhaus et K. Friedman
Comment contrôler l'inquiétude et l'utiliser efficacement, Dr E. M. Hallowell
Comment faire l'amour sans danger, Diane Richardson
* **Comment parler en public,** S. Barrat et C. H. Godefroy
Comment s'amuser à séduire l'autre, Lili Gulliver
Comment s'entourer de gens extraordinaires, Lillian Glass
Communiquer avec les autres, c'est facile !, Érica Guilane-Nachez
Le complexe de Casanova, Peter Trachtenberg
* **Comprendre et interpréter vos rêves,** Michel Devivier et Corinne Léonard
La concentration créatrice, Jean-Paul Simard
La côte d'Adam, M. Geet Éthier
Couples en péril réagissez !, Dr Arnold Brand
Découvrez votre quotient intellectuel, Victor Serebriakoff
Découvrir un sens à sa vie avec la logothérapie, Viktor E. Frankl
Le défi de vieillir, Hubert de Ravinel
* **De ma tête à mon cœur,** Micheline Lacasse
La dépression contagieuse, Ronald M. Podell
La deuxième année de mon enfant, Frank et Theresa Caplan

Développez votre charisme, Tony Alessandra
Devenez riche, Napoleon Hill
* **Dieu ne joue pas aux dés,** Henri Laborit
Dominez votre anxiété avant qu'elle ne vous domine, Albert Ellis
Les douze premiers mois de mon enfant, Frank Caplan
* **Du nouvel amour à la famille recomposée,** Gisèle Larouche
Les dynamiques de la personne, Denis Ouimet
Dynamique des groupes, Jean-Marie Aubry
En attendant notre enfant, Yvette Pratte Marchessault
* **Les enfants de l'autre,** Erna Paris
Les enfants de l'indifférence, Andrée Ruffo
* **L'enfant unique — Enfant équilibré, parents heureux,** Ellen Peck
L'Ennéagramme au travail et en amour, Helen Palmer
Entre le rire et les larmes, Élisabeth Carrier
L'esprit dispersé, Dr Gabor Maté
* **L'esprit du grenier,** Henri Laborit
Êtes-vous faits l'un pour l'autre ?, Ellen Lederman
* **L'étonnant nouveau-né,** Marshall H. Klaus et Phyllis H. Klaus
Être soi-même, Dorothy Corkille Briggs
* **Évoluer avec ses enfants,** Pierre-Paul Gagné
Exceller sous pression, Saul Miller
* **Exercices aquatiques pour les futures mamans,** Joanne Dussault et Claudia Demers
Fantaisies amoureuses, Marie Papillon
La femme indispensable, Ellen Sue Stern
La force intérieure, J. Ensign Addington
Le fruit défendu, Carol Botwin
Gémeaux en amour, Linda Goodman
Le goût du risque, Gert Semler
Le grand dauphin blanc, Bruno Saint-Cast
* **Le grand manuel des cristaux,** Ursula Markham
La graphologie au service de votre vie intime et professionnelle, Claude Santoy
Guérir des autres, Albert Glaude
* **La guérison du cœur,** Guy Corneau
Le guide du succès, Tom Hopkins
* **Heureux comme un roi,** Benoît L'Herbier
Histoire d'une femme traquée, Gaëtan Dufour
L'histoire merveilleuse de la naissance, Jocelyne Robert
Horoscope chinois 2001, Neil Somerville
Horoscope chinois 2002, Neil Somerville
Les initiales du bonheur, Ronald Royer
L'insoutenable absence, Regina Sara Ryan
J'ai commis l'inceste, Gilles David
* **J'aime,** Yves Saint-Arnaud
J'ai rendez-vous avec moi, Micheline Lacasse
Jamais seuls ensemble, Jacques Salomé
Je crois en moi et je vais mieux !, Christ Zois et Patricia Fogarty
Je réinvente ma vie, J. E. Young et J. S. Klosko
Le jeu excessif, Ladouceur, Sylvain, Boutin et Doucet
* **Le journal intime intensif,** Ira Progoff
Le langage du corps, Julius Fast
Lion en amour, Linda Goodman
Le mal des mots, Denise Thériault
Maman a raison, papa n'a pas tort..., Dr Ron Taffel
Maman, bobo !, Collectif
Les manipulateurs et l'amour, Isabelle Nazare-Aga
Les manipulateurs sont parmi nous, Isabelle Nazare-Aga
Ma sexualité de 0 à 6 ans, Jocelyne Robert
Ma sexualité de 6 à 9 ans, Jocelyne Robert
Ma sexualité de 9 à 12 ans, Jocelyne Robert
La méditation transcendantale, Jack Forem
Le mensonge amoureux, Robert Blondin
Nous divorçons — Quoi dire à nos enfants, Darlene Weyburne
Mère à la maison et heureuse ! Cindy Tolliver
Mettez du feng shui dans votre vie, George Birdsall
* **Mon enfant naîtra-t-il en bonne santé ?,** Jonathan Scher et Carol Dix
* **Mon journal de rêves,** Nicole Gratton
Parent responsable, enfant équilibré, François Dumesnil
Parle, je t'écoute..., Kris Rosenberg
Parle-moi... j'ai des choses à te dire, Jacques Salomé
Parlez-leur d'amour et de sexualité, Jocelyne Robert
Parlez pour qu'on vous écoute, Michèle Brien
Partir ou rester ?, Peter D. Kramer

Pas de panique !, Dr R. Reid Wilson
Pensez comme Léonard de Vinci, Michael J. Gelb
Père manquant, fils manqué, Guy Corneau
Petit bonheur deviendra grand, Éliane Francœur
La peur d'aimer, Steven Carter et Julia Sokol
Les peurs infantiles, Dr John Pearce
Peut-on être un homme sans faire le mâle ?, John Stoltenberg
* **Les plaisirs du stress**, Dr Peter G. Hanson
La plénitude sexuelle, Michael Riskin et Anita Banker-Riskin
Poissons en amour, Linda Goodman
Pour en finir avec le trac, Peter Desberg
Pour entretenir la flamme, Marie Papillon
Pourquoi l'autre et pas moi ? — Le droit à la jalousie, Dr Louise Auger
Pourquoi les hommes s'en vont, Brenda Shoshanna
Le pouvoir d'Aladin, Jack Canfield et Mark Victor Hansen
Le pouvoir de la couleur, Faber Birren
Le pouvoir de la pensée « négative », Tony Humphreys
Le pouvoir de l'empathie, A.P. Ciaramicoli et C. Ketcham
Préparez votre enfant à l'école dès l'âge de 2 ans, Louise Doyon
* **Prévenir et surmonter la déprime**, Lucien Auger
Le principe de Peter, L. J. Peter et R. Hull
Les problèmes de sommeil des enfants, Dr Susan E. Gottlieb
Psychologie de l'enfant de 0 à 10 ans, Françoise Cholette-Pérusse
* **La puberté**, Angela Hines
La puissance de la vie positive, Norman Vincent Peale
La puissance de l'intention, Richard J. Leider
Qui a peur d'Alexander Lowen ?, Édith Fournier
Réfléchissez et devenez riche, Napoleon Hill
La réponse est en moi, Micheline Lacasse
Les rêves, messagers de la nuit, Nicole Gratton
Les rêves portent conseil, Laurent Lachance
Rêves, signes et coïncidences, Laurent Lachance
Rompre pour de bon !, Joyce L. Vedral
* **Rompre sans tout casser**, Linda Bérubé
Ronde et épanouie !, Cheri K. Erdman
* **S'affirmer au quotidien**, Éric Schuler
S'affirmer et communiquer, Jean-Marie Boisvert et Madeleine Beaudry
S'aider soi-même davantage, Lucien Auger
Sagittaire en amour, Linda Goodman
Scorpion en amour, Linda Goodman
Se comprendre soi-même par des tests, Collaboration
Se connaître soi-même, Gérard Artaud
* **Le secret de Blanche**, Blanche Landry
Secrets d'alcôve, Iris et Steven Finz
Les secrets de la flexibilité, Priscilla Donovan et Jacquelyn Wonder
Les secrets de l'astrologie chinoise ou le parfait bonheur, André H. Lemoine
Les secrets des 12 signes du zodiaque, Andrée D'Amour
Séduire à coup sûr, Leil Lowndes
* **Se guérir de la sottise**, Lucien Auger
S'entraider, Jacques Limoges
* **La sexualité du jeune adolescent**, Dr Lionel Gendron
La sexualité pour le plaisir et pour l'amour, D. Schmid et M.-J. Mattheeuws
Si je m'écoutais je m'entendrais, Jacques Salomé et Sylvie Galland
Le Soi aux mille visage, Pierre Cauvin et Geneviève Cailloux
* **Superlady du sexe**, Susan C. Bakos
Surmonter sa peine, Adele Wilcox
La synergologie, Philippe Turchet
Taureau en amour, Linda Goodman
Te laisse pas faire ! Jocelyne Robert
Le temps d'apprendre à vivre, Lucien Auger
Tics et problèmes de tension musculaire, Kieron O'Connor et Danielle Gareau
Tirez profit de vos erreurs, Gerard I. Nierenberg
Tout se joue avant la maternelle, Masaru Ibuka
* **Travailler devant un écran**, Dr Helen Feeley
Un autre corps pour mon âme, Michael Newton
* **Un monde insolite**, Frank Edwards
Une vie à se dire, Jacques Salomé
* **Un second souffle**, Diane Hébert
Verseau en amour, Linda Goodman
* **La vie antérieure**, Henri Laborit
Vieillir au masculin, Hubert de Ravinel
Vierge en amour, Linda Goodman

Vivre avec un cardiaque, Rhoda F. Levin
Vos enfants consomment-ils des drogues?, Steve Carper et Timothy Dimoff
Votre enfant est-il trop sensible?, Janet Poland et Judi Craig
Votre enfant est-il victime d'intimidation?, Sarah Lawson
Vouloir c'est pouvoir, Raymond Hull
Vous valez mieux que vous ne pensez, Patricia Cleghorn

Santé, beauté

Alzheimer — Le long crépuscule, Donna Cohen et Carl Eisdorfer
L'arthrite, Dr Michael Reed Gach
L'arthrite — méthode révolutionnaire pour s'en débarrasser, Dr John B. Irwin
Au cœur de notre corps, Marie Lise Labonté
Bien vivre, mieux vieillir, Marie-Paule Dessaint
Bon vin, bon cœur, bonne santé!, Frank Jones
Le cancer du sein, Dr Carol Fabian et Andrea Warren
La chirurgie esthétique, Dr André Camirand
* **Comment arrêter de fumer pour de bon,** Kieron O'Connor, Robert Langlois et Yves Lamontagne
Le corps heureux, Thérèse Cadrin Petit et Lucie Dumoulin
Cures miracles, Jean Carper
De belles jambes à tout âge, Dr Guylaine Lanctôt
* **Dites-moi, docteur...,** Dr Raymond Thibodeau
Dormez comme un enfant, John Selby
Dos fort bon dos, David Imrie et Lu Barbuto
Dr Dalet, j'ai mal, que faire?, Dr Roger Dalet
* **Être belle pour la vie,** Bronwen Meredith
La faim de vivre, Geneen Roth
Guide critique des médicaments de l'âme, D. Cohen et S. Cailloux-Cohen
* **Guide de la santé (le),** Clinique Mayo
H_2O — Les bienfaits de l'eau, Anna Selby
L'hystérectomie, Suzanne Alix
L'impuissance, Dr Pierre Alarie et Dr Richard Villeneuve
Initiation au shiatsu, Yuki Rioux
* **Maigrir: la fin de l'obsession,** Susie Orbach
Maladies imaginaires, maladies réelles?, Carla Cantor et Dr Brian A. Fallon
* **Le manuel Johnson & Johnson des premiers soins,** Dr Stephen Rosenberg
* **Les maux de tête chroniques,** Antonia Van Der Meer
Maux de tête et migraines, Dr Jacques P. Meloche et J. Dorion
Millepertuis, la plante du bonheur, Dr Steven Bratman
La médecine des dauphins, Amanda Cochrane et Karena Callen
Mince alors... finis les régimes!, Debra Waterhouse
Perdez du poids... pas le sourire, Dr Senninger
Perdre son ventre en 30 jours, Nancy Burstein
La pharmacie verte, Anny Schneider
Plantes sauvages médicinales, Anny Schneider et Ulysse Charette
Pourquoi les femmes vivent-elles plus longtemps que les hommes?, Royda Crose
* **Principe de la technique respiratoire,** Julie Lefrançois
* **Programme XBX de l'aviation royale du Canada,** Collectif
Qi Gong, L.V. Carnie
Renforcez votre immunité, Bruno Comby
Le rhume des foins, Roger Newman Turner
Ronfleurs, réveillez-vous!, Jocelyne Delage et Jacques Piché
La santé après 50 ans, Muriel R. Gillick
Santé et bien-être par l'aquaforme, Nancy Leclerc
Savoir relaxer — Pour combattre le stress, Dr Edmund Jacobson
Se guérir autrement c'est possible, Marie Lise Labonté
* **Soignez vos pieds,** Dr Glenn Copeland et Stan Solomon
Le supermassage minute, Gordon Inkeles
Vaincre les ennemis du sommeil, Charles M. Morin
* **Vaincre l'hypoglycémie,** O. Bouchard et M. Thériault
Vivre avec l'alcool, Louise Nadeau

---

* Pour l'Amérique du Nord seulement.

(2001/10)

Cet ouvrage a été achevé d'imprimer
au Canada en février 2002.